新潮文庫

近ごろ好きな言葉

―夜明けの新聞の匂い―

曽野綾子著

新潮社版

6463

目次

Ⅳ 作家って何だ

近ごろ好きな言葉

——夜明けの新聞の匂い

I　人生すべて三十年

オオカミの持ち帰り

「どっちもどっち」という言葉は、通常それを口にする人が他人を裁く姿勢が含まれている。しかし私がこれから書こうとしていることは、他罰的な目的で言うのではなく、こちらにも身に覚えがあるということだから、ほんとうは「こっちもこっち」という感じなのである。

ここ数日、マスコミの話題をすっかり独占したのは、石神井川《しゃくじい》で越冬中にボウガンという洋弓銃で射られた鴨《かも》のことである。私は昼間、テレビを全く見ないが、台所の傍を通りかかると、家人が見ているテレビが嫌でも目に入って来る。すると昼の番組でもまた延々、この鴨のことをやっている。あげくの果てに、二月三日付の産経新聞などは、「人間不信が重傷？『救出作戦』空振り」

などという見出しをつけたので笑ってしまった。

私は今、必要があって、或《あ》る地方で山を歩く人たちに加わって雑学を勉強している。登山ではない。山で生きる方途を習っているのである。第一日目からわかったのは、私は全く自分が歩けなかった人間だということであった。私は普段かなりよく歩く人間だと自負していたのだが、それは平坦地《へいたんち》の場合だということを考えなかったのである。雑木の生えている山の斜面を登らされたり、渓流の中を歩かされたりすると、私はてんで動きがとれない。普通なら山に馴《な》れた人たちは、こんな足手まといは意地悪をして連れて行ってくれないものなのだろうが、この「お山の学校」の先輩たちは皆心優しいから、私をどうにか列の最後においてせかせずにいてくれる。

そういう所に行きつけていると、この産経の見出しが実に不思議に感じる。

野鳥はすべて人間不信である。人間に馴れた野鳥などという奇妙なものは一匹もいないし、もしいたらテレビ・タレントとして金を稼げる。毎日新聞によると、同じ日に板橋区環境保全課の職員八人が、傷ついた鴨を捕らえようとして捜索を開始。隣接の北区からも応援が出た。そして同じ頃、東京では一組の老夫婦が誰にも気づかれずに死んでいるのが発見された。

その記事を私はなくしてしまったのだが、妻は風呂《ふろ》の中で死亡しており、体の不自由な夫の方は、自分でどうすることもできず、衰弱死したのだという。

繰り返し繰り返し報道してもいいのは、鴨より哀れなこの夫婦の方だろう。環境保全課は、鴨の捕獲よりも区内の老夫婦の見張りのために人を出した方がいい。しかし老人を哀れがってみせても、誰も感動しない。鴨を可哀相《かわいそう》だというと、情け深い良識ある人に見える。

このボウガンナー（こういう言葉もあるだろうと思うが）が恥ずべきなのは、技術が悪いことである。狩人《かりゅうど》は獲物《えもの》を一発で仕留める技術を持つことだ。もちろん今、都内で鴨を撃ってもいいかどうかという規則は別にして、の話である。しかし鴨を撃った人に対して、社会が急に怒るというのはおかしな反応である。私たちはもっと残酷なことを平気でしている。

NHKが奥ヒマラヤのムスタンという王国についてのレポートで、やらせをやったというのも、ここ数日の執拗《しつよう》なニュースであった。

罹《かか》っていない人に高山病の演技をやらせ、降っている雨を降らないことにして、村の人に雨乞《あまご》いをさせたのだという。

私はたった二度だけ、高山病まがいの体験をしたことがある。一度はエチオピア、一度はペルーである。いずれもかなりの高度はあった。しかし私には心臓の期外収縮という癖があるので、今でも、あれは軽い高山病だったのか、それとも単に私の体調が悪かったのかどうか疑問に思っている。だから私はほんとうの高山病というものが、どういう症状を示すのか、正確に知りたくてたまらない。しかしもしほんとうに高山病の病人がでたら、それを映すというのも残酷なことだから、私としては演技の方がいいと思う。

雨乞いもそうである。ムスタンなどという初めて名前を聞くような国で、雨乞いはどんなふうにするのかほんとうに見たい。ムスタンにもアフガニスタンにもトルキスタンにも、雨乞いがあるとしたらいかなるものか知りたくてたまらない。雨乞いの儀式こそ、世界共通の民族的な文化を示し、かつそれを比較することのできる行為である。だから、せっかくムスタンへ行ったのなら、雨が降った後でも、雨乞いというものはどんなふうにやるのか、是非撮影して来てほしいのである。これから、雨が降ると雨乞いの場面が撮れないのでは、あまりにも不自由である。だから、これは本当の雨乞いではありませんがやってもらいました、と言えばいいのだ。

NHKだけでない。民放各局も同じ程度かもっとひどいやらせをしていた話は、昔かられだけ噂《うわさ》されていたことか。この際「正義と真実の味方、朝日新聞社」は、過去のドキュメントだと称していた番組を全部洗い挙げて、それがやらせかどうかを調査して視聴者に教えてもらいたい。すると、部分的には八、九十パーセントの番組がそれにひっかかるのではないかと思う。

十年ほど前、私はサハラに行き、タッシリ・ナジェール地方にある岩絵を見て歩いた。その時、一日に十五キロから二十キロは歩いた。この岩漠地帯には、自動車道路というものが全くないのだから、人は歩く他はないのである。夜は岩かげや洞穴に寝る。

しかし贅沢《ぜいたく》なものであった。フランスには、ちゃんとサハラを旅行する人たち向きの旅行代理店があり、ジャネと呼ばれる基地の町で、その用意ができる。つまり私たちの旅行を支える数頭のロバを引くロバ子がやって来て、宿営地に先行してくれるシステムができているのである。彼らは、水と寝袋、質素な食料、薪《たきぎ》、鍋《なべ》などを持って行ってくれる。私たちの荷物も途中でいらないものは、荷につけてくれる。私が二十キロも歩けたのはひとえに身軽だったからである。

その時途中でちょっと崖《がけ》のような所も登った。トアレグ族のガイドが「まずその岩へ左足をかけろ。次はその窪《くぼ》みに右足を乗せろ」というふうに指示して、手も差し延べてくれる。帰って来て話をおもしろくするためには、千尋の谷を登ったようなことを言えばいいのだが、実は私程度の運動神経のない者でも大丈夫なのである。

しかしその頃前後して、どこかのテレビが、私たちと同じ道を辿《たど》り、わざと厳しい道を遠回りして「ラクダの足からも血が滲《にじ》んだ」というような映像を流したというので皆で笑ったことを覚えている。

私たちはその時サハラを縦断したのだが、つまり冒険旅行というのは、危険を予知して事故を防ぎ、何ごともなかったようにさらりと旅を終えるのが粋《いき》なのであって、病人が出たり事故が起きたりするのは、むしろ恥とすべきだろう、と私は思っていた。でも国民は皆、やらせのドラマを期待していたとしか思えない。というのは私たちの隊の中にも、ヴィデオ撮影に熱心だった人がいて、せっかく数人の専門分野の違う六人がそれぞれに研究テーマを持って、自費でサハラを縦断したというい記録を撮ったのに、彼らの映像はどこへも売れなかったらしい。テレビや写真に写るのが嫌いな私は、実は密《ひそ》かにほっとしたのだが、そのフィルムにはやらせのドラマが全くなかったから売れなかったとしか思えない。

今度のことで、「東京・渋谷のNHKには早朝から抗議の電話が殺到、三日午後五時までに三百五十八件にのぼった。そのほとんどは、『NHKはもう信頼できない』『テレビで経緯をきちんと説明すべきだ』『二度と不祥事を起こさないよう気をつけてほしい』などという内容だった」という。(二月四日付読売新聞)

NHKを信頼していた、というのが、十五歳くらいまでならまあ仕方がないだろうが、それ以上とすれば、これをいい機会に、すべての映像は、真実だけを映すことなど初めから不可能なことを理解すべきだろう。そういうことがわかるということが年をとって、人間がすれてきて、賢くなるメリットというものである。もともと撮らなかった場面や撮り損なったシーンがあり、時間の制約を受けて編集をすること自体が一種の作為である。そんなことを言ったらNHKの名作と言われる「シルク・ロード」には、やらせの要素はないのか。私の知人の純真な人は、あれが一つの撮影隊がずっと一気に撮影しながら行ったものとばかり思いこんでいる。それなども嘘《うそ》と言えば大きな嘘かもしれない。

四日の読売新聞の関連記事は、NHK取材班について「オオカミ持ち帰りも」という見出しを掲げている。取材中のスタッフは「地元住民が連れてきたやせ細ったオオカミ三頭に、ミルクなどを与えて飼っていたが」、そのうちの一頭を天王寺動物園に輸入させた。しかしほんとうは「あくまで岡田ディレクターの個人的な動機と輸入手続き」だとしているという。このオオカミはワシントン条約によって保護対象動物に指定されているのだという。

「オオカミの持ち帰り」という見出しは、最近出色のブラック・ユーモアであった。「ホットドッグの持ち帰り」というのはいくらでもあるけれど「オオカミの持ち帰り」というのは珍味に違いない。でもこういうことで笑うと、とにかくまじめな人の多い日本では叱《しか》られそうでおっかない。

モスクワの住民が、ここ数年で五キロ瘦《や》せたという二月四日付の毎日新聞は、朗報である。

「超インフレのためロシア国民は昨年、好物の肉や乳製品の消費を二〇％近くも控えた」のがその理由だという。

何しろ、ロシア人たちは、世界の同情を引くには太り過ぎていた。人が太っているのは生活が貧しいからだという説もあるけれど、やはりアフリカの貧しい国にはまず太った人はいない。モスクワという土地には一回しか行ったことはないが、マーケットで味見をさせてもらった巨大な脂身《あぶらみ》の塩漬けのおいしさを今でも思い出す。あれを肴《さかな》にウオッカを飲むのだという。私は酒飲みではないが、ロシアの幸福を目の当たりに見たような気がした。

　しかしとにかく彼らは太り過ぎていたのだから、エリツィン大統領は、経済危機を救うことに失敗したおかげで、ロシア人のスタイルを美しくし、寿命を伸ばすことには成功した。悪いだけのこと、というものもない。

　一月三十日には、毎日新聞がかなりの紙面を割いて、セルビアのペルチャ・ダムが、セルビア人がしかけた地雷の爆発で「ダム決壊の恐れ」があるという特派員の記事を載せている。

　ローマ発の記事はかなりセンセイショナルなもので、

「セルビア人勢力はダムから撤収する際地雷三個を爆破させた。地雷は、一つはダム上の道路、二つがダムの基礎部分にあり爆発でそれぞれに火山の噴火口のような直径数メートルの穴があいたという。このショックでダムの基礎部分の各所に亀裂《きれつ》ができたとみられ、地雷の爆破口とは関係ない数カ所からダム内の水が噴水のように漏れ出していることが確認された」

「同ダムの背後には約二五平方キロにわたるペルチャ湖が広がっており、決壊した場合にはシニは全域が水面下一メートルに水没してしまう恐れがあるという。さらにクロアチア南部の電力、飲料水が今後数年間にわたって供給不能になる恐れもあり、クライナ地区のみならずクロアチア全域に大きな影響を残すとみられている」

昔ナチスの占領下にあるダムを壊すという劇映画があった。ダムを壊すには、魚雷を投下しなければならないという設定である。しかしダムの湖水に魚雷を落とすには、必ず後ろに控えている山の地肌に沿うようにして急降下して来て、魚雷を投下せねばならず、魚雷自身もダムの上部に当ったのでは破壊力がないので、形を工夫して堤体の低い部分で爆発するように考える、というのがドラマの設定であった。

コンクリート・ダムにせよ、フィルタイプのダムにせよ、地雷三発で壊れてくれるなら、後一世紀くらい経《た》って古くなって効率の薄れたダムを壊す時、破壊工学の専門家たちが苦労することはないだろう。毎日の特派員は、セルビア人がダムの基礎部分に地雷をしかけたように書いているが、それは言うは易《やす》く行うは難いことだから、深さどれくらいのところにどうしてそういうことができたのか、もう少し厳密に報道がないとおもしろくない。それが明確になれば、日本でも、今後ダムに対するテロ行為の可能性が出て来た時に、それを防ぐために大いに参考になる。私が見た映像は、ダムの堤の上部――それは水門の所らしかったが――が壊れていたので、「ああ、いい具合に上から安全に縁が欠けたな」と思ったのだが、もちろんそれは素人《しろうと》の印象である。

ただ翌日の一月三十一日の毎日は、前日の記事を否定するように、ザグレブ発のAFP時事電の、「クロアチアのサリニッチ首相は二十九日、『ペルチャ・ダムの被害は大きいが、修復は可能だ』と述べ、ダムが決壊するとの懸念《けねん》は根拠がないと強調した」という記事を小さく載せている。

写真や地図を含めると、壊れる恐れが大きいという毎日の日本人特派員電は、壊れないという首相の発言の約七倍の面積になっており、しかも日付の上では、首相発言の方が一日前である。つまり特派員は首相の発言を知らずに、壊れる可能性が強いという記事を大きく書いているのである。

私たちの誰もがセンセイショナルなこと、悪人を決めるのが大好きなのだ。自分の家族や知人のでない他人の死にはそれほど傷つかず、動物の死や傷は人間以上にかわいそうがり、遠い土地のダムが決壊すれば退屈しないで済む。

最近の言葉でおもしろかったのは、皇民党事件に関して、自民党の小沢一郎・元幹事長が一月二十四日テレビ朝日の番組で話した内容である。

一月二十五日付の読売新聞によれば、元東京佐川急便社長・渡辺広康氏は、日本皇民党のほめ殺し街頭宣伝の善後策として竹下登元首相に田中元首相邸を訪問するように勧めた、と検事調書の中で述べていると言う。それに対して小沢氏は、

「私は（竹下氏の）付き添いで行っただけだから、隣の部屋にいた。飲み物や灰皿を代えたりするために部屋に出入りしたが、会談には直接加わっていない」

とテレビで述べたのだという。直接加わらないから内容は知らない、でそのまま済ませていた、というつもりだろうが、そんなことがとおるわけがない。

巷《ちまた》では「じゃ今度うちのパーティーでも小沢さんを呼んで来て、黙って灰皿だけ代えてもらいましょうよ」というトンチンカンなおばさんも出て来るありさまである。

考えてみると永田町の先生方は素朴で正直な人が多い。もう少しばれないような嘘のつき方を学ばれることの方が急務である。国民がやたらに怒るのは、国民というものはそれほど愚かで、思いつきでついたへたくそな嘘だって多分見抜けまい、とばかにされているのが感じられるからではないかと思う。

（一九九三・二・八）

人生すべて三十年

以前から、国外に住んでいる日本人に、外国暮しは不便なものですよ、という話を聞かされることがあった。私は長い期間外国に住んだことがないので、実感が薄い。ただ旅行者として、部分的に似たような体験をすることはあった。

東南アジアなどの一部の国を除いては、外国では、その国の宗教上の聖なる日には店が全部閉まってしまう。開きたくても、個人的に店を開けます、などと言えば、自分の不信仰を晒《さら》すことになるから言えないのである。

その他の日だって、ものを頼んでも、その時間通りに職人が来ることはまずない。来てもどこかきちんと直したり取りつけたりできない。製品そのものの作りが精密でない。オーダーしたものは、何日も待たなければならない。せっかく来たと思ったら、間違ったものを持って来る。自分の扱っている機械をよくわかっていない。カタログにあっても実際には品物がない、などなど、文句の種は尽きないようである。

だから、人間、辛抱が第一だということになる。

私は日本人の中では、かなり性格がルーズな方である。時間に遅れたこともよくある。借りたお金を（大金ではないと思うが）返すことをけろりと忘れてしまっていることもあるに違いない。額を吊《つ》るす時にどちらかが五ミリ下がったり上がったりしても、すぐ気がつく方だが、たとえひん曲がっていても、それはそれで仕方がない、と考えていられる。

そういう態度は旅で学んだのである。相手がすぐ、こちらの思い通りにしてくれる、などと期待すると始終怒っていなければならないから、すべてことは成り行きまかせ、と初めから思い諦《あきら》めた方が、こちらの神経が疲れずに済む。

ところが最近、世界的傾向が日本にも押し寄せたような感じになって来た。

まずテレビを買ってアンテナをつける必要ができた。買った店と、工事を請け負う会社は全然別らしく、取付けに来た工事会社の技術者は、ゴーストの出るような画面のまま取付け工事を終えて帰ってしまった。

電話でモンクを言うと、お宅の土地では、それ以上電波の調子はよくなりませんといいう。そんなことはありませんよ、同じ敷地に立っている古い家では、よく見えるんですから、と言うと、数メートルの違いでも、電波がよく入らないところはあります、と言う。

それなら、棟は違っても、同じ持主なんですから、電波のよく入る古家の上にもう一本アンテナを立てて、そこから新しいテレビの方へ電線を引っ張ってくだされぱいいんじゃありませんか。持主が違うなら、うちの屋根の上にはパラボラは立てさせない、というようなことを言うかもしれませんけど、うちの場合は、二棟共同じ持主なんですから、と言っても、決裂寸前まで、とにかくお宅のはだめなんです、と言い張っている。

その電気器具を売る店は、大きなチェーン店で、関西の方ではすばらしいサービスをしていると言う。しかし東京ではこういう結果になる。手短に結論を言うと、つまり完全に見えるようになったのである。電気製品のメーカーは、こういうやる気のない工事会社に、自社の製品の性能の決め手を握られている。私が「社長さん」だったら、心配で夜も眠れなくなるだろう。

世間が不景気だということは、私のように、買いたいと思っていたテーブルを、これで二年以上も買わなかった者には好都合に思えることもある。ひさしぶりでデパートに行ったら、ここでも家具の大バーゲンをやっていた。通りがかりに、これくらいの値段なら仕方ないと思う石のテーブルを見つけた。木のテーブルも優しくていいが、私は石のテーブルも扱いが楽で大好きなのである。

海の近くの別荘へ運んでもらうことにして、日にちを約束した。そして待っていると、色の全く違うものが運ばれて来た。

運送会社の人には責任はないのだから、これで我慢をしようかという思いが一瞬閃《ひらめ》いたが、私の頼んだのは寝惚《ねぼ》けたようなベージュ、運ばれて来たのは黒と白の尖鋭《せんえい》なコントラストを持つ石の色である。あまりにも個性が強くて、ぐちゃぐちゃした無定見な色が混じり込んだ部屋に入り切らない。「申しわけありませんねえ」と労《ねぎら》って、この重いテーブルを神奈川県まで運び直してもらう結果になった。

不景気は、古い家具直しにもいい時期であった。バブル時代だったら「捨てなさいよ」と言われてしまいそうな傷ついた箪笥《たんす》、飾り棚、櫃《ひつ》などを、鎌倉彫りの塗りをやっている会社が、直してくれるという。景気のいい時だったら、見返っても貰《もら》えないだろう、とありがたく思いながら、丁寧に修理した古い家具に囲まれて暮らす気安さを期待していたら、櫃は染《し》みも禿《は》げた部分もささくれも、半分放置されたまま帰って来た。善意は善意なのだが、これでは治ったとはとうてい言えない。

会社の人たちも感じのいい人たちだし、充分親切心もある。ただ、この会社でも、職人さんたちが恐らく厳密な訓練を受け、どこまでも直すというプロの執念みたいなものを持っていないのである。もっとも、それを要求するには、我が家の家具は少しお手軽過ぎたのだが……。

今の大工さんたちの半分？は水平を目測で図れない。私が「それ右側が下がってるでしょう」などと言うと、物差しを当てて見て、「奥さん、よくわかるね」とくったくない。私はもしかしたら、小説家より大工さんになった方がいいかしらん、などといい気になりかける。うちで家具を組み立てた職人さんは、余った釘《くぎ》を、縁先の花壇の中に捨てて行ったから、私は釘を拾って道具箱に入れ、得をすることになってしまう。

戦前から、我が家で好きだった有名な仕出し弁当の老舗《しにせ》がある。先日わざわざターミナルの名店街に下りて、その店のお弁当を買って列車に乗った。その日は鰆《さわら》だったが、昔は鰤《ぶり》の照焼が有名なうちであった。その味を子供心にも覚えていて、今でも私は始終魚の味噌《みそ》漬けを作るのである。

ところがひさしぶりに食べてみて驚いた。ご飯がぐちゃぐちゃなのである。今どきどうしてこんなにへたくそにご飯が炊《た》けるのかわからない。私が週末に行く海の傍の町のスーパーには、怠け者のおかみさんの昼食用の天丼《てんどん》、かつ丼、稲荷寿司《いなりずし》、などいろいろなものを売っていて、私も通りがかりにそれを買ってけっこうおいしいと思って食べるのだけれど、それはこの老舗のお弁当屋の幕の内の三分の一に近い安さである。それでも、ご飯は粒の立ったようなのを出している。

このお弁当屋の老舗はまもなく潰《つぶ》れるだろうと思う。理由は簡単なのだ。スーパーにさえできることを、怠惰でしないからである。

ひどく違ったものに、カメラマンの礼儀もある。

昔は「写真に撮らせてもらうのは相手にとって迷惑」という自覚がちゃんとあった。それは恐らく先輩のカメラマンが、そう言って後輩に教えたからなのである。

もし講演会などの写真を撮るなら、それは初めの三分間くらいの間にさっさと撮って引き上げるのも常識である。座談会の場合でも同じだ。話が佳境に入らないうちに、顔写真を撮り終わるというのが普通であった。

最近ではそうでない。新聞記者は、講演会が行われている間なら、いつでも自分の都合のいい時に行って写真を撮って来てもかまわない、と考える。

或《あ》る時、座談会の間中ずっと写真を撮っている人がいたので、途中で「もう写真はお止《や》めください」と言ったことがある。私は写真が嫌いなので、写真を撮られながら身を入れて話をするなどという芸当ができにくいのである。すると、その人はよほど腹が立ったらしく、座談会が終わってから私に詰め寄った。

「どうして写真を撮っていてはいけないんですか」

そう聞かれたら、私ははっきり言うほかはない。

「今日は座談会に出ろということでした。私は撮影会の契約はしていません。撮影会なら私はずっと我慢します。しかしその時には、そのためのギャラを頂きます」

もちろんギャラをもらって写してもらうような顔ではないから、こういう架空の議論をしていると、何となく背中のあたりがむずむずして来る。

日本も全く外国並みになりかけた、という感じである。まず、連絡が悪い。だから一つことに二度も三度も人手をかけねば完成しない。職人の技術の誇りみたいなものがほとんどなくなった。私だって小説を書いて原稿料をもらうようになってから、来年で四十年になってしまう。相当才能がなくても石の上にも三年の十倍以上やっているのだから、少し事情がわかるのも当然だろう。しかし三十年、四十年の辛抱なんて今どき誰もしないのである。

先日或る地方で一人の紳士にお会いしたが、その方も、

「何でも人間三十年やれば、少しはものになりますな」

と言っておられた。その方の三十年は、欅《けやき》の銘木を集めることと、消防団と、東海林《しょうじ》太郎の歌をマスターすることと、県会に捧《ささ》げられたのである。欅は、最初の二十年ほどは切った後でも動いている。それがおさまってから建造物にするのだが、それでも木の動きを推測しながら、建物を建てなければならないという。まだうかがったことはないのだが、東海林太郎の歌も、本物に肉薄するうまさだという。

つまり今は、皆未熟練な腕のままで通用する時代になってしまったのだ。それでもお金は稼げるし、親方もそれ以上のことを言えば、今の若いものはすぐやめてしまう、という。

アメリカが日本との貿易不均衡に苛々《いらいら》しなくても、このまま行けば、日本が技術的にいろいろなところから脱落して行くのは時間の問題だろうという空気が私の身の廻りには立ち込めている。不景気なら、その空気を利用して、職人・技術者の訓練を厳しく行

うことだ。日本は今いい気になっていて、世界的な技術のレベルを保てる状況になど、あるわけがないと思う。

毎年、税金の申告の時期になると、私は従兄《いとこ》にずっと迷惑をかけて、すべての事務を代わりにやってもらっている。

私はほかのあらゆることは、文学のためになるような気がしている。病気も、失恋も、会社の倒産も、浮気も、くだらない道楽も、人間関係の思い込みも、すべて文学の世界に瑞々《みずみず》しさを送る役に立っている実感がある。しかし、税金の申告の技術を考えることに時間と頭を使うことだけは、よくないような気がするのだ。

つまり必要経費を算出するためにどういう受け取りを普段から揃《そろ》えておき、それをこういう形で申告すれば、脱税ではなく、節税になる、というようなことに普段から神経と頭を使うということは、私の文学にいいわけがない、と思う。

もし自分で申告をしなければならなくなったら、私は原稿料なしで書いた方がいい。A出版社からは年間卵二百個、B出版社からは味噌十キロ、C出版社からはお米二百キロ、D出版社からはバター四十ポンド、というような形で、生活に必要な物資をお情けで貰うだけにする、と言ったら、それにも税金がかかるという。

そういう日に備えて？私はせっせと野菜作りをしている。真冬は別として、もうこれくらい暖かくなると、青菜の類は完全に自給自足している。青菜だけではない。ソラマメも葉大蒜《にんにく》も蕗《ふき》もキンカンも葱《ねぎ》も作っている。

中国料理とタイ料理にかかせないレモン・グラスもコリアンダーの葉っぱも植えてある。夫は、私が地面にはいつくばって働いていても、腕組みして見ているだけで草一本抜こうとはしないが、食べるだけはちゃんと食べる。先日来た私の友達は、東京の私の家の三坪の畑を見ると、

「生活程度の低いのがわかるねえ」

と感想を洩《も》らした。上等な暮しをしている人なら、こういう場所には野菜ではなく花を植えるものなのだそうだ。でも私は花だって植えている。町の花屋さんでは、一本三百五十円はするという大型のラッパ水仙を、二、三十本切ることは簡単だ。新鮮な水仙は切り口からだらだら涎《よだれ》を垂らすのがすごい。

申告の日が近づいて、従兄が集計をしてくれた額を聞いて夫は愕然《がくぜん》としたらしい。貯金通帳にない金額のお金を払わなければならないのだという。今年それほどたくさん稼いだというのではない。この人は、いつも自分より女房が「ヒラリーしてる」（クリントン大統領の妻のヒラリーさんが出しゃばることで、これは私が昨日作った言葉だ！）と思っているので、私には「税金のお金用意してあるの？」などともっともらしい注意をする癖に、自分は納税のための準備などしないからこういうことになったのである。

昔、私も収める税金の準備がない年があった。税務署の人に、

「でもいいです。夫に借りて払います」

と言うと、税務署の人は私に注意した。

「ご主人のお金でお払いにならないでください。そうすると贈与になりますから」

まだ若かった私は、それを聞くと、かっとなって言い返した。

「あなたは私に、他の男から借りろとおっしゃるんですか？」

税務署もお気の毒だ。私のようなのを相手に、夫の金を借りたら、その分きちんと通帳上で返すように指導しなければならない。しかしそれ以来、私は秋になると納税用にお金を溜《た》めることを始めたのである。それを使わなくていい年にはまた、別の楽しいことができて、春がいっそう賑《にぎ》やかに明るくなる。

従兄からの電話の後で、夫が、

「大変だ。ボクは金がない」

と言ったので、私は、

「じゃ首くくったら？」

と言ってみた。すると彼は嬉《うれ》しそうに笑って、

「僕、死なないで夜逃げする」

と答えた。

この精神は大切なのであろう。バブルがはじけて、まじめに首くくるより、不真面目《ふまじめ》に夜逃げすることの方がどう考えても人間的である。

（一九九三・三・六）

中国、十八年の歳月

一九七五年以来、私は中国に入っていなかったが、今度十八年ぶりにほんの六日ほど、北京《ペキン》と上海《シャンハイ》の二都市を訪ねることにした。

とは言っても、案内兼通訳の陳青年が呆《あき》れるくらい故宮も天壇も万里の長城もよりつかない旅である。

中国は変わったでしょう、と誰もが言う。

確かに人民服も見られなくなった。全国人民代表大会（全人代）が開かれていたので、多少赤旗が見られたが、北京というと旗を連想するという同行者ががっかりするのではないかと思うくらい、旗も少なくなった。

壁新聞もない。スローガンもない。と言いたいところだが、着く早々、私たちの度胆《どぎも》を抜いたのは、空港いっぱいに飾られたピンクや黄色やブルーの旗とポスターで「開放的中国盼奥运会（より開放的な中国は紀元二千年のオリンピックを待ち望む）」というものだった。英語では「A more open China awaits 2000 Olympics」という表現をしているので、なかなか含みがあっておもしろい、と言う人が多い。

町中の道路脇《わき》だろうが、建設現場だろうが、このスローガンだらけである。まだ決まったわけではない。決定は九月だという。そして私でも、オーストラリアのシドニーでやるくらいなら、北京の方がいいと思う。

同行者に「私たち、うんといい時に来たと思うけどなあ」と囁《ささや》くと「どうして？」と言うので「少なくとも九月までは、警察がシャカリキになると思う。外国人旅行者目当ての、誘拐《ゆうかい》や殺人や強盗やかっぱらいなんかが出ると、それでオリンピックはおじゃんになるから、治安をよくするに決まってると思うけどなあ」と答えた。

噂《うわさ》でも、オリンピック委員会の調査団がさきごろ北京に下見に来たのをきっかけに、町がさっときれいになった、と言う。調査団のいる間だけ、町の空気が汚いと思われるといけないので、集団住宅の暖房が止められたり、交通規制も行われた、と言っている人もいる。

一九七五年と比べると、ほかにもうんと変わった。党員になろうとは全く思わないなどと平気で口にする人はいくらでもいる。一九七五年には、私が「今中国で、何が話題ですか？　日本では、単身赴任とか、受験戦争とか、住宅が狭いとか、いろいろ生活の苦労があって、女性が集まればよくそんな話も出るんですけど、今こちらではどういうことが問題なんですか？」と聞くと、通訳は、「毛沢東先生のおかげで、中国に不幸なことはありません。皆満足しています」などという正気の沙汰《さた》とは思えない答えをしたのである。もっとも今でも、テレビに映された何かの大きな会議では作家たちが「団結してこそいい作品ができる」ことを承認し、「団結こそ力」などという歌を歌ったというから、まだこの国には文学の育つ土壌はできていない。

しかし、今や赤い表紙の毛沢東語録も姿を消したし、子供たちの赤いネッカチーフも見られなくなった。

私たちの泊まった北京飯店の新館としてできた貴賓楼と呼ばれるアネックスは、広いバス・ルーム、ホームバーまでついた立派なものだった。一九七五年に北京飯店に泊まった時、私は自分の浴室に置いたアメリカの石鹸《せっけん》を盗《と》られた。今回は、ちらと見えるていどに部屋の雑物の中にやや意図的に放り出しておいた人民幣の五元（百円）がなくなっただけである。チップと思えばそれでいい。

町には一頃貴重品だったバナナも蜜柑《みかん》も溢《あふ》れている。前門大街《チエンメンターチエ》や大柵欄《ターツエーラン》などという賑《にぎ》やかな通りでは、ちょうど昼時だったので、屋台でご飯を食べている人を見て感動した。肉と野菜の炒《いた》めたものをかけたご飯や焼麵《やきめん》などが、六十円、八十円、百円という値段である。北京在住の日本人もこの屋台のご飯の味には賛辞を惜しまない。

男ものの靴は五百六十円くらいからある。ブラウスは七百円である。そのブラウスの売り子さんたちは、お化粧の濃い美女たちで、揃って白いブラウスのレースを風になびかせ、なぜか揃いの黒革手袋をはめている。

お茶の老舗《しにせ》・張一元では、買い物客が連れているペットの犬を初めて見た。しかし北京で飼い犬を見たのは、この時きりである。私は風邪がなおらないので、有名な漢方の老舗・同仁堂で飲み薬を買う。頭に効く薬、精力剤のようなものも売っていて、体の不調はすべて解決してもらえそうな満ち足りた気分になる。

第一日目には、中国は変わったという印象を受けいれそうになった。どう変わったかというと、文革の時代のあの堅苦しい、無表情な、建前ばかりの、強制された禁欲的な顔がなくなって、昔ながらの中国人の、経済的な才能が自由に発揮できるような空気になった、と信じそうになったのである。

この印象が少し変わったのは、翌日北京駅を見た時であった。

駅の構内にも屋根のない外の部分にも、大きな荷物を置いた人々が、漫然と埃《ほこり》だらけになって待っている。何のために、どういうルールの元にそこにいるのか、誰に聞いてもわからない。列を作っているのでもない。何時間も何日も、そこで、待っているか暮らしているかなのだろう。

切符の窓口は殺気だっていた。人々は文字通り、前の人と体がぴったりくっつくくらいに押し合いへし合いしているから、終戦後の日本のみじめな時代を知っている私は、ひとごととは思えない。

その人々の顔を見ると、北京の繁栄というのは、全中国で突出した、例外的なものなのだろう、という気になった。田舎の人々は服装も悪い。青い服や、綿入れ風の上着を着て、ハンチングに似た帽子を被《かぶ》り、歯は抜けっぱなし。兵隊の一群も同じようにして地面に寝ている。軍の公用なら切符は支給されるだろうに、と思うが、そうでもないらしい。

地方と北京の生活程度の差はかなり大きいに違いない、と感じていたら、日本へ帰る飛行機の中にあった「ニューズウィーク」四月八日号に、「中国の怒れる農民は都市をめざす」という記事があった。

「首都北京の鉄道駅を見るがいい。どの駅も地方から『上京』してきた農民たちでいっぱいだ。地方からやって来た労働者たちが物ごいや盗みを働く、道路をふさいで邪魔だ、交通渋滞の原因になっている――北京でも上海でも、そんな苦情が市民から寄せられている」

「中国経済は今のところ、これまでになく好調だ。だが農村部は置いてけぼりを食わされている。農民の平均年収は、米ドルに換算して約一三五ドル。都市労働者の三分の一にすぎない。しかも格差は広がる一方だ」

二日目になると、中国は変わりつつあるというのは、都市部だけを見た、皮相的な見方なのではないか、と思うようになった。ことに中国人の意識が変わったというのも、浅はかな考え方なのではないかと思う。

当然のことだが、中国人は、歴史始まって以来、全く変わらなかったのだろうと思う。つまり文革の時代、中国人は、生き延びるため、或《ある》いは権勢を手にするために、時代に迎合してみせていただけなのではないかと思う。私の同行者が、一人の中国人に、

「中国は何を輸出して儲《もう》けてるの？」

と聞くと、

「武器も輸出してますから」

とためらいもなく答えたというのだから、文革の時にも中国人は一斉に身の保全のために、変わったように見せかけただけなのだろう。

だから今では、文革時代の中国を懐《なつ》かしむ東南アジアの華僑《かきょう》もいると聞いたことがある。今の中国人は規律もなく、すべてが金と思い込み、教師を優遇せず、文革の時代に学問ができなかった世代の穴を埋めるどころか、師範学校の生徒からまで授業料をとっているという。だから優秀な学校の先生が、教師をやめて「商売人」になり、学生も学問をせずに、商売に走ってしまう、という。

私の見物の方法はいつも単純で、揺り籠《かご》から墓場まで、という原則を守ればいいと思っている。市民のお墓はどこなのですか、そこへ連れて行ってください、と言いながら期待したのは、青山墓地みたいなところだったのだが、行って見ると、市の西方にある

革命記念墓地であった。門に着くなり、きついホルマリンの匂《にお》いが漂っているのは、遺体を処理する棟があるからである。その前で悪趣味にも記念写真を撮った。

ここに埋められているのは、中国革命に功労があった人たちで、夫と妻とが、ほんの少し離れた所に葬《ほうむ》られているケースもあったが、革命戦士たちは孤独に、家族とは離れ離れに埋められている。

墓碑名の中の幾つかは、郭沫若《かくまつじゃく》氏の筆になるものだったので、私はガイドの陳さんに、

「どうしてこんな権力に阿《おもね》る卑怯《ひきょう》な人に、碑文を書いてもらいたいなんて思うんでしょうね」

とおとなげないことを言った。

「そうですか？　立派な学者だと聞いてますが」

「学者としての功績はわかりませんけど、ほんとうに品性の卑《いや》しい人です。江青女史を讃《たた》える詩を書いたかと思うと、彼女が失墜すると、すぐやっつける詩を書くんです。そして自分の著作を自己批判したりしたでしょう。どういう人なんでしょうね」

陳さんはかわいそうに困っている。中国ではこういう変り身の早い人を利巧だと思っているのではないか、と最近は感じているのに、口にするのはまだこういう日本的な発想になる。

北京では胡同《フートン》と呼ばれる路地に面して建っている四合院《スーホーユエン》という形式の共同住宅を案内してもらった。昔は一軒の家だったもので、中庭に面して四方に部屋がある。北側に主人夫婦、東西に息子夫婦の家族、南に使用人の部屋や客室があるのが原型であった。しかし今は十二家族くらいが一緒に住んでいるという。

果樹や花の木があったという家族の大切な中庭も、今はその面影もなく荒れている。おかしな建築物も建てて、誰かが納屋《なや》に使っているという。そのため、中庭自体がせせこましい迷路のようになってしまった。かつての持主は高校の先生だったが、あまりにも薄給なので、今は他の仕事をしているという。その家にも専用の水道はない。

北京では、どこで食べても、中国料理がまずくなったのに驚いた。ことに人民大会堂の裏の食堂など、ほんとうにひどいものだ。香港《ホンコン》でも、台北《タイペイ》でも、シンガポールでも、こんなまずい中国料理にはなかなかお目にかかれない。もっとも一九七五年に来た時には、私たちは、国賓に近い待遇を受けたのだから、それと比べたら気の毒である。

しかし上海は違う。中国というのは大きな国だから、どこかで必ず違う要素を持っているところが楽しい。

今後は国の中で、観光の競争が起こるだろう。たとえば私のような食いしん坊は、北京はいやだけれど、上海ならいい、というような堕落した選択をしかねない。

上海には、ホテル・オークラの経営になる「ガーデン・ホテル・シャンハイ」がもとのフランス租界の一隅にあって偉容を誇っている。ここには、フランス風の上品なステンドグラスを天井にはめこんだダンス・ホールが保存されていて、そこで毛沢東と江青女史がダンスをしたという。このホテルでは日本のように水道の蛇口からじかに水を飲むことができる、と書いてある。従業員もかたことの日本語を話そうと努めている。

ここでいやな話を聞いた。日本から来る客の中には、傍若無人に「オイ、姑娘《クーニャン》いるか」という調子の人もいるという。三人で水割りを二、三ばいずつ飲んで女の家に行き、そこで十七万円を請求されて、一人が慌《あわ》てて金を取りに来たが、それだけの持合せもなかった、などという話など聞くと、日本の母親たちは、息子たちにいったいどんな恥知らずな教育をして来たのだろう、と思う。

上海を訪れる多くの日本人は、しかしもっと素朴な懐かしさで、かつて自分の住んでいた家を見たくて来るらしい。幸か不幸か、虹口《ホンキュウ》地区などに、かつての日本租界だったという家並が今でも全く変わらずに残っている。純粋の日本建築の長屋でもないのだが、屋根の低さや、格子《こうし》や戸口の一部などに、どことなく日本の匂いが残っている。そこを訪ねた人は、必ずそこで泣くのだという。私は十歳になる孫に、どうしてもここを見せたくなった。かつての日本人がどのようなところにどんな暮しをしていたのか、今では中国くらいでしか見ることができなくなっているからである。もっともこういう町が消えるのは、もうすぐだろう。

上海でのもっとも印象的な話は、私の一九七五年の記憶を補足するものである。その時、私たち、日本の文化使節団は、上海市の招待を受けたが、そのホスト役を勤めたのは、徐景賢という上海市のナンバー2だと言われる人物だった。宴が終わった時、私たちは一人一人彼と握手し、お礼を言って退席したが、その時彼は私に「ご主人によろしく」と言った。使節団のメンバーの履歴などもかなり記憶している勉強家だと、私は察した。

私はとっさに、「あなたのご一生をまだ書かれていない小説のように見守りたいと思います」と返事をした。

徐景賢氏がどうなったか、私はその後全く知らなかったが、今回初めて上海でその消息を聞いた。

彼は四人組が追放された時以来、刑務所の中にいた。私より若い人だと思うが、「彼はもう一生出られないでしょう。あれだけ、人を殺したのですから」という説明であった。私は書かれていない小説の後半を読んだのであった。しかし本当の最後はまだ書かれていないのである。

上海はすさまじい交通渋滞であった。知人の車を借りて、蘇州か無錫まで行こうと思ったのだが、町を出はずれるまでに一時間以上かかった。途中生きた鶏や、豚の脂身《あぶらみ》だけを積んだリヤカーなどに会う。

古猗園という古い明代《みん》からある庭は、蘇州でよく見られる石を柔らかく使い、亭《ちん》と流水と芽吹いた柳と桃の花とで、中国の春を歌っている。

中の食堂で、この地方の家庭料理を食べた。国営だから官僚的で、十二時少し前に入っても、監督はもう時間でだめだとか文句をつけている。中国語のできる友人が宥《なだ》めて、一人六百円の定食を出してもらうことにする。あの男の態度からみて、どうせまずいご飯が出て来るだろう、などと覚悟していると、掘りたての筍《たけのこ》、新鮮な豆苗《とうみょう》、冬瓜《とうがん》の甘酢かけ、蝦《えび》など、すべて記憶に残るほどの絶品だった。甘いものの嫌いな私が二はいもお代わりしたお汁粉様のデザートは、黒い糯米《もちごめ》に桂花と呼ばれる香料を入れて、長い時間をかけて蒸したものだという。

最後にあのリヤカーの豚脂をさっと入れて、照りと柔らかみを出す。あの脂の行方がわかっただけで、何となく幸せになった。すべて来し方・行く末が透明に見通せるという状態は、気分が爽快《そうかい》になる大切な要素なのである。

（一九九三・四・七）

クメールの微笑《うすらわらい》

カンボジアでは、国連ボランティアの中田厚仁さんに続いて、文民警察官の高田晴行警部補が巡回中に撃たれて亡《な》くなられた。五月五日付の毎日新聞によると、襲った身許《みもと》不明の武装集団の使った武器はB40型対戦車ロケット弾と自動小銃だったという。

カンボジア問題を日本のマスコミで読むと、どうも私の理解の範囲をはみ出てしまう。つまり問題が日本的な高レベルの判断でなされるために、現地の姿は果たしてこうなのだろうか、と頭を抱えてしまうのである。

まず、国連というものの認識である。カンボジアの庶民が国連というものを理解しているとはほとんど思われない。国連の思想を持つには、国家というものの意識がまず先にあり、それにはっきりと属することを体験した後でなければできるわけがないものである。

国家とは何か、を実は私もよくはわからないのだけれど、出生届けと人口の登録がなされ、資本主義体系を取るなら私有財産の登記がきちんと行われており、徴税の組織がともできているのであろう。また暴力を個人から取り上げて、国家の専管にするということも入るであろう。ロビン・フッドが活躍をしていたという時代には、英国の国家は未成熟だったのである。

しかしカンボジアという土地で、これらのことがきちんと行われていることはまずないであろう。

世界には、自分の年を言えない人がいくらでもいる。インドにもイスラエルにもいる。イスラエルにいるなどというと驚く人がいるが、つい最近も私はイスラエル領のシナイ半島で遊牧民の人たちと、ユダヤ人のガイドを通して半日付き合った。すると、子供でも大人でも自分の年を知らない人はけっこういることがわかった。年齢を尋ねると、

「七十だ」

というように一応は答えが返って来る。しかし、

「そんな年か？」

聞き返すと、

「それなら幾つに見える」

と聞くのだそうだ。それで、

「せいぜいで五十五くらいだろう」

と言うと、

「じゃあその年だ」

となるのである。

昔、インドの田舎でも、ハンセン病の専門医の往診に同行したが、やって来る患者たちの多くは、初診の時年を聞かれると奇妙に三十とか四十五とか五十とか区切りのいい数の人が多かった。二十九歳とか三十四歳とかいうのは少ない。つまりほんとうの年を知らないからざっと幾つということになる。こういう状況だと、選挙権を持つ人を正確に決めることもできないことになる。

私の知人はフィリピンのミンダナオの田舎の、その土地の電力会社のオフィスで、そこで働いている海外青年協力隊の一人に会うために待っていた。

そのオフィスには二人のフィリピンの女性が働いていた。タイプも打てるし、自分よりちゃんとした英語を話すインテリだ、と彼は言った。

「日本人と結婚したいと思う？」

彼は日本青年の到着を待つ間に二人の娘たちに軽い気持ちで尋ねた。

「もちろん。日本人は有能でまじめでいい人たちです」

彼がふと壁をみるとそこに世界地図があった。

「日本はどこにあると思う？」

地図の字は少し小さくて、すぐには読めない。娘たち二人には、日本の位置がさっぱりわからなかった。一人が頭をかしげながら、フィリピンの右の方を指した。

「どのあたりだったんですか？」

と私は尋ねた。

「パプアのあたりでしたね」

世界地図というものを一度も見たことがなくて大きくなる子供たちは、これまた世界にいっぱいいる。彼らの世界はほんの限られた範囲である。

最大の関心は自分のうちと両隣である。その間にはバナナの生け垣があったり、豚がいたり、ニワトリがかけ廻っていたり、アヒルの泳ぐドロ池があったり、ロバが繋《つな》がれていたり、土地によって違うが、そういうささやかな生活の営みがある。それが絶対に重要なのだ。そのように見える範囲だけが、いわば彼らの世界なのである。彼らの足は信じられないほど達者なのだが、十キロ離れた近くの町にだってほとんどでかけたことのない人はいくらでもいる。

国などというものの観念は、カンボジアの現代史を紐解《ひもと》いてみても、はっきりした形ではありようがない。

五月七日付の朝日新聞の社説は「ＰＫＯ参加五原則は空文か」という記事を載せている。

「カンボジアは、もはや戦場と考えるべきではないか。（中略）このところ、ポル・ポト派の武力攻撃が広がっている。地方都市でのプノンペン政権軍との交戦が、連日のように起きている」

「胸が痛むのは、亡くなった高田さんは、日本からの七十五人の文民警察官の一員として昨秋カンボジアに派遣された際に、このような危険にさらされるとは考えにくい状況にあったことだ。

いまになって、『PKOには危険はつきもの』と、もともと犠牲覚悟の派遣であったかのようにいわれたのでは、ご遺族も現地の同僚たちもやりきれない」

新聞社はどうだったのか。政府に眼がなかったのなら、新聞は予測したかと言うと、地雷が埋まっている、という警告をしたのはかなり多かったが、地雷の犠牲者は今までのところでなかったのである。

しかし危険は地雷ではなかったのだ。

民間の調査機関や、目的を持った一般旅行者が、滞在や旅行をする場合、通は政府や新聞社の情報をほとんど疑ってかかっているようである。昔から、現地大使館はろくろく情報を持っていない、という囁《ささや》きを、奥地に分け入っている一匹狼《おおかみ》の商人やカメラマンや学者から、よく聞いたものであった。PKOの派遣は、初めから、少しも安全なほどではないのである。

それは、何もカンボジアだけではない。パリ和平後のヴェトナムだって、サイゴンで会ったアメリカの軍人上がりの民間のコンサルタントは、アロハシャツの下に大型の軍用拳銃《けんじゅう》を持っていた。

私は一九五六年以来四度カンボジアに行ったが、一九七〇年の時には、四号線を首都から六十キロほど離れたコンポンスプー県のプレクトノットと呼ばれるダムサイトに入った。その時でさえ、すでに首都からわずか四、五十キロの地点でゲリラは出ていたのである。そのダムを作っていた大手ゼネコンは、一九七三年には途中でダム建設を放棄して引き上げなければならなかった。

土木屋と言われている人たちには、普通子供のような執念がある。できることなら、多少の危険を冒してでも、ともかく自分の手がけたダムを作って帰りたいのである。それができなくなった理由はいろいろあるだろうけれど、当時からカンボジアはそういう土地であった。

もちろん個人なら、政府の公式見解をかいくぐって勝手に身の安全を測る方法もないではない。国情が安定しないところでは、単純な方法だが、戒厳令が出ている時が一番いい。しかし自衛隊や文民警察は、危険を避けようがない。プノンペンは安全でしょう、という人がいるが、ゲリラとすれば、プノンペンの豪華ホテルを狙《ねら》うことは効果的である。

今年初めまでの、自衛隊の宿舎は、板門店を見た者には、信じられない簡素で開放的なものであった。もっともすべてのものは二通りの表現ができるから、これを無防備なものと言ってもいいのである。

板門店では、宿舎の北側はすべて人の身丈に近い土嚢《どのう》が積んであった。自衛隊員の宿舎を一個所に集めるべきか、それとも分散するべきか、私が指揮官なら、数十秒以内に、彼らが防戦のために手にできる兵器の量なども考え合わせて、夜も寝られないほどだろう。正月の二日には、現地を訪問中の陸幕長やほかの幕僚幹部が、国境地帯の視察に出られた。出発の後で、私はそっと携行している武器を尋ねた。その時の防備は（私の記憶違いでないなら）拳銃四梃《ちょう》だけだと聞かされた。正直なところ、これだけの幹部が襲撃され、最悪の場合は人質になったらどうするのだろう、と思いながら、私は自分が全く余計な心配をしているのがおかしくなった。

今度、警察は、後から撃たれても、機関銃にも強い防弾チョッキを送るというが、それが四十度かそれ以上にもなる気温の中で行動中に着られるものかどうか、それは試したのだろうか。朝日の記事は更に続く。

「ポト派の武力にひるんでいては、それこそポト派の思うつぼだというのは、その通りかもしれない。しかし、選挙監視に日本から加わる人たちは、ＰＫＯ協力法に基づく国の意思として派遣されるのだ。この人たちの安全について、政府は責任を負っていることを確認しておかねばならない。

ＰＫＯ協力法に定めた派遣の五原則は守られていると政府はいうが、停戦合意は、パリ協定の書面のうえに残っているだけになってきてはいないか」

もともとカンボジア国民の多くは、パリ協定も知らないだろう。国民は、四派を出して合意しているというが、四派がどんなものかをちゃんと言える国民はまず、ごく少数の例外だろう、と思う。

ポル・ポト派というと、はっきりとそういうゲリラ的グループがあると思うらしく、ポル・ポト派を根絶しない限り、カンボジアに平和はないなどと書いている学者の先生の信じ難い日本的な論文を読んだこともあるが、ポル・ポト派の信条は一種の攘夷《じょうい》だから、それをいけないというなら、どれだけ多くのカンボジア人を抹殺《まっさつ》しなければならないかわからない。そしてそのような思想はいくら弾圧してもまたすぐに沸き上がるように発生するものなのである。

臓器移植の手術後、インプラントされた異質な臓器を排除するような生体の力が働くのと同様に、カンボジア内から、異邦人勢力（実際にはヴェトナム人）を排除しようという本能は常に庶民の末に至るまで的確に働くであろう。

ＵＮＴＡＣ（国連カンボジア暫定行政機構）がいかに正義を叫ぼうと、カンボジア人からみれば、ＵＮＴＡＣもまた、移植で埋めこまれた異質な臓器のようなものなのだから、庶民の中のゲリラがそれを狙いうちすることには少しも矛盾はない。外人嫌い（クセノフォビア）というものは、むしろあって当然と思う。そのようにして自他の立っている基盤の違いを自覚することがむしろ文化というものだからである。

それに、現地警察に全く犯人割り出しの捜査組織も能力も気力もないのだから、人間を狩猟しても検挙される心配は全くないとなれば、少しでもいい思いをしている奴《やつ》をぶっ殺せ、そしてポケットに入れている小銭でも腕の時計でも奪え、という人狩りのゲームも成り立つし、それが一つの娯楽になることもあると思う。

一見政治的・人種的色分けをしたグループの底辺に、折あらば少しでものを持っている人間から何かを奪おうとする、思想とは無関係のもの盗《と》り・強盗予備軍がどこにでもべっとりと広がっていることが日本人には一番理解できないのである。

昔の泥棒やかっぱらいは、素手か、せいぜいでバールかナイフを持っているくらいだった。しかし今では、こうしてロケット弾や機関銃を持っているのだから、安全であるわけは最初からないのである。

UNTACが行けば、カンボジアのためになることをしてくれるのだから、土地の人たちから感謝されるだろう、という日本人はよくいるが、それも、大きな考え違いである。国連の意識がわからなければ、UNTAC要員が、カンボジアの再建と平和のために来たのだと考えられるわけがない。それにまた、カンボジアの人たちは実際問題として、自分たちが生きている間に国内が安定して、豊かで、統一された文化が進んだ時代などというものを今まで見たことがないのである。

だからカンボジア人がUNTACのブルー・ベレーを見れば、その関心は、どの人がうちの子供にどれだけキャンデーやボールペンをくれるかということであり、自衛隊が果たしてうちの娘を雇ってくれるかということであり、自衛隊のどこからどんな物資を調達できるか（つまり盗めるか）ということがほとんどである。

このような国では、戦争はなくても、（日本とカンボジアの両国の）政府が、安全を保障することなど、初めからできることではない。現在只今《ただいま》、UNTACが安全でないだけではない。どの学術調査でも、小説家の取材でも、世界中でいつでもどこでも安全は別に保障されていないのである。ましてやカンボジアでは、である。

カンボジアの人たちが選挙を待ち望んでいる、などという記事もあるが、彼らが日本人のような意味で選挙を明確に抽象的に捉《とら》え、自分の一票に期待をかけていると考えると正確ではないだろう。

何しろ退屈な村の暮しである。選挙はお祭りだから大歓迎なのだ。見たこともない人が来るし、見たことのない設備が作られる。選挙人を認定するための証明書用の写真を撮って貰《もら》えるだけでも嬉《うれ》しくてたまらない。一人一票しか投票できない、ということを認識している人ばかりではない。読み書きはできないが、おもしろければ、何回でも投票してみたい無邪気な人も多いだろう。お金をもらって相手を決めると思いこんでいる人もいるはずである。

私たちは、多くの場合、一見、身を挺《てい》する意義のないようなことに働く。カンボジアには当分安定した平和は来ないだろうが、それでも、その方向に向かって行われる試行錯誤が無駄だとは私は決して思わない。

自衛隊のPKO活動とは違うが、十九世紀後半のアフリカにおけるキリスト教の宣教活動は、その動機の純と不純、植民地政策と信仰の混在の結果、途方もない人の血をその砂に吸い込んだのであった。宣教師たちは、暗黒大陸と呼ばれた内部アフリカでトゥンブクトゥを目指したが、途中で、病気やイスラム教徒の殺害に遇って多くの人が倒れた。当時の宣教師たちは、アフリカの奥地へ入る請願書に「殉教を覚悟して」という三文字のラテン語を書き足すようになった。しかし彼らの危険が増し、多くの死が現実のものとなった時、かえって志願者は増えたのである。

それが信仰というものだったのである。「人間の命は地球よりも重い」などとキリスト教は言ったことがない。聖書の中にも、そのような言葉は全く出て来ない。むしろ「友のために自分の命を捨てること、これ以上に大きな愛はない。」(ヨハネ15・13)と聖書は書いている。PKOは汗は流しても、血を流す予定はなかった、という意味のことを小泉郵政大臣は言われたが、汗と血を分けて考えることは理念としてはできても、実際にはほとんど不可能なことだろう。

宣教師たちのように誰もが思う必要は全くない。しかし不思議なことに、危険が多くなれば、志願者が減る、というのは、いささか短絡した見方だろう。危険は、人間の生きる目的をむしろ明快にさせるものに常になり得るのである。

（一九九三・五・九）

森に包まれた神道の静寂《しじま》

——「結婚の儀」ひとつの記録

一九九三年六月九日。皇太子・徳仁親王殿下と小和田雅子さんの「結婚の儀」の記録。

私たちがお受けした招待状の指定は、八時半から九時までの間に坂下門から入るように、となっている。八時二十五分、坂下門にはすでに数十台の長い車の列が、誘導に従って入るのを待っている。

中に一台のタクシーがいる。夫の三浦朱門は、「僕があの車に乗ってたら、ここで下りて歩いちゃう」と言うので「どうして？」と聞くと「こんなに待ってたら、メーターがどんどん上がるからさ」という。ケチの精神は皇居の中に入ってもなおらない、ということらしい。しかし同じような心情の人は常にいるとみえて、「徒歩でご参入になる方は、坂下門から宮殿北車寄せへお越しください」という指示もある。

このタクシーともう一台の紺色の乗用車と私たちの栗《くり》色の車を除くと、すべてみごとなばかりに黒塗りの車のみ。日本人の色彩感覚と社会性との関係を表す一つの考察になるだろう。

指定通り皇居の宮殿北車寄せで車を下りる。

宮殿の二階へ大階段を上る時、前にカトリックのシスターの姿があった。妃殿下の恩師だろうか。修道服というものは見事である。労働の時も、第一礼装も同じなのである。これこそ、相手によって態度を変えない姿勢の究極か。

待合室に使われる大広間は、几帳《きちょう》で三つの部分に分けられ、私たちの所には、経済界の代表者、ドクター、元高級官僚、テレビ関係者、学者など。数人の知人に会う。夫人たちは着物姿が九十五パーセントという感じである。

九時半にバスで賢所に移動。

昭和天皇が、厳重に自然保護を命じられたので残ったという素晴らしい原生林の中の道を行く。桜、楓《かえで》、松。八手《やつで》と青木がこんなにのびのびと見事な木になるとは思わなかった。この二種の木が、あまり魅力的に感じられていなかったのは、狭い場所に、安い木として植えるのが、私たち庶民のやり方だったからだろうか。道灌《どうかん》堀の近くでは、雨の中に群生するドクダミの白い花が、これまた信じられない瑞々《みずみず》しさで咲いている。

車の中で賢所に着いてからの説明をする係官は、カシコドコロと言わずケンショと発音する。

賢所の前が狭いのと、バスの台数が多いので、なかなか人が捌《さば》けないらしく、しばらく車内で待たされる。その間にバスの中で、ビニール製ではない、ちゃんとした男ものの傘が配られる。

大型観光バスが乗りつけることなど考えられていない自然のままの賢所の前の空間には、更に数台の日の丸をつけた乗用車が駐車している。

「これは、どういう人の車ですかなあ」

車内に声が聞こえる。

「ここにいるというのは大臣どもの自動車でしょうなあ」

声の主は元高級官僚である。

賢所の周辺の光景は、意外なほど温かい風景だった。道は緩やかに曲がり、どこか地方都市の、昔ながらの品のいい住宅地という感じなのである。このごく近くに皇太后さまのおられる宮殿もあるし、新しい吹上御所もできているはずだが、いわゆる堅苦しい宮城の空気はない。

賢所の前では、無地のビニール・レインコートを着た赤いモールの皇宮警察官が、バッキンガム宮殿の衛兵のように不動の姿勢。

バスを下りた順に、私たちは東回廊と呼ばれる、屋根つきの回廊の席に着く。自由席である。車椅子《くるまいす》の方が前列に案内される。或《あ》る週刊誌が、誰が末席に坐《すわ》るかが問題だ、などと書いていたが、それ一つとっても間違いであることがわかる。マスコミはもう少し書くことに責任を持つべきだろう。

現在の宮中三殿は明治二十一年に建てられたものだというが、私たちがいる東回廊の席からは、皇霊殿は全く見えない。中庭に神楽舎《かぐらしゃ》があってその陰になっているからである。神殿は真正面によく見える。緑青《ろくしょう》の生えた銅葺《どうぶ》きの屋根が雨に濡《ぬ》れて素朴で美しい。しかし小さなものだ。田舎の神社ほどの大きさである。手すりの端に、赤銅《しゃくどう》の擬宝珠《ぎぼし》がつけられた階段を十段ほど上ると、回廊が設《しつら》えられていて、入り口には御簾《みす》が下がっている。

向かって右から、神殿、賢所、皇霊殿と並んでいるのだが、中央の賢所は、入り口の所しか見えない。賢所は、外陣、内陣、内内陣、に別れていて、内内陣には皇太子でも入れない、と聞かされていたが、これは、エルサレムの神殿と同じ思想である。

もちろん今のエルサレムには神殿はないが、かなり詳しく明らかになっているイエス時代の神殿の構造も、賢所とよく似た思想によって作られている。周囲に屋根つきの回廊があり、賢所に当たる聖所《せいじょ》の内部は、聖所と至聖所《しせいじょ》とに別れていた。聖所までは祭司が入れたが、幕によって仕切られた至聖所には、大祭司のみが年に一度贖罪《しょくざい》の日に入れるだけであった。ただしエルサレムの神殿では、羊などの動物犠牲が捧《ささ》げられていたが、汚《けが》れを嫌い禊《みそぎ》を重んじる神道にはそういう血生臭い考え方は全くない。一方ユダヤ人のために弁明すれば、彼らにも彼らなりに、実に厳しく汚れを嫌う思想とルールはあったのである。

私の右手に、奏楽舎、東幄舎《あくしゃ》があり、奏楽舎には楽人らしい装束の方たちがおられるが、儀式の終りまで、音曲は全くなかった。東幄舎には、総理大臣他の閣僚、議員たちが坐っておられるらしい。

対称的な西幄舎には、秋篠宮同妃両殿下を初め皇族方。

秋篠宮妃殿下はごく淡いピンク。清子《すがこ》内親王殿下はオフ・ホワイトの白い長い裳裾《もすそ》の服を着ていらっしゃる。その次に宮さまと妃殿下方。妃殿下方はそれとなくブルー系統で色を揃《そろ》えた裾の長い服を召しておられる。

その次が小和田家の方々。二人のお妹さんが、クリームとピンクの服で並んでいらっしゃるのがよく見える。

雨脚が軒先に光っている。やがて何の合図もなく、静かに賢所の右手の回廊からまず白い装束の掌典長の姿が現れる。ご先導であろう。次に皇太子殿下の、黒い垂纓《すいえい》の冠と夜明けの太陽を表したという茜色《あかね》の黄丹袍《おうにのほう》が、静かに動くのが見える。

その後を、小和田雅子さん。背も高く、堂々としておられる。女官が二人、かがむようにして裾を持っているのが印象的である。

お告文《つげぶみ》を読まれる時、出席者は起立するのだが、声は少しも聞こえない。

時々カラスの声がかなりしつこい。外の観光バスの関係者が、連絡のために話している会話が響いて来る。その人たちには賢所の内部が、木の茂みの内側、こんな近くにあるとは想像できないのだろうが、それも当然である。

やがて、皇太子殿下と妃殿下がまた静かに退出されると、秋篠宮同妃両殿下が、神楽舎の中まで進み出て、礼拝された。

それで終りである。皇族とご親族がお立ちになり、閣僚と議員さんたちと夫人たちが帰られる。一瞬、ほっとした空気が流れる。議員さんの中には、知人の顔を見つけて、手を振ったり、会釈《えしゃく》したりする人もいる。

東回廊の中には、気楽な雑談の声もするようになった。

「議員全部じゃないだろうね」

「全部だったら、とても入り切れないからね」

「賢所というのは、相続税がいらないんだ」

「庶民の仏壇だっていらないでしょう」

どうしてこんなところで相続税の話が出るのか、私にはてんでわからない。声の主は最近相続税で苦労した人かも知れない、と思いながら、私は後を振り向かないので顔はわからないのである。

「カラスが啼《な》かなくてよろしゅうございましたわね」

しかしカラスはずいぶんと啼いていたのである。もちろん他の小鳥の啼き声もした。

カラスと吉凶とは何の関係もない。まだ私の母が病気で寝ていたころ、カラスがしきりに啼くと、私は時々そのことを気にしたものであった。しかしむしろそういう日には、母は比較的元気で食欲もあり、機嫌もよかった。私はその時以来カラスを差別することを止《や》めた。

外国の客人が見たら、この神道の儀式には驚くであろう。

まず三殿の素朴さである。

ギリシアのアクロポリス（ギリシア語で「高い都市」の意）にあるパルテノン神殿にせよ、エジプトのルクソール神殿にせよ、外国の神殿がとにかく、できるだけ目立つような地勢の上に、大きく石作りで作られるデモンストラティヴなものであることを思うと、この日本最古の神道の家系が捧持《ほうじ》している社《やしろ》が、塔一つない、こんなに小さく質素な木造建築でいいのか、という気がするだろう。高く目立つのは避雷針の「電柱」だけなのである。ご即位の時もそうだったが、とにかく参列者にも聞こえるような音声が何一つない宗教行事というものも、考えられないであろう。

鳴物がないだけではない。奉納の踊りもない。香の気配もない。巫女《みこ》や神官が並ぶということもない。この日皇太子殿下が最高の神官なのである。視覚に甘いものは何一つないが、ただ清楚《せいそ》なのである。

　これは、三つの視点から考えねばならないだろう。
第一は、神道の儀式が、人に見せるものではない、ということである。社会や国家という、かつて考えられなかった要素が出て来たから、そこにこれほど大勢の参列者がいるようになった。しかし儀式そのものは、天に向かって行うものであって、人に向かって行うものではない、ということが、これほどはっきりしている宗教的儀式もない。だからことに外国のマスコミが、カメラを入れないことについて悪口めいたことを言うことは、全くのお門違いなのである。どの宗教にも、秘儀の部分はある。イスラムの聖所《カーバ》、ユダヤ教のかつての神殿の至聖所《しせいじょ》、ゾロアスター教（パールシー教）の鳥葬を行う「沈黙の塔」。どれも秘儀が行われる所である。キリスト教である東方正教会でさえ、聖《せい》障《しょう》（イコノスタシス）と呼ばれるイコンが掛けてある中仕切りの向こうには、按手《あんしゅ》礼を受けた聖職者だけしか立ち入ることを許されていないのである。

　第二は、神道が、平野の宗教ではなくて、森の宗教だということが、しみじみ感じられた。森の宗教は包まれており、平野の宗教は開けている。後者の典型が、台地の上や、砂漠の中に見える、ギリシアの神殿と祭儀、エジプトのファラオたちの宗教的建造物と行事であって、どれも動員された大勢の人々に見せるためのものであったことを思うと、森に包まれた神社は、大きな違いを見せる。

　だから神道は昔も今も森の自然の守り手である。開発の手はどこにでも伸びて来ているが、昔からの鎮守の森を切って、御社を動かすということは至難の業である。そのようにして、神道は森を守って来たのである。

私はキリスト教徒だが、第三の点に深く興味がある。神道は、他の宗教と、てってして争わなかったのである。それはまた、呑《の》まれるかに見えながら、却《かえ》って生きながらえて絶えることがなかった。

その理由を、神道には教義がないからだ、とはっきり言う神道の人もいるという。私は神道を勉強したことがないので、他の宗教について言及する資格がないのだが、もしこれがほんとうとすれば、それは「日本的な自然の中で会得《えとく》された超自然への畏怖《いふ》と節度」とでも言えばいいのだろうか。周囲の外圧を受け流し、しかし流されない、という姿勢は、日本人の精神構造にも大きな影響を与えただろう。

しかし闘わない宗教というものは、大きな意味を持ち、一つの知恵を暗示する。キリスト教など、あまりにも満身創痍《そうい》になって戦い過ぎて来て、しかもその中には、見当違いもたくさんあったのである。ただ、私が雰囲気以外に、はっきりした言葉に表される哲学として、神道から影響を受けたこともまた皆無である。

帰りには、再び昼なお暗い原生林の間の道を抜けて、桔梗《ききよう》門を過ぎる。旧枢密院《すうみついん》の建物を、私は初めて見た。大きさとしては、戦前の映画館ほどの、醜く縮こまった感じの小さな西洋建築である。勅選の顧問官は、当時たった二十数人だったというから、この程度の大きさでよかったのだろう。日本が変わったということを実感できるのは、こういう瞬間である。

（一九九三・六・九）

今こそ二宮金次郎

風潮というものは、それが小さな範囲に留まっているうちは、何とか抵抗のしようもあるものである。

世間があげてゴルフに熱中する時は、私はゴルフをしないことにした。というと体裁がいいが、たった三十分ほど練習しただけで、手が震えて字が書けなくなったのである。私は手を使う職業だから、遊びの時には手を休ませなければならない、と思った。下手だから震えるほど、手に力を入れるんだ、上手《うま》くなれば、そんなことはないさ、と言ってくれる人もいたが、とにかく大勢の人のやることは邪魔になるから、身を引く方が楽だ、と考えることにした。

友達数人とヨットの共同オーナーになることがはやった時代に、我が家も誘われたが、息子が「ボクは嫌ですよ。一人では動かないヨットなんて、お坊ちゃんの道楽だから。そちらがしたいんなら、ボク抜きでどうぞ」と言ったので、これもやめになった。

テニスでも同じことが起きた。都内のやんごとない方たちの集まるテニス・コートで、会員の席が一つ空いたから、将来息子が東京に住んでテニスをするようになる時のことを考えて入会しておいたら、と誘ってくれた友人がいた。息子に伝えると、「せっかくのご好意ですけど、ボク、テニスなんて、ほんとにしたければ、空地に綱一本張ってやればいい、と思ってますから」と受け付けなかった。ほんとにテニスをしたい人が、地面に張った綱一本でプレイができるとは思わないから、つまりこれは、断る口実に過ぎなかったのだろう。

夫は一時期、流行のジョギングに凝った。走りだすと、体内に麻薬と同じ物質ができて、性的快感に近いものを覚えるのだそうで、私は歯をむき出したゴリラのような顔で走っているマラソン・ランナーが、性的快感を覚えているとは、とうてい思えなかったけれど、「走っている途中に死んで何が悪い」とまで言われると、反対する理由もなくなってしまった。

しかし夫は、さすがに年を考えるとジョギングだけはやめることにしたらしく、代わって歩くことに転じた。私の住んでいる町から、渋谷までは約十キロ。町を見ながら、楽しんで歩くと二時間半。渋谷で本屋に寄って帰りは電車に乗るらしい。今日は渋谷、明日は蒲田というくらいに遠出をするのも平気であった。

もっとも理由は百五十円くらいの電車賃を倹約するためだと言うので、この点は皆のヒンシュクをかった。

「そう簡単に儲《もう》かったと思わないでくださいね。靴の底だってズボンの裾だって減ってるんですからね。それを計算に入れてどっちが得かということになるんですから」と若い人の中にはボケ老人扱いにする人もいたが、私鉄に儲けさせないことを目的としている夫は、嬉《うれ》しそうな顔をするばかりである。

この歩き癖の話を或る人にしたら「ああ、それは中毒よ」と一言のもとに片づけられた。その人も、歩き出したら、やまらなくなった時期があったのだ、と言う。

今はもうファックスが発達して、「原稿取り」という仕事はほとんどなくなりつつあるが、昔は新聞や雑誌の世界には、作家の所へ原稿を取りに行くのは重要な仕事であった。だから東京中の乗物がストをやる日には、夫のような人を最後に残った「原稿取り」に雇うと、いそいそとどこへでも歩いて行くから便利だと思う。

何の目的でこんな話を書き出したかというと――そうそう、風潮の話をするためであった。

今の日本に対する、アメリカとECなどの先進国の要求の風潮は、主なものだけで二つである。

それは、日本人をもっと働かないようにさせることと、内需を拡大することの二つである。

結論を先に言ってしまうと、こういう世界の風潮に乗るのは、およそ愚かなことだと思う。

アフリカでもアジアでも中南米でも、貧しい国では、人々はあまり働かないのである。つまりのんびりした暮しをすれば、生活は貧乏になるということだ。働けば個人でも国家でも経済状態はよくなる。こんな当り前のことが、他の論理にすり換えられる時代が来たのである。

私の家には、決して若いとは言えない世代の三人が暮らしているが、誰もが、自分が生きて食べる以上の仕事をしている。しかしアフリカやアジアの貧しい国では、人々は自分が食べるだけしか働いていない。

もちろんそのような国には、それなりのよさがある。マダガスカルの田舎では、どの家庭でも午後になると、子供たちが臼《うす》と杵《きね》で米を搗《つ》いていた。外を通る人が一人でもあれば、ゆっくりと手を止めてそれを眺めながらやっている。米を搗き終わると、夕暮れの中でそれを炊《た》く。赤い炎がちろちろと夕闇《ゆうやみ》の中に踊り、薪《たきぎ》の香ばしい香があたりに漂う。絵のような景色だが、これは空気の汚染と木の乱伐を暗示する光景である。

彼らの食べているご飯は、米の質に関する好みを言わなければ、実においしいのだという。何しろ、その日に食べるだけを毎日搗いているのだ。つまり搗きたてである。私たちのように精米してから数日は経《た》ったような米からは水気が抜けている。搗きたての米は、一種の贅沢《ぜいたく》である。

しかし人間は、自分が今日食うためだけではなく、他人のために働く状態でなければ、経済的には豊かにならない。

日本でも、従業員や経営者は、可能なら、週休二日でも三日でもとればいいのである。その点は、私はアメリカやECと同じ意見である。しかし企業としては休んではいけない。夏休みを一カ月取ったり、日曜日には一斉に休むなどという愚かな習慣はアメリカとヨーロッパに任せるべきだろう。

香港《ホンコン》でもシンガポールでもタイでも、繁栄に向かっているところでは、多くの商店が日曜日でも休んだりはしない。

先日シンガポールのホテルで、私がよく買うアクセサリーを売っている店に立ち寄った。売り子は中国系の人だが、扱っているアクセサリーは以前からイスラエル製である。

「前に買ったブローチの金メッキの部分が禿《は》げて来たのよ」

と言うと、

「どうぞ、持って来てください。きれいにしますから。うちは朝八時から夜十時まで、三百六十五日開いています」

こういう会話が交わされた時間が、午後十時半近くであったことがすごい。私が店に入って来たので店員たちは閉店を遅らせたのである。客がいても追い出して店を閉めるような会社は必らず左前になる。

店を閉める時間をできるだけ少なくする、ということは、客の側の人情を考えれば、当然のことである。

休みの日にこそ、家族は揃《そろ》って買い物を楽しみたいのだ。それをキリスト教徒でもないのに、日曜日は休まなければいけないなどという規則を作ると、フランスの家具会社のように日曜日に店を開いただけで罰せられるようになる。日曜日以外のいつ、家具などという、一生に一度しか買わないものを、夫婦がよく見て相談して買う日があるというのか。

休みの日が増えれば、国家経済もどんどん弱体になる。こんなことは当たり前のことだろう。

働かなくてはいけない、などというと、アメリカなどでは直《す》ぐ、「日本には『カローシ（過労死）』という非人間的な状態があって企業が労働者を苦しめているではないか」という反論が返って来る。しかしこれにも私は言い分がある。

誰しも自分の体は自分で守るのである。他の状態ならいざ知らず、死ぬほど疲れていると感じたら、どんな不義理もできる。死ぬことと比べたら、出世も、悪評を立てられることも我慢できるというものだろう。ほんとうに過労で死ぬほどかどうかは、自分しか判断できない。

一方、企業や組織の方でも、従業員をどれほど厳しく使ったら事故が出るか、見極めるのが組織の繁栄に繋《つな》がって来る。働いている人が「カローシ」でもすれば、恰好《かっこう》が悪いから、週休も年休も、しっかり取ることを今より勧めるようになるだろう。企業の方にもこの点の見極めということが必要になって来る。

アメリカがしきりに内需拡大を言うのも、おかしなことである。

今の日本人の家庭が、どんな事態に直面しているか。

例外は別として、どこの家も、なくてもいいようなもので溢《あふ》れている。

昔は、茹《ゆ》で卵は包丁で切るものだった。この頃は、温泉卵を作る機械から、茹で卵切りまで持っている人がいる。サラダの材料は、以前は洗えば、二つの笊《ざる》の間に閉じ込めて揺り動かしただけだった。それが今では、遠心分離器みたいなもので振り回して水を切る。

結婚式でもらう引出物が押し入れの肥やしになっているうちは多い。普通の洋皿でも済むのに、カレー・セットというものをもらうことがある。造血機能を促すのには鉄分がいいからというので、鉄瓶をもらった人も多い。しかしそれで実際に毎日お湯を沸かしている人を私たちはあまり見ないのである。

昭和二十年の終戦の時、十三歳の私が持っていた余所《よそ》行《ゆ》きの木綿の夏服は、たった二枚だけだった。それは貴重品だったので、私は空襲の度にそれをリュックの中に入れて持って逃げた。

しかし今私の年齢くらいのオバサン共は、会う度に悩んでいる。あり過ぎる古服をおいて新しい服を作るかどうかということだ。

カーディガンやセーターを取ってみても、終戦の時のあの感覚で言えば、もう一生着切れないほどの量を持っている。しかし同じものを着続ければ、そのうちに肘《ひじ》は抜けて惨《みじ》めな姿になって来る。それでもなおカーディガンはカーディガンなのだと思うと、ほんとうは捨てるのも憚《はばか》られる。だが人間が次第に加齢によって「お見苦しく」なって来る上にカーディガンまで古びていては、申しわけないような気がするから、オバサン共はやはり時々、新しいカーディガンを買う。押し入れはそれではち切れんばかりである。

新聞も雑誌も、ちょっと気を許して買うと、凄《すさ》まじい量になる。旅行に行けば、同行者が一斉に写真を撮るので、もらう記念写真は、溜《た》まる一方だ。私と同じように、死ぬまでに、自分の写真を五十枚に減らして死ぬという目標を立てている人はけっこう多い。今はどうしたら、有効に、迷惑をかけずにものを捨てて、単純な生活に入れるかの状態に日本はいるのである。その上、日本人は、空間にものを多く置かないことをもって、昔から美として来た。

茶室の床の間に置くのは、一本の掛軸、一個の花器だけである。むしろ何もない空間に風の声が吹いて過ぎ、花や若葉の香とさざめきが、充分に入って来ることが私たちの美学なのである。しかし西洋人だったら、理想とする生活は、たくさんのもので飾り立てることである。

彫刻、鏡、時計、花瓶、机、額、その他、あらゆる品物で壁面を覆《おお》えば、それは贅沢な暮しだということになる。しかし日本人は、決してそのようなごたごたしたものが集合した空間には、歴史的に美を感じないように育って来たのである。

日本人の生活に、あまりにも多くのものが蓄積されすぎたその時期に、アメリカはさらに内需拡大を要求しているのだ。私はアメリカへ行くと、大きなサイズのヤッケと、ビタミン剤を買って来る。しかし他に買うものがない。クリントン政権は調査機関がなっていないか、日本の実情を知っていてもなおアメリカのものを買え、という。いつからアメリカはこんなに愚かになったのだろう。

人間そのものも、内需拡大しすぎることはよくない。

アメリカには、内需拡大しすぎてどうにもならない贅肉の貯金を体に付け過ぎた人がたくさんいる。食べ過ぎて心臓病になっている。あの姿を見て、日本人は、ますます菜食主義者風の細々とした食生活の合理性を考えるのである。

体でも生活必需品でも、これからの暮しでは、必要にして無駄がない程度を守らねばならないのである。肉だってオレンジだって米だって、たくさん食べればいいというものではない。むしろ節制を守り、できるだけ少なく消費して、余剰を途上国に廻し、地球上のあらゆる人たちの消費エネルギーの均衡を測らねばならない。

働かないことや、物をたくさん消費することが決していい風潮ではないことを、アメリカにはっきり言ってやる官僚と政治家は、いないのか不思議である。

七月七日付の東京新聞は、次のように伝えた。

「先週末から、南アフリカ各地の黒人居住地区で始まったアフリカ民族会議（ＡＮＣ）とインカタ自由党（ＩＦＰ）両勢力間の武力抗争事件の死者は六日までの南ア通信の集計で百二十五人に上った。

ＡＮＣ、ＩＦＰの抗争は八年前から激化し、これまでに約一万五千人が死亡。二日の多党間制憲交渉で、ＩＦＰの反対を押し切って、ＡＮＣなどが全人種参加による制憲議会選挙の来年四月末実施を決めたことで、両派の抗争は再び激化する様相を見せている」

南アの悲劇はもっぱらアパルトヘイトのもたらしたものだ、と報じていた、長い間の新聞の報道は——それも一つの風潮だったが——いったい何だったのか。アパルトヘイトが取り除かれても、残ったのは、ブラックとブラックの種族間の抗争がその主力なのである。数人の犠牲者ではない。一万五千人が殺されたということは、ただごとではない。そしてこの種族抗争の図式は決して南アだけの異常なものではないのである。そのことを確認した上でアフリカの問題は考えないと、高校生の判断になって来る。

（一九九三・七・七）

サギ師の真実

私の家では、今でも英字新聞を一紙だけ取っている。日本の新聞は、今までに、創価学会の言論弾圧に屈伏したり、人権をあれほど侵害した中国の共産党独裁政権を褒め讃《たた》えたり、北ヴェトナム軍を解放軍として持ち上げたりして来たので、その危険を薄めるために常に英字新聞を読んでおくのだ、と夫はいう。さすがに英字新聞は日本にいる外国人の眼に触れるので、中国の文化大革命はすべての人民を幸福にしているとか、南アではアパルトヘイトを採用した白人だけが悪いのだ、とかいう式の子供みたいな書き方は通用しない、らしい。

らしいというのは、私はとても毎日英字新聞を読むだけの気力がないのである。日本字の新聞が五紙も来るのだから、そちらが気楽でおもしろくて、とても英字新聞など読む気がしないのである。

しかし外国で暮らしていると、仕方なくというか、大いにありがたい気分で、字引きを引きながらでも、英字新聞を読む。ほかの外国語ができないのだから、せめて英語の新聞があれば閉ざされたような気分にだけはならなくて済む。

シンガポールというところは、テレビを「知的生活の敵」だと思っているらしく、テレビ報道の技術を、全く伸ばそうとしないおかしな国である。朝起きてテレビのスイッチを入れても、日本のようにニュースを放送していないし、スポーツに興味がないと、自然、一日中一分もテレビを見ない生活になってしまう。いきおいニュースはすべて英字新聞で読む他はない。だから一日でまるまる一時間くらいかけて、近くの屋台食堂の売店まで買いに行った新聞を隅から隅まで読むことになる。

ここでは、大陸中国の情報が実によく入る。

ご清潔な小国家・シンガポールが、複雑な大国家・中国に対して、優越感と僻《ひが》みのねじくれた感じを持っているせいかもしれないが、日本では、中国こそが二十一世紀の経済的希望の星である、という見方が最近強いのに、シンガポールでは必ずしもそうではない。

今年二回中国を訪れただけの私の素人《しろうと》感覚も少しあったので、自分の印象を洗いなおすためにも、いっそう中国の記事がおもしろく読める。

シンガポールの中では、中国の人々がひどい利己主義で、人心の腐敗が激しいから、その基本的な精神の貧困が混乱を引き起こす種となって、犯罪は増え、官吏の汚職はますます激しくなり、その結果として、国の経営もうまく行かないだろうという見方をする人が多い。

七月二十九日の「ザ・ストレイツ・タイムズ」を、ざっと意訳すれば、次のようになる。

「四十年前の二人の堕落した指導者に対する毛沢東の処刑を思い出させるが、中国の最高検察官は、軍と、政府と、党の千二百人の幹部は、一人も汚職摘発からのがれられないだろう、と語った、と『人民日報』は伝えている」

「中央も関与した経済的な犯罪はとどまるところを知らない。彼らはあの手この手で新しい手口を考え出し、省と省との間だけでなく、全国的な犯罪組織にまでなろうとしている」

その手口は、恐喝、賄賂《わいろ》の強制と受領、着服・横領などだという。軍隊も汚職と密輸に深く係わっている。

「汚職した人民解放軍の将校で処罰されなかった一人は半分冗談めかして『軍は、売り上げ数千万ドルの大ビジネス作戦をやっているのだが、そのかげには、数百万ドルのキックバックがある』という」

これがほんとうとすれば、日本の政界の収賄など、赤ん坊の摘《つま》み食いという感じだ。

「ザ・サンデー・タイムズ」の八月一日付もそれを裏づけるような記事を載せる。

「中国は、急速に資本主義の、最も古いテクニック、即ち脱税のすべを身につけつつある。

一九八五年以来、税務官僚はその職務の執行中に、殺された者二十二人、障害者にされた者三十六人、重傷千四百五十二人。襲撃された税務署千九百十六個所に及ぶと言われる。

その結果、国家は年額、千億元（私のごく最近の体験では一元約二十円だったから、この額は二兆円になる）を取りはぐれたことになり、そのために国家経済に重大な支障を来《きた》した。そして大量の調査官を投入したにもかかわらず、一九八五年以来、総額で九百億元（一兆八千億円）を取り戻したに過ぎない」

しかしその記事のすぐ横には、これまた、私などちょっと眼が覚めるようなことが書いてある。

中国は冷戦の終結にもかかわらず、軍事費削減の気配を見せていない、とアメリカの情報関係者が述べたというのである。

中国の軍事予算は、一九八八年以来六十パーセント増加して、昨年度では推定百六十億から百七十億ドル（約二兆七千億円程度）にまでなったのは、航空機や新しいテクノロジーなどの購入に当てられたものと見られている。

あの巨大な面積の国土を持つ中国が、南支那海までしきりに艦艇を出しているのが目立つと噂《うわさ》される中で、軍事予算がこの程度というのは、よほど人件費が安いからなのだろうか。

しかしその下段にある別の記事もまた、もの知らずの私を驚かせる。

「アメリカの対中国赤字は、本年は新記録を更新し、最大対赤字国である日本に迫る勢いを見せるであろう、とCIAの専門家は語った。

百八十二億米ドルに及んだアメリカの赤字は、両国間の問題点になるであろう」

アメリカはかなり感情的で、天安門事件以来、中国の人権無視に対して経済制裁を加えており、中国との赤字は、中国のフェアーでない貿易によるものだと言っている。「もし、中国が彼らの政策を変えないのなら、我々は、こちらのやり方を変えるほかはない」

と民主党の上院議員、ニュー・メキシコ州選出のジェフ・ビンガマン氏はおカンムリである。中国の統計は、昨年アメリカが実際に三億六百万ドルの対中国黒字を計上していると言っているが、これは、香港を経由してアメリカに輸出される額を含めていない、というのが、CIAの見解である。

中国には早くも、失業が押し寄せていると七月二十九日の「ザ・ストレイツ・タイムズ」は報じている。不動産への投機的な投資とルーズな信用貸しに対する当局の締めつけは、中国の爆発的な建設と工業生産を直撃し、無数の労働者から職を奪った。その結果三百六十万人の失業者が出たが、それは去年の同じ時期の九・一パーセント増しだという。

今年二度目に中国に行ってみて、都市の外人専用のようなホテル以外は、あまりに不潔なので往生した。

周口店の博物館、と言えば、北京原人の骨が発掘された洞窟《どうくつ》群の中心に作られていて、見学者も常にいるのだが、そこのトイレでさえ手洗いの水が出ない。

北京の町中の土地の人たち相手のレストランは、味は悪くないのだが、やはりコップや茶碗《ちゃわん》の洗い方が悪くて、安心して口をつける気にならない。

それに、中国には、私たちのような普通の観光客が買えるような場所に、昔の中国を偲《しの》ばせる手工芸の匠《たくみ》の存在が感じられなくなったのにがっかりする。近代的なテクノロジーは決して手工芸の匠から職を奪ったのではない。匠が存在する社会にしか、近代的なテクノロジーの発展はない、と私は思っている。「さらなる厳密な技術」が要求され、愛され、評価され、報いられ、それが美だと認識する社会にしか、テクノロジーは伸びないのである。

もう一つ「匠――テクノロジー」の線を延ばすのに、必要なものがある。

それは、人々が、利己主義でないことである。

たとえばここに、ワープロを作った人がいて（何もワープロを例に引かなくてもいいのだが、身近なもので話をする卑小さが作家には自然だと思うので）その人がもっといいワープロを作ろうと思う情熱は、不思議なものである。

もちろん、その人にも、社内の評判とか、人に抜きんでていい製品を作って見せようとする世俗的な功利や虚栄もないとは言えない。しかし、その人が受け取る月給や地位を考えれば、何もそれほどまでに打ち込んで、技術革新に腐心しなくても、もっと家庭でのんびりしたらいいのに、ということになるだろう。

しかし日本的匠の心の中には、「人は手を抜いても、自分だけは堕落できない」とか「一人で研究工夫をするのは楽しいことだ」とか「人には知られなくても、隠れた誠実な人生を送れば、子供にも尊敬してもらえる」とか「天然資源もない日本で、技術がなかったら、どうして生き延びる」とか「金で心は売れない」とかいう、漠然とした趣味道楽的、道徳的、美学的、社会的感覚があって、それらは、いずれも金銭追求、利己的生活とは、一線を画する。それが日本の「匠――テクノロジー」ラインを支えている基本的情熱なのである。

もっとも少し厭味《いやみ》を言えば、匠の楽しみ、匠の精神は芸術家の中からは往々にして失《う》せて偽物《にせもの》だけが残り、むしろ研究者・技術者の中に残存しているのはおもしろい現象である。

一方、中国本土ではなく、海外のチャイニーズの中には、もの好き・道楽が今でもやや残っているという記事がある。

八月一日付の「ザ・サンデー・タイムズ」によると、香港の料理店主、ロバート・チャン氏(45)は賞を取ったような日本の干しアワビの収集家である。

干しアワビなんか、冷蔵庫に入れて取っておきゃいいんだろう、というのは浅はかな考え方である。総額千六百万円以上にもなる彼の干しアワビのコレクションは、ワインよりも保管に手数がかかる。

チャン氏はアワビを大きなガラスの壺《つぼ》に入れ、それを事務所の、加湿器つきの特別な戸棚の中で保存している。しかしそれだけでなく、アワビが割れたり、かび臭くならないように、月に一時間だけ陽に干してやらねばならない。

彼はもう六年も持っているアワビがあるが、それだけで、一千万円を越える値段だという。それらは一個、三十六万円くらいするが、チャン氏は売る気がない。他に六個、十年ものというのがあって、これなど値段のつけようもないのだそうだ。

チャン氏によると、アワビが(干したものか生かは不明)人の両方の掌《てのひら》を合わせたくらいになるには、三十年から四十年くらいかかる。そして人間がアワビを食べまくる割りにはアワビは大きくならないから、値段はどんどん上がるというわけだ。チャン氏の予測によれば、いつの日か世界はアワビを食べ尽くす。その日のために、彼は投機としても、アワビのコレクションをしているというわけだ。

世界の海からアワビがいなくなった日にも、まだ海の中にいたという「歴史的アワビ」の料理を食べようとする人がいるのを想像するのはおもしろい。それは誰なのか。彼らは非道徳的、特権階級的だと言って弾劾《だんがい》されるのか、それとも「やはり金持ちはウラヤマシイなあ」と言われるのかを想像して、私はムダな時間をつぶしている。しかし現在それほどアワビの生息が危機的状況に陥っているなら、アワビを救うために、自然保護団体は立ち上がっているのだろうか。

「あなた自身、コレクションのアワビを食べますか？」

という新聞記者の問いに、このアワビみたいな近眼鏡をかけ、思いなしか、アワビの父親みたいな顔をした童顔の料理店主は答えるのである。

「とてもそんなことはできませんね。骨董《こっとう》と違って、一度食べてしまえば終わりなんですよ」

そう言いながらこの人は、彼の十年ものの「金塊」の、しょっぱくて刺激的な匂《にお》いを嗅《か》いでみせた、という。

これも匠の技や労力より、ひたすら金銭のための投機だという見方もできるが、この努力が自由世界の顔なのである。

同じ日の新聞には、また人生を思わせる記事が一つ。

オーストラリアのウィリアム・マクブライド博士と言えば、サリドマイドが胎児に奇形を発生させることを警告した人なのだそうだが、その博士がニュー・サウス・ウェールズ州で医学上の不正が発覚して、産婦人科医の資格を剝奪《はくだつ》された。

再び意訳になるが、マクブライド博士は一九八〇年代の初めに、悪阻《つわり》の薬であるデベンドックスを妊娠初期に服用すると、低いパーセンテージではあるが奇形を発生させる可能性がある、と発表した。この発表があって間もなく、デベンドックスは世界の市場から姿を消した。

しかしこの調査は不正であった。博士はデータを書換え、間違ったインフォメーションを与え、実験の結果を悪く発表した。法廷は、この詐欺《さぎ》的な論文の発表は、正直な人間が真の科学を知らないがためのナイーヴな間違いではない、と判断したのである。

「サリドマイドの発見者」で「オーストラリアの人名簿《フーズ・フー》に記載」され、「かずかずの勲章の受勲者」であり、胎児が受胎されてから四十一日の間に起きる決定的な状態や心身のハンディキャップを引き起こす原因を究明するための権威ある「四十一財団」の設立者である六十七歳の医学博士は、現在アメリカにいると考えられている、と新聞は書いている。

たとえ、彼が、今回の論文に関しては、科学者として許されない詐欺師であろうと、サリドマイドの発見に関しては功績がある、と私は思う。その発見によってどれだけの子供たちが、障害を負わずに済むようになったか、数えきれない。

しかし人間は悪いことだけカウントされる。いいことはすぐ忘れられる。

とにかく、外国の新聞は人生を思わせる。日本の新聞は、そうでもない。その理由を、私はわかっているようにも思うのだが、答えはもう少し先に伸ばすことにしよう。

（一九九三・八・九）

透析を始めた友へ

ご無事にご退院なさったことをまずはお喜び申し上げます。

そんなことを言うと、治って帰って来たんじゃない、とあなたはおっしゃるでしょうけれど、病院という所から放免になったということは、やはり気分のいいことでいらっしゃるだろう、と思います。

まだ腎臓《じんぞう》を透析するための手首の「処置」というものが、どういうふうになっているのか、拝見していないので、印象を言うわけにもいきません。何とかして透析なしでやれないか、と皆期待したのですが、とうとうなしでは済まなくなったということでしたから、いい時に、準備できた、と思うべきですね。

私の父は、ご存じのように四十年くらい、人工肛門でした。戦前に手術を受けて、直腸癌《がん》は完全に治って、亡《な》くなる時は脳梗塞《のうこうそく》でしたから、癌とは完全に別な病気が命取りになったわけです。

それで私は人工肛門はよく知っています。父の手術の頃、私はまだ子供でしたが、よく母の手伝いをして父の人工肛門に当てる「土手」を作りました。脱脂綿を細く切り、それを上等の京花紙で巻いて、それで腹壁に出た人工肛門のぐるりを取り巻きます。その上に当てものをして、上に油紙を置き、腹帯をしていました。もちろんそれでも、洩《も》れることがありました。

夫の父はやはり亡くなる数年前に直腸癌の手術を受けました。高齢になってから、人工肛門の悲哀を味わうのはほんとうに気の毒だと思っていましたが、幸か不幸か、義父はその事実をついに最後まで認識しませんでした。普通にお通じが出ると思って、トイレに坐《すわ》りたがったり、自分のお腹《なか》を不思議そうに見て、おできができた、と言ったりしました。ですから、人工肛門の始末はついに最後まで自分ではできませんでした。でも処置の方法は戦前の父の場合と比べると、信じられないほどよくなっていました。入浴時専用の「用心袋」まであるのです。あれだったら、決して他人さまにご無礼をせず、温泉の大浴場にだって行けるくらいです。

でも、あなたは、義父の場合と違って、自然科学系の大学を出て、病気についても医者並みによく読んでおられました。腹膜からの透析をしましょうか、とドクターが言われたにもかかわらず、それを止《や》めたのはあなたの選択でいらした。まだ六十七歳で、ザンネンながら、頭もぼけてはいらっしゃらず、一日おきに前後の処置を入れると四時間半はかかる透析を義務づけられたことに関して、かなり絶望的になっておられるご様子でした。

ほんとうに、人生では慰めなどというものは、あり得ないのかもしれません。その人にしか、その苦痛はわからないのです。子供や夫の苦痛を分け持ってやりたいと思っても、いかなる母も妻もそれができません。

ですから、私もあなたに何もしてさしあげることはできません。私はあなたとの電話の時、

「いいじゃありませんか。仕事をしながら、透析を受けなければならない人もいるのに、あなたは、時間もあるし、義理もないし、治療を受けるお金がない、というわけじゃない。まあまあ気楽に透析を受けていられる身分じゃありませんか」

などと申しあげました。まあ、労《いたわ》りのないことです。

あなたは旅行がお好きですから、私は透析を受けながら旅をなさったらいかがかとも思いました。息子の話によると、透析つきのハワイ旅行とか、国内では湯沢だったかへの温泉旅行もあるということでしたから。しかしあなたがおっしゃるには、ハワイも湯沢も、そんなありきたりの所へは少しも行きたくない。どこか知りませんが、もっと乙な所、人の知らない所へいらっしゃりたいのでしょうね。

そうすると、透析を一時的にしてくれる所がない。あなたはまだ「健康な腎臓病患者」の方ですが、少し複雑な病状になると、もう自分の所属する病院以外は、まず一

度二度の臨時の透析の処置など引き受けてくれる医療機関はない、とおっしゃいましたね。

最近「日本の暮しは豊かさを感じられない」という言葉が流行《はや》って、私はヘソマガリですから、そういうことを言う人は、さっさとどこかへ移住してくれればいいのに、などと思っていましたが、先進国なら、腎臓透析くらい、ホテルと同じに、申し込んでおけば旅行先でも気楽にしてくれてもいいと思いますけどね。

さて、一日おきの透析という名の拘束についてです。

あなたからのお電話の後、それが自分の場合だったらどうするだろう、と私は真剣に考えたのです。

四時間半をどう使うかですね。

野球狂だったら、前日の試合をテープに取っておいてそこで聞くことにするか。それとも、どこかのカルチャー・センターがやったように、「パスカルを読む」なんていうことに当てるのはどうかという考え方です。

今あなたは、病院で透析を受けておられるので、今度透析専門のところへ移ったらどんな様子か、あなたもまだご存じない。透析用のベッドの上には当然手を使わないでも書物をホールドしてくれる書見機の設置があるべきと思いますけど、まあ、それは無理な希望なんでしょうか。医者が、自分が透析患者になったと考えたら、当然あるべき姿がわかるのだと思いますけど、日本の医者は、そういう点、どうかしてますね。患者は我慢して当然、という考え方です。

もっとも書見機をつけたって、気分が悪くて、とてもそんなことをする気になれない、という人がいるでしょうが、透析をしているから、読書家で物知りになった、という患者を大いに作るべきです。

私がもし、金儲《かねもう》けがうんと好きだったら、そして株に夢中だったら、私はかなり救われるのではないか、と思います。私はその間中、ラジオで株の相場を聞いて、携帯電話で株の売買をするに違いありません。そうすると、四時間半の透析の時間は、私の金儲けのための大切な戦略を練る時間であって、少しも無駄ではないわけです。

私は先日、ウィーンに行きました。

私は外国へ行くと、かなりよくテレビを見るのです。

言葉なんかわからなくてもいいんです。同じ音楽番組でもずいぶん装置が違うし、十数局もチャンネルが入っていますから、お料理番組もあるし、英語放送もフランス語放送も、イタリアのライという放送局まで入るんで見ていて飽きないんです。

その中に、有料テレビの局が二、三あって、部屋のテレビの上にはそういえば番組のプログラムもおいてあったのですが、私はついによく見もしませんでした。

おかしな話ですが、私は人間が小さいので、人が宿賃を払ってくださる公用の仕事になると、部屋についているミニバーの中のコーラ一本だって飲まないようにしてしまう。ですから、当然有料テレビの料金をつけになどできませんから、つまり見ないんです。私の部屋のテレビのリモート・コントローラーは少しおかしくて、数字でチャンネルを指令する機能が壊れていました。仕方がないから、十か一で延々チャンネルを動かして行くほかはありません。すると嫌でも有料の局を通過するのです。

その中にスゴイのがありました。アダルト・ヴィデオというんでしょうか。ヘヤーがどうのこうの、の段階ではありません。そのものずばり、本番、クローズアップ。それも、前から後から大サービス、という、多分日本では見られない代物《しろもの》です。

帰って息子に、

「それで思わず、有料にならない程度に見ちゃった」

と言いましたら、息子は、

「あれは、何分間だけは、ただなはずだよ。それを過ぎても見てると、お金取られるの」

などと教えてくれましたから、もう少し長く見ていてもよかったのであります。私はほんの五秒か十秒。チャンネル通過の度に、いつ見ても同じことやってる、という感じではありましたが。

透析の部屋には、個人ヴィデオを（有料でかまいませんが）必ず備えつけるべきですね。そんなこともできない日本の医療行政というのは、いったい何をしているのでしょう。そうすれば、ご希望によって、時代劇、捕り物帳、推理もの、戦争映画などを何でも見せられます。もちろん源氏物語講座とか、シェイクスピア劇場などという知的なものも備えるべきです。

しかしその中でも、もっともあなたのような落ち込んだ透析患者に浮世の時間を忘れさせ、鬱《うつ》病から救うのは、このアダルト・ヴィデオであろうと思われます。何しろ体の美しいおねえちゃんが、きれいな下着をつけて出てきますし、画面いっぱい、一斉に同じことをしている群衆がいるなどという奇妙なスペクタクルも見られるのですから、一瞬にせよ、腎臓のことなど忘れる道理でしょう。

ほんとうに、「性は生」だということが、よくわかりました。そういうものを見ている瞬間だけは、人間、死ぬことなど考えないのです。おもしろいものですね。鬱病患者にも、一番いいのは、アダルト・ヴィデオではないかと思いますが。

少し真面目《まじめ》になります。

昔のエッセイにも書いているのですが、私は生まれつき足算的なものの考え方が好きでした。健康が普通と思えば、あなたのように、一日おきの透析で縛られることは、もう生きている価値を半分失うことになります。

でも、ずっとベッドに寝ていなければならない病人と比べれば、あなたは、一日置きには自由人だと、私は考えるのです。これが足算的なものの考え方です。

透析の日には、いい機会ですから、四時間半だけ、死をお考えになったらいかがですか。メメント・モリという操作は人間が人間であるためには、非常に大切なことであろうと思われますが、それをしていない時間貧乏の生活者も世間にはけっこう多いのですから、もしあなたがそれがおできになったら、それは昔の哲学者と匹敵すべき豊かな生活をしておられることになるのです。

私は小心なせいか、よくて当たり前、と思ったことがありません。よく途上国へ旅をして、眼の前の人の生活状態は、果たして人間と言えるのかと思いたくなるほどの貧しい暮しを度々見て来たこととも関係あるかもしれません。

とにかく私は、この世の原型は、いつも悲惨なものだと思い続けてきました。

病気、貧困、人災、天災、不運、憎悪《ぞうお》、死別、喪失、別離、戦争、殺意、裏切り。

それらがあるのが現世というものであって、私や私の友達たちが日本で過ごさせてもらっている、理性と節制のある暮しなどというものは、いい意味での例外だと、思い続けて来ました。悪夢という言葉があるなら、子供時代を除く私の生涯はずっと「善夢」でした。私は実にたくさんの魂が上等な人に会えたのですから。あなたもそうでしょう？

現実的な計算をしますと、あなたは、一週に四時間半ずつ三度、合計十三時間半だけ、死んだも同然だということなのでしょう？　これを七日で割ると、一日約二時間。あなたは人より一日二時間余計に死んでいるわけです。でも、一日に八時間眠らなければならない人は、六時間で充分という人と比べると既に二時間余計に死んでいるし、昼間、漫然と芸能界のお噂《うわさ》番組を見ている人も、まあ二時間くらいは楽々死んでいらっしゃることでしょう。

少しは違いますが、うんとひどい差がついたわけでもない、と私は思いますが……。もちろん、透析に付随する、さまざまな症状もあるでしょう。食事療法も続けて要求されるし、疲労してもいけないという節制もいるでしょう。だからそういう面からの不自由はおありと思います。

しかし普通に生きているように見える人のどれだけが、完全な健康体でしょうか。朝起きると七つの病状がある、という人もいます。それは暇な奥さんが病気を楽しんでいるからじゃないの、と悪口を言うことは簡単ですが、当人にすれば真剣な苦痛なのです。今日一日、心臓が止まらなければいいがなあ、と思っている人もいれば、視力障害がある人、耳鳴りが続いている人、おしっこが洩れて困っている人もいるのです。それに誰でも、あなたの年になれば、それ相応に体力がなくなっているものです。

私はキリスト教の信仰から、失ったものを数え上げずに、持っているものを大切に思うことを、子供の時から習慣づけられました。これだから宗教は麻薬だ、などと言われるのでしょうが、自分が持っているくだらないものを評価できるのは、一種の芸術だと思っています。これが私の足算の原理です。スタートを低い点におけば、すべてがそれより幸運だったわけですから、どんどん足算ができるのです。それで、私は足算を愛好するようになりました。

しかしよくて当然、あって当然、もらって当然、うまく行って当然、と思っている人には、すべてが不服と不満の種になります。これが引算の論理です。

どうぞ、一日おきに、死ぬ日と生きる日をお決めください。それでもまだ生きる日の方が多いのですし、そのうちに死の日にも案外おもしろいことをして生きる方法があり、生の日にも、死の日と同じくらい悲しいことや嫌なことが侵入して来るのを発見なさるでしょう。つまり透析による束縛はその程度のものでしかないのです。

あなたの奥さまが、自分のために、長く生きてくれ、とおっしゃったことを伺って感動しました。ほんとうに誰のためでもない。一人の人のために生きていること、存在することが、どれほど偉大なことか。（その反対の場合もなくはありませんけれど。）あなたは読んでいらっしゃらないでしょうが、偶然私は今、新聞小説にそのことを書いているのです。

そのうちに「手首の装置」の結果を見物に行きます。同情もなく、私はそういうことに好奇心があってたまらないのです。その時、新進の透析評論家のご意見を、持参の松《まつ》茸《たけ》でも焼きながら（ただし外国産の安い奴《やつ》ですよ）、ゆっくり承りたいと思っています。

曽野綾子

一九九三年九月

（一九九三・九・四）

因業《いんごう》地主の心配

今年の米の不作は、テレビというマス・メディアのおかげか素人《しろうと》にもひしひしとそのひどさが伝わって来た。

ぴんと立ったままの穂。病気で黴《かび》が生えたような実。

どれを見ても農家はどんなに辛《つら》いだろうと思う。昔なら完全な飢饉《ききん》であろう。

私の家では、米の作柄を非常に気にする空気がある。それは作家の三好京三さんの田んぼの収穫が心配だからである。

三好さんの話によると、三好さんが新人賞を取られた頃、私がその賞の審査員だった。何しろ私は若い時から書き出したから、この仕事に係わった年月の計算だけでなら大古ダヌキなのである。（一九九四年七月で原稿料を貰《もら》い出してから四十年になる。）だから恐れ多くも、同い年の三好さんの作品を審査するハメになったのだ。

三好さんによると、そこで私は何か大変生意気な批評を下したというのだ。そこで普通なら「何言ってやんだい、あのヤロウ」ということになるのだが、人間のできた三好さんに限って、私を「お師匠さま」という呼び名でお報いくださった。

「お師匠さま」の夫の三浦朱門は、「金蔓《かねづる》」ではないが旨《うま》い「食蔓」を持っている人のところには、無思想ににじり寄って行く政治家並の悪癖があり、三好京三はひそかに東北の町でいい家に住み、うまいものを食っているらしいと見抜くや、急に「僕は三好さんの土地を一坪買って地主になり、毎年年貢米《ねんぐまい》を納めて貰って……」と言い出した。そして事実、彼は一坪分の代金を「おみつくろいで」三好家に送りつけたのである。

わが家には、外国旅行から持ち帰ったさまざまな国のコインがある。中には裏が真っ白の、香港の一セント紙幣というものもあるが、今やもう値段もわからなくなった金色貨銀色貨である。それらを取りまとめて一握り送りつけ、これで三浦朱門はすっかり三好京三の田んぼを一坪買った気になった。

三好さんがすぐ「地主さま」という名前を奉《たてまつ》ってくださったものだから、三浦朱門はいい気になったが、人の前では「僕は三好京三の田んぼの小作人だから、一年に一度は勤労奉仕をしに行かなきゃならない」などと支離滅裂なことを口走ってもいたのである。

さて三好京三家からは、毎年「年貢米」が送られて来ることになった。何の理由もなく、ひたすら「因業地主」恐ろしさに納付される、封建時代の形態である。

こうなると、「地主さま」はしきりに東北地方の作柄を気にするようになった。

「ううむ、天気は総じて余りよくないが、三好京三の田んぼのある谷からは大丈夫だ」

すると三好京三氏からはすかさず文学的泣き言が入って来る。毎年、「今年はひどい天気で」である。

その時、私は文学の源泉を発見したのである。

フランスでは、姦通《かんつう》の事実を、配偶者と神の双方に誤魔化そうとしたから、すばらしい恋愛小説が生まれた。

日本では因業地主に対して、いかに不可抗力の天気のせいで不作かを縷々《るる》として訴える表現の技術が、すばらしい文学を生んだのである。

その因業地主も、今年はさすがに「三好京三の田んぼ」を心配しだした。

「これはいかん。三好京三はちゃんとやっているかなあ。風呂《ふろ》の湯も捨てずに田んぼに流して地熱を上げ、夜は畦道《あぜみち》でヒーターをたいて保温に努める。それくらいやらなくちゃだめだ。しかしあそこは美人の京子夫人は信用できるけど、京三はだめだ。小説を書いたら、後はイバッテ酒飲んで、田んぼはほっぽらかしてカラオケに行っちまってるだろう」

三好京三氏の「地主さま」に対する報告は次のようなものであったという。口先だけの司令官である三好さんは「一番おいしい米だけ作れ」と京子夫人に命令した。しかし賢明な京子夫人は、虫の知らせか、夫の言いつけを無視して「その次くらいにおいしい銘柄」の米を半分混ぜて作ることにした。「一番おいしい米」は全滅し「その次くらいにおいしい銘柄」が、例年の半分くらい採れた。それでも因業地主の三浦朱門は、年貢米は収めなくてもいい、とは決して言わないのである。

このあたりで出て来たのは、米の緊急輸入の話である。昔だったら、農民が飢え、百姓一揆《いっき》が起きるほどの冷害・不作でも、今は庶民がご飯が食べられないということはなさそうだというのだから、ほんとうにありがたいことだ、と私は思う。世界中が飢饉なのではなく、どうやらオーストラリアもタイもアメリカも、日本に米を売ってくださりたくてたまらないらしい。片やこちらは、幸か不幸か生まれて初めていささかの金を握った成り金国家。しかも黒字を減らせ減らせと、世界中からせっつかれている。その金で米を買えばほとんど問題はない。

しかし総理を初め、誰もが、緊急輸入と米の自由化とは別だ、という。その理由を新聞で理解しようと読んでいたら、緊張のあまりすっかり眠くなってしまった。つまり私程度のアタマではなかなか理解しにくい論理だということである。

十月二日付の毎日新聞には次のような社説が載った。

「今回のコメ不足に関連して、自給体制の強化を主張する声があるが、基本的に今回のコメ不足はコメ過剰をカットする減反体制の下で起きた『過剰の中の不足』であり、コメの自給を回復するには減反を緩和すればいい。現に政府は来年の大幅減反緩和を打ち出した」

「コメの緊急輸入とコメ市場の開放問題は、別の次元で考えるべきことだ。市場開放問題は需給とは無関係に、新しい世界貿易秩序を構築するための国際交渉の中で起きてきている問題であり（後略）」

まだ、後が続くのだが、今年は不作で、緊急に米を買いたいと思います。しかし来年はよくできるかもしれませんから、自由化はしません、という理論だろうと、私も思うし、外国の、私程度のアタマの庶民もそう思いこむだろう。

それはあんまり勝手というものではないのか。今年の不作の原因は、異常気候の他にも、寒さに弱い種類ばかり作ったり（きっとこれが普通ならおいしい種類のお米で高く売れるのだろう）、また政府の減反政策の結果でもあるという。それらの理由が重なって、こういう結果ができたのである。

日本人と米との関係が特別なものだ、ということを私はよく外国人にも説明するが、それならば、もう少し日本人自身にも別な覚悟がなければならないだろう。

まず今年あたり、どんなに米が不足しようとも、断じて輸入しない、という姿勢を貫くことだ。何ごとでも、犠牲を払わない行動には、誰も迫力を感じない。

さしあたり今年度は国民に米を食べない運動をしてもらう。米飯そのものを、一日に一度はパンやうどんなどの代替を使うようにする。既に一食抜こうと言っているという北朝鮮の人たちのことを考えれば、一食を代替にすることなど、文句を言えた義理ではない。

戦争中は、日本中どこでも空襲を受けて、国民の誰もが命の危険にさらされていたから、ストレスも大きかったに違いないのだが、心臓病などというものは極度に少なかった、ということを後から知った。それは、当時の日本人が食料不足で粗食だったからだそうだ。

不作を教育的に使えば、日本の心臓病も減るかもしれない。何よりいいのは子供たちに、不自由を教えることだ。できたら空腹さえ実感させたらいい。空腹を体験させられたら、登校拒否、自閉症、いじめ、ノイローゼ、肥満などの多くが軽減され、貧しい暮らしをしている国の人びとへの労《いたわ》りも深くなると思う。

酒飲みにも、日本酒を減らしてもらう。私のように塩せんべいを齧《かじ》ってばかりいる人は、一月《ひとつき》一袋に自己規制する。その結果、酒屋やせんべい屋がつぶれそうになったら、そちらに保護政策を取る。

しかし今年は米が不足したから緊急輸入、来年できたら米は買わない、というのでは、どうみても自分中心の子供の論理、女の論理である。(こういうことを書くとまた女性のグループから怒られるだろうが、女の投書を見ていれば、女が自分中心だということはすぐにわかるのである。)

社会党という党は、今や支離滅裂。何を考えている人たちかわからない。こういう党にいる、というだけで、私はその人が気味が悪いし、尊敬もできない。日本新党も新党さきがけも新生党も、政権を取るために社会党と手を結んだ、というそのことのためだけで、私は信用できないと思い出した。

なぜなら、社会党の信念のなさ、眼のなさ、筋の通らなさ、というものは一過性の間違いというものではなく、素質そのものだから、今後もずっと政治という大切な責任を共有できる人たちではないのである。

十月五日付の朝日新聞によると、社会党の山花前委員長は、「自衛隊は違憲か？」という衆議院予算委員会での質問に対して、「社会党としては自衛隊の実態は違憲と考える」と答えた。

ということは、PKO活動もいけなかったと言うのだろう。違憲と考えるなら、野党に徹し、徹底して闘っていかなければならない。それなのに政権を取ったから、前の路線を考えるのでは、何のために選手交代が行われたのかわからない。こういう人と党をどうして信用できるのか、私にはてんでわからないのである。

山花前委員長の韓国訪問くらいおかしいものはなかった。これまで北朝鮮一辺倒でやって来たというそのこと自体が現実を見る眼が如何《いか》になかったかの証拠だったが、それを政権を取ったら急に韓国に擦り寄る。こういう不気味な人と、友人になれるか、ということだ。韓国もさぞかし内心で侮蔑《ぶべつ》を感じただろう。

この山花前委員長だけではない。今まで成田空港の拡張に反対だった人が、大臣になると、急に賛成に廻る。気持ちが悪くてたまらない。こういう人の精神はどうなっているのかと思う。

消費税に対してあれほど「だめったらだめ」と唱えていた党のことだから、政権を取ったら素早く消費税をやめる方向に動くのかと思ったが、そういう気配は全くないのも驚きであった。あの頃あれほど多くの人が、消費税反対の情熱に動員されて投票した。あの人たちの面子《メンツ》はつぶされたのだ。あの熱烈な消費税反対論者たちは、今の社会党をどう考えているのだろう。

政権を取るということは、小さなことには妥協しても、その党の根幹の思想、基本的な政策路線の方向だけは死守することだろう。それが公人としての誠実というものだ。さもなければ、自分は間違いでした、と言うか、党を出るか、公人としての身の振る舞い方はあると思う。自分の信念が通らないような状況だったら、政権など手にしてはいけないのである。それは、人間の基本的な知能と誇り、魂の折り目、プロのたしなみ、に係わる重大なことだ。社会党はもはや死んでいる。

最後に、どうでもいい話をしなければ、どうも私らしくないような気がするので——

「週刊新潮」九月二十三日号でロンドンのヤオハン店のオープンの様子がグラビアに出た。

「『ガンバルぞ！』。こぶしを振り上げ〽青空高く……と社歌を大合唱」するのだそうだ。よく見ると、後の方に何人かの日本人らしい人物で「ばかばかしくてこんなことやれるか」という表情で、同調していない人がいるのがせめてもの救いというものだ。

人がやることだから、どうでもいいけれど、こういう精神的拷問《ごうもん》みたいなことを強いている会社がまだある、というのはおもしろい。外国人の社員は大体が手を突き出して「ガンバルぞ」をやっている。もっとも外国語というものはすべて恥ずかしさを希薄にするという特殊な薬効を持っているらしい。

「ボク、日本語だと恥ずかしくて言えないけど、スペイン語でだったら見ず知らずの奥さんのとこへすり寄って行って『あなたは、星のように、花のようにお美しいです』くらいのお世辞、簡単に言えちゃう」

と夫も言っていたから。

（一九九三・一〇・七）

退屈と読書癖の関係

新聞に十五歳の少女が、一冊の本を読み終えた喜びを投書していた。今まで本の嫌いな性格で、一冊も読み終えたことがない、という。この少女の成長を喜ぶことにはやぶさかではないが、正直に言って驚きも隠せないし、信じられない思いである。時代の差は大きいと思うが、十五歳まで一冊の本も読み通さなかった子供というのは、どういう暮しをして来たのだろう。

今さら、本について考えるわけでもないが、夫は小学校三年生の時に『坊っちゃん』を読んだという。『吾輩は猫である』を読んだのは小学校六年生の時で、それがおもしろかったので、この作品に影響を与えたという説のある『牡猫ムルの人生観』というのを読んだが、これは「クソおもしろくもない」という記憶しか残っていないという。十四歳の時に、字引をひきひきジーン・ウェブスターの『ディヤー・エミネー』という『あしながおじさん』の続編を読んだそうな。

私の場合は、家庭がちょっと歪《ゆが》んでいて、いつもひりひり神経を尖《とが》らせていたから、空想や別の世界で気持ちを慰める必要があった。小学校の高学年には、試験の前に、菊池寛の『真珠夫人』を母に隠して読み、吉田絃二郎やツルゲネフにうっとりした。私の息子の場合は、当人ではないから推測に過ぎないが、親の私から見ると、退屈したから読んだとしか思えない。私のうちでは、息子が小学生の間ずっとテレビがなかったから、彼は、いつも退屈していた。

人間にとって退屈というものは実に必要である。退屈すると人間は良からぬことも考えるし、時には崇高なことも考える。少なくとも、退屈紛らしの本は読むようになる。息子は、セックスに興味を持つようになると、親が何も答えないので百科辞典でその項目を読み、それから、マンガに熱中した。水木しげるさんの初期のものからずっと読んでいて、高校の時には「水木しげる論」を学校新聞の読書レポート欄に書いた。

孫の読書の習慣をつけたのは息子夫婦だが、彼らは、孫をやはり退屈な場所——たとえば発掘中の遺跡など——子供には大しておもしろくもない土地へごく幼い時から連れて行った。

それらの土地は、暑かったり、不潔だったり、飛行機が遅れたり、宿が汚かったりした。子供が遊ぶ施設も何もない。息子夫婦は自分の子供に数冊の本を当てがって、「本でも読んでなさい」と言った。

単純な原理なのである。他におもしろいものがないから、孫は仕方なく本を読む癖がついたのである。

よその家庭の事情は他人にわかることではないが、本だけは親が読んでいると、子供も真似《まね》をして読むようになる例が多いような気がする。

先日、亡《な》くなった夫の父の最後の頃、世話をしてくれた女性がひさしぶりに訪ねて来てくれた。その人が今お世話をしている老人は、目が覚めている限り、いつもカタカタ何か音のするものを鳴らしているという。その音が付き添う者の神経をまいらせる。

「その点、ここのおじいちゃまはよかったですねえ。本を渡すと、二、三時間はページをめくって見ていらっしゃいましたもの」

舅《しゅうと》はイタリア語の学者であった。私が最後に舅に買って帰った外国土産も、イタリア語の雑誌だった。もっとも私はイタリア語が読めないのだから、ローマの空港で挿絵で推測していい加減に買ったものである。

炬燵《こたつ》に当たりながら、ずり落ちた眼鏡をかけて雑誌を読む義父に、夫は、

「ジイちゃん。これどういう意味？」

などと時々イジワルに単語のテストをすることもあった。するとテレビで見ている野球の勝ち負けさえわからなくなっていた舅は、少しごまかしながら、単語の意味だけは言うこともあったが、長い文意を摑《つか》むことはできなくなっていた。しかしそれでも、人

生の最後まで活字を離さなかった義父の姿は、私の家らしい光景として、舅からみると曾孫《ひまご》に当たる私の孫にも話してやりたいと思う。本を読む習慣は年とっても始末がいいものだという発見もあった。

今の人たちは、気の毒な点がある。テレビがあり、遊ぶ所がさまざまある。家族でリクリエーションをするのが当たり前だと思っている。子供は退屈する暇がないから、退屈がもたらす輝くような自然な反応を体験することもできない。

私は時々、新聞の買いにくい土地に畑をしに行っていて、全く大切なニュースを知らないこともよくあるのだが、十月二十九日付の東京新聞などを見ると小沢一郎氏とマスコミとの間が険悪になっているという。

「細川連立政権発足後、『開かれた記者会見』を目指して、いわゆる番記者との懇談を廃止し、マスコミとの対応を外国プレスや雑誌記者なども含めたオープンな会見一本に限定していた新生党の小沢一郎代表幹事が、『事実と異なることを記事にした』と新聞二社を会見から除外した」

小沢氏は新聞記者に向かって、

「君らは都合の悪いことは省略するが、私は政治家として国民、有権者に対していろいろなことを知らしめ報告する道義的義務を背負っている。だけど、あんた方にしなきゃならない義務はない。会見はサービスですよ。僕はやめたっていい。それは恩着せがましく言っているわけではないんだよ。本質的にはそういうことだ。批判はいいよ。しかし事実でないことを、勝手に書くなら話す必要はない。創作で書くなら、会見を開く意味がない」

と言った後で、新聞側からどういう方法で選挙民に伝えるつもりなのか、と質問を受けると、

「どういう方法でやるか、説明する必要はない」

「あんた方すべてが(国民を)代表しているわけでない。それはうぬぼれだ。あなた方の媒体を使わずに知らせてもいい」

と語っている。

私は小沢氏の言う通りだと思う。事実でないことを勝手に書くマスコミとは、接触を断つ方がむしろ国民との正しい関係を保ち得る。それは小沢氏が言うように、「批判の自由を守る」こととは全く抵触しない。

正確でない要素を国民に伝えても、意味がないどころか悪影響がある。そして新聞は複数あるのだから、正しく伝えてくれるところにだけ公開するのもまことに自然と思われる。この記事が言うように「唯一《ゆいいつ》の接点である記者会見を排除したら言論統制につながる恐れ」などあるわけがない。

このような問題は、実は、意外と単純なところに理由があるのではないか、と思われ

る。それは、一字一句をゆるがせにしないという厳密な神経や、人の言ったことを文字にする能力が全般に衰えているところから来ていると思う。語学力というのは、九歳から十五歳が勝負なのだというのに、十五歳まで本を一冊も読まない子がいくらでもいる時代なのだ。国語の訓練が充分にできなくても、少しも不思議ではない。

十一月七日の毎日新聞には三枝成彰氏がやはり「私が思う『私についての記事』」と題してインタビューがいかに違うニュアンスで伝えられたかを述べておられる。その間違った記事を書いた相手は「週刊文春」なのだが、その同じ「週刊文春」が、皇后陛下の記事に関してはすぐさま謝罪文を出した。ということは取材過程にいかに問題があるかを示している、という内容である。

原文をなくしてしまったのだが、荻野アンナさんも、自分の書いた原稿の言葉遣いを勝手に直された話を書いておられた。

つまり今は、相手の話の内容の微妙な恐ろしさを感じる記者や編集者も少なければ、相手の談話を取るのに不充分な国語力しかない記者が出てきてしまったということだろう。頭がいいことと、人の話の記録が正確に取れることとは、また全く別の才能なのである。そして私の体験によれば、人の話を正確に書きとめる能力を持つ人には、声帯摸写のうまい人が多い。

十月十七日の読売新聞に、第七回の読売新聞ユーモア広告大賞の発表があって、一日笑っていた。新聞はこういう記事にもっとスペースを割いてほしいと思う。

中でも身につまされておかしかったのは、ワープロがよくミス・タッチで犯すおかしな誤植を、改めて手法に使ったようなぺんてるの文房用具〈あけてとじろう〉の広告である。三点セットの作品で、表紙の題の一字が必ず間違っている。

シェイクスピア原作の「ペニスの商人」、マルセル・カルネ監督の「天丼桟敷の人々」、スティーブ・マックィーン主演の「犬脱走」、いずれも、ワープロ文化を生きた人が思いついたおかしさのような気がする。

全労済〈こくみん共済〉では、「しゃぼん玉とんだ　やねまでとんだ」の歌詞の挿絵に、しゃぼん玉の威力で屋根が吹っ飛ぶ光景。「十五やおつきさん　みてはねる」には、オープンカーを飛ばしているイカレタ若者が、都会のビルの上に昇った月を脇見《わきみ》運転して、若い娘を撥《は》ねてしまう挿絵がついている。こんなに危ないのだから共済保険に入れというわけだ。国語力の低下をうまく使ったユーモアは、なぜか清々《すがすが》しく心理の風通りがいいのである。

（一九九三・一一・九）

Ⅱ　奉仕の源泉

外人墓地の物語

この秋、仕事でタイへ行った時、ホテルの隣の本屋で二冊のおもしろい本を手にいれた。この本屋は「エージアン・ブックス」という昔から有名な英語の本の専門店で、一時は買う本がなくなってがっかりしていたのだが、最近またよくなっている。私に言わせると、その手の英語の本屋がたくさんの出版物を持っている時は、その国の経済も上向きの時なのである。

一冊はR・W・ウッドという人の『DE MORTUIS チェンマイの外人墓地の物語』で、題はディオゲネス・ラエルティウスの『DE MORTUIS NIL NISI BONUM 善きことにあらざれば死者については何事も語るな』から、とったものではないかと思う。

もう一つはデーヴ・ウォーカーとリチャード・S・エーリッヒという二人のジャーナリストによって纏《まと》められた『いい子ちゃん、元気にしてるかい？』であるが、これについては次章に触れたいと思う。

前にも書いたかもしれないが、私は墓地が好きで、どの土地へ行っても墓地を見たがって、墓なんぞ嫌いだ、という夫と趣味の対立を見ている。バンコックでは墓地へ行ったことがないが、ほんとうは墓地へ行くよりいいのは、墓地の研究の本を読むことである。それにはこのような本が最適なのである。

私が初めてチェンマイを訪れたのは一九六六年で、ランパン＝チェンマイの間で日本の大手ゼネコンが作っていた高速道路の現場を見た時から、私は土木にとりつかれることになったのである。そして『無名碑』という作品を仕上げるまでに二度、合計三度、私はチェンマイを訪ねているのだが、当時と今とではどれほど変わっているのか想像もつかない。

しかし多分私の知っている古い城壁のある素朴なチェンマイの町が、この『チェンマイの外人墓地の物語』の舞台の、当時の光景に近いだろうと思われる。もっともこの物語に登場するのは、一八九八年から一九九二年までだそうで、最近の新しい光景は、全く私の知らない世界である。

その人の属する国家の意図がどうあれ、個人が異国で死ぬということの背後には、すさまじいドラマがあり、悲痛な痛みがある。そしてどこであれ、人が或《あ》る土地で暮らそうとしたら、食料と燃料と水と住処《すみか》、さらには学校や集会所、銀行や教会や病院などがいると同時に、墓地の手当てもしなければならないのである。

筆者のR・W・ウッド少佐はチェンマイに三十二年以上住んでいた。父親のW・W・

ウッドは、チーク材を扱っていたボンベイ・ビルマ貿易商会の森林監督官で、一八九二年から一九〇八年までチェンマイに住んでいたから、一八九八年にこの墓地ができた時の経緯もよくわかっていたのである。

ここに眠った人たちの歴史は後で述べるとしても、この墓地にはヴィクトリア女王（一八一九〜一九〇一）の銅像があるらしい。この銅像は「北タイに住んでいたあらゆる人種《レース》のイギリス国民」によって建てられたもので、銅像をチェンマイまで運ぶのが大変だった。銅像はバンコックで船から下ろされ、それから川を遡上《そじよう》してチェンマイに来るはずだったのだが、船の都合でそうならなくなってしまった。ほんとうは「材木屋」たちのクリスマスの集まりでご披露されるはずだったのに、銅像はバンコックではなく、ビルマのラングーンに下ろされてしまったのである。銅像はそこから北部まで列車で運ばれ、そこからさらにあらゆる手段を使って輸送された。

「象や荷運び人」も動員されたと書いてある。それはシャン高原や川や岡や国境を越えて、ようやくチェンマイのイギリス領事館に到着した。

そして銅像は一九八〇年にイギリス領事館が閉鎖された時チェンマイ外人墓地に移されたようである。女王さまの銅像とて、当時は安らかな旅はできなかったのだ。

この墓地の最初の住人になった人の記録は極めて短い。さらに私流の抄訳をお許し頂けば次のようになる。

「エドワード・レインサン・ギルディング少佐（英国人）。一八五七年に生まれる。一九〇〇年二月十四日、四十三歳で赤痢のためチェンマイで死亡。一八七九年、イセックス連隊で任官。一八九三年、幹部学校。一八九六年エジプトにおいてキッチナー将軍のDAAG（高級副官代理補佐）。インドに赴任。ロシア語通訳」

遠いアジアの、当時は瘴癘《しょうれい》の地だったチェンマイで、たくさんの人が生き、死んで行った。

「デズモンド・ライモンド・ミカエル（英国人）。一九三六年一月四日チェンマイで腸チフスのため死亡。二十八歳。ボンベイ・ビルマ貿易商会の森林補佐官。一九〇七年上海生まれ。ユダヤ人のブローカーであり、上海の証券取引所の創始者だったイサク・ミカエルの一人息子。

デズモンドが生まれた時、イサクは七十歳。彼はその少し前にロンドンの病院に入院中、彼の世話をした看護婦のシャルロット・フラナガンと結婚。彼女自身四十歳を過ぎていた。デズモンドはブリストルでクリフトン・カレッジに進んだが、ユダヤ教の厳しい信仰の元に置かれた。デズモンドはこの点で、パブリック・スクールの中で変わった存在だった。

彼はその後、オックスフォードのペンブローク・カレッジに進んだが、そこで彼はユダヤ教徒としての特異性を消してしまった。彼はそこでは父の名からもっともユダヤ的なイサクを消して、ライモンド・ミカエルの息子と記し、終生、彼の親しい友達にさえ彼がユダヤ人であることを知らせなかった。一九二八年彼はボンベイ・ビルマ貿易商会に入り、二度目の休暇から帰って数カ月のうちに死亡した」

「ヘンリー・リンガード。陸軍十字勲章受章者。一八九七年十月三日生まれ。一九三五年、三十七歳で肺炎のため死亡。一九一九年、大戦の後、初め森林補佐官として、死亡時には森林監督官として働いていた。

一九一四年、まだ未成年のうちに彼は野戦重砲隊に任命され、遠征部隊の四十九師団に加わってフランスへ渡った。家庭が不幸だったと言われる。彼は一九一六年の七月と、一九一七年四月の戦いで目ざましい勲功を立て、一九一七年陸軍十字勲章を授けられた」

彼の戦傷についての記録はない、というが、戦争の間に彼はすっかり体を壊していた。毒ガスを吸ったので、呼吸器の病気を繰り返したのではないか、とさえ言われていた。

しかし現実には彼は森林の生活で幸福そうだった。やがて結婚をして一男一女も得た。乗馬を楽しみ、ポロの選手として活躍した。

しかし彼は三十七歳までしか生きなかった。後には妻のマーガレットが残された。あまりにも若い妻である。再婚の話が起きても不思議はない。彼女はC・A・フリーリー(初めアングロ・タイ商会、後にボンベイ・ビルマ貿易商会に勤務)と結婚し、第二次世界大戦直後は、最初の夫の思い出も濃いチェンマイに、数年間住んでいた。

書いてしまえばこれだけのことだ。しかしその一場面一場面が、私の中で、長編小説のようにふくれ上がる。しかしこの登場人物たちは決して饒舌《じょうぜつ》ではない。彼らは黙々として死んで行った。ウッドもまた、余計なことは付け加えない。どこにでも、いくらでもあった死が、そこで輝き出す。死は慎ましく在らねばならないが、いとしいものである。

「タデウス・ヨハネス（英国人）。

一八九七年十一月十一日死亡。年齢不詳。石炭酸（消毒液？　曽野注）で自殺。チェンマイで倉庫番をして働いていた。イギリス人とビルマ人の混血。仏教寺院の墓地に葬《ほうむ》られていたが、父の要請によって一九〇〇年に外人墓地に改めて埋葬された」

エヴェリン・ガイ・スチュアート・ハートレイの一生も、私の胸をうつ。

彼はサマセットのクリーヴにあった英国国教会の牧師の二番目の息子であった。タウントンのキングス・カレッジを卒業後、一九二七年にはアングロ・タイ商会の森林補佐官となりランパンの森で働いた。一九四〇年、森林監督官としてムアン・ナオの森林監督所に移る。一九四一年十二月、日本軍の侵攻直前にビルマに入り、ラングーンでイギリス空軍の情報部門で働いた。その後インドとセイロンで編隊長相当官として活躍している。

一九四六年。輝くような幸福な日々であったろう、彼はイギリスで結婚したばかりの妻を伴ってムアン・ナオに帰ってきたのだ！　後、十一年働いて一九五七年には引退してイギリスに帰る、という計画も立てていた。五十二歳ということだ。まだ年寄りではないし、充分に老後の楽しい時間を持てる、という感じである。

一九五六年。引退の前年であった。彼はサワンカロークの支所を閉鎖するために出張した。六月九日の夜、そこには金があると思った強盗の一味が襲った。ハートレイは物音に気づいて様子を見に、階下へ下りようとした。彼は階段の上で銃で撃ち倒された。その間に強盗は二階に駆け上がり、彼の妻を殴り、ほんの数バーツの金と腕時計を奪って逃げた。

一味は間もなく捕まり、首謀者には死刑、他の強盗にも重い刑がいい渡されたが、自白もあり、請願もあったということで、刑はうんと軽減された。彼らのうち実際に何年かを刑務所で過ごした者があったかどうかさえ疑問だと言われる。ハートレイはピサヌロークに埋葬されたが、一九七三年妻の希望でチェンマイに埋葬されることになった。

愚かな犯罪であったと著者ウッドは書く。貧しさと思慮のなさとはそういうものだ。アルウィン・テオドール・タンの人生もまた何ごとかを私たちに語りかける。彼は一九七八年にオートバイの事故で死亡した。

もっとも生まれは一九二一年だから、オランダがインドネシアを統治していた時代の「産物」である。

ジャワ生まれ、ジャワ育ち。一九四〇年にはオランダのインドネシア軍に召集されている。一九四二年に日本軍の捕虜になり、タイに送られる。我が日本はこういう人をわざわざ移送して働かせるつもりだったのだろうか。

しかしタンは一九四五年に釈放され、翌年、タイ女性と結婚した。妻については全く記録されていない。しかし彼がこの妻を愛していたことは、彼の生涯がそれを証明することになるのである。

一九五〇年までオランダ軍人として再びインドネシアで働いた後、タンはオランダ電信電話会社に勤め、一九六三年まではオランダ領ニューギニアで勤務した。

この人の無言のドラマは一九六七年に引退してから始まっていると小説家は感じるのである。彼はオランダに帰った。しかし翌年タイ人の妻に先立たれる。そして一九七三年には彼は再びタイに「帰って」来る。人生の最後の五年間を、妻の国で暮らすために……。

死者たちの履歴書は何も余計なことが書いてないだけに、非礼がない。しかしそこには膨大な重く暖かく悲しい日々の堆積《たいせき》が偲《しの》ばれる。どれも――私流に言えば一面では惨《さん》憺《たん》たる人生だ。しかしそれで特に不幸と言うわけでもない。誰にも――恐らく光輝くような瞬間はあった筈《はず》だ。客観的に見て、その大きさを計ることはできない。そしてまたどこにも、悲しみの影のない人生はない。

ダグラス・ウィルキンズはインド陸軍の大尉の息子だった。森林官となりランパンで働いた後、メー・サリアンのサルウィーンの森で働いていた。一九〇四年の八月末、彼は三十六歳で死亡し、そこに埋められていた。一九七〇年彼の墓碑のスラブが森の中で発見され、チェンマイの外人墓地に移されたが、遺骨も発見されたとは書かれていない。

アンソニー・フレデリック・スミスは生年月日と、死亡年月日だけが記されている。親の名前もなければ、教育の記録もない。職歴もない。しかしまぎれもない英国人なのだ。彼が死んだのは去年、一九九二年の四月八日である。死因はヘロインの乱用であった。

チェンマイではたくさんの子供も死んだ。

フォレスト・ブラウンはたった九カ月の人生を先天性の心臓病で一八九三年に閉じた。オリバー・ジョンソンは一九八〇年に三歳で水死した。そうだ。一九八〇年には、もうチェンマイのあちこちにプールができる時代になってきたのだ。

しかしそれまでの子供たちは、赤痢、肺炎、コレラでも死んだ。生まれた次の日まで生きていればもう名前が貰《もら》えた。ジュリー・L・ベルンハルトの生涯も二日だった。でも立派な家族の一員だった。

　アイリーン・コックリンは二歳でアスピリン中毒で死んだ。父親は、アメリカのバプティスト派の牧師だった。今で言うとアスピリン・ショックなのだろう。事故の起きたのは、チャン・ダオという恐らく田舎の薬屋だった。父親は子供を腕に抱いてチェンマイの病院に走った。しかし間に合わなかった。

　不幸な生涯だけではない。

　九十一歳まで幸福に生きた人もいる。

　ウィリアム・A・R・ウッド。一八七八年生まれ。一九七〇年、死亡。イギリス総領事。

　リバプールの実業家の息子に生まれる。七人姉妹の中のたった一人の男の子。たまったもんじゃない。でもこのお父さんという人が賢かった。まだウィリアムが子供の時、ブリュージュに支店を出したのをきっかけにウィリアムはベルギーでフランス語を覚えるのだが、十二歳でイギリスに帰るとすぐ、お父さんがダルウィッチ・カレッジに送ってくれた。学校の質なんか問題じゃない。ウィリアムにとっては素晴らしい数年だった。何しろここで、「男の世界」に触れられたのだから。

　その後スイスとドイツで暮らし、ウィリアムは彼にとっての第二外国語、すなわちドイツ語を完全にマスターする。

一八九六年、彼は一番若い通訳としてバンコックに赴任した。そこで彼のタイ語の勉強が始まる。一九〇五年、彼はナンに副領事として赴任した。その後、チェンライ、ソンクラー、ランパンの副領事と仕事が続き、一九一三年にはチェンマイの副領事となった後、領事に昇進した。

そこで彼は引退まで過ごしたのである。事実上は新しい領事館を建てる仕事があった。象の厩《うまや》ならぬ「象屋」も作った。タイ語と英語の双方で法律の知識をつけて行った。それは貴重なものであった。ウッドは明るい性格で、彼の所に持ち込まれるあらゆる面倒な英国、インド、ビルマの訴訟当事者を陽気な表現で迎え入れていたと言う。外人墓地の委員、ジムカーナ・クラブの委員長。役職はたくさんあった。テニスもまいし、スカッシュもする。クリケットとゴルフは御免だと言っていたが魅力的な話手で、そのばか話を聞きに人々は集まって来る。背は高く禿《は》げで、頭が寒いからという理由で、始終ベレエ帽をかぶっていた。

彼はよく書いた。一九二四年には『タイの歴史』を書き上げ、一九六五年には自伝的エッセイ『微笑の土地』を出版した。

一九三一年には引退してノンホイに住まった。一九〇六年に出会ったタイ人の妻、ブーンと一緒である。英語を教え著述をし、庭作りをした。死ぬ日まで健康だったのである。

妻のブーンもすばらしい女性だった。ナンの副領事時代にウッドはブーンを見初める。田舎の村で水牛に乗っていた十四歳の美しい村娘としてである。

ウッドはブーンの父を説得して、彼女が十七歳の時にやっと結婚にこぎつける。翌年娘が生まれるが、夫は妻にイギリスのことを教え込むために、妻を三年の間子供と共にイギリスに残してソンクラーの任地に帰ってしまうのである。

恐ろしい状態である。ヴィクトリア風の気位の高い姑《しゅうとめ》と義理の姉妹たちの間にブーンは残されたのだ。

「私は雪の中を駆け回るのが好きだったのよ」

と彼女は晩年楽しげに語っていた。

「アジア人には耐えられない気候と言われていたけれど、イギリスの気候に不平を言っていたのはむしろイギリス人の方だったし、耐えがたい暑さだというタイの気候に寛大だったのはまたイギリス人だったのよ。おもしろいわね」

これはすばらしい花嫁学校だった。ブーンは間もなく夫の許《もと》へ戻り、下の娘が生まれる。ウッドの引退後は、サレーのリッチモンドに住んだが、或《あ》る朝、ウッドは信じられないようなすばらしい贈り物を妻にしたのであった。

「ノンホイに家を作って、ずっと住むことにしよう」

夫の死後年をとった時、彼女は夫の作った思い出多い家を売って娘と一緒にイギリスに住むことにした。思い切りのいい女性だったのだ。一九八二年にブーンは亡《な》くなったが、遺骨は夫の待つチェンマイに葬られた。

「彼女の愛したよき大地に眠る」と碑銘は語る。ほのぼのとした夫婦の最後であった。

（一九九三・一二・七）

ペナンの海辺で

暮れの二十二日に私は、新聞の連載小説を書き終えた。この日を目的に、一年を生きて来たところもある。仕事の内幕を話すと、何を言ってもいやらしいような気がするが、新聞小説というものは、書き終えれば、八十パーセント責任を果たしたのである。それがいい小説か、失敗作かどうかは二の次だ。どんな小説だって、一人や二人はおもしろかったと言ってくれる人があるものだし、どんな大家の名作だって「僕は退屈で読めなかった」と言っている人に、昔からいくらでも会ったことがある。

おもしろいことに終わったとたんに小説が読めるようになった。それまで、ノン・フィクションはいくらでも読めたが、小説には生理的な拒否反応が出ていた。夜になって、楽しみとして小説を読む気になど、とてもなれなかったのである。

二十三日にシンガポールに立った。そして気の抜けたクリスマスの飾りがまだきらきらとオーチャード・ロードに残っている元旦《がんたん》を過ごすと、息子夫婦に誘われてマレーシアのペナンに行くことにした。新しく開発された海岸には近代的なホテルがいくらでもあるけれど、そんなところにいると、熱海か湯河原か真鶴《まなづる》の海岸にいるようなものだから、古いペナンの面影を残したE&O（イースト&オリエント）ホテルに泊まろうと言う。

「お湯は出るの？」

などと聞いたが、ほんとうはそんなことを心配してもいなかった。水さえ出れば、熱帯ではほとんど不自由を感じることはない。

E&Oは波止場の近くにある。私は全く体験がないのだが、昔、ヨーロッパから来た船が、うんざりするほど長いインド洋の航海の後、この港に着いたのである。

一九二八年にローカル新聞「ストレート・エコー」の若いジャーナリストとしてここに赴任したジョージ・ビランキンは、彼の著書『ペナンよ、今日は！　インド人、マレー人、シナ人、ヨーロッパ人による熱帯の前線基地での悲劇と喜劇の語り手として』という本の中で、舗装された地面の上に下り立ったのが快いと書いているらしい。

彼は初めてこの東洋の土を踏むと、少なくとも一ダースは下らないリキシャに囲まれる。皆客を取ろうとして必死なのだ。それに乗って、彼はこのE&Oホテルに入る。ホテルは一八八四年に、マルティンとティグランと呼ばれるサーキーズ家の二人の息子たちによって作られた。初めにイースタン・ホテルが、次にオリエンタル・ホテルが建てられ、この野心家の兄弟はそれを繫《つな》げてE&Oホテルにした。

息子の太郎がフロントで、上の階の少しいい部屋はないか、と交渉している。何しろシンガポールの旅行業者が取ってくれた部屋の値段は一泊九千円なのだから、少し上等のにしたってたかが知れているのである。最上階のスィートが二部屋とれたと言うので、蛇腹風の格子《こうし》に手動式のハンドルのついたエレベーターをマレー人の男に動かしてもらってあがって行く。

改築前の間取りがありありと見える老婆《ろうば》の厚化粧風のだだっ広い部屋である。以前はむき出しのベランダだったところも、部屋にしていて、窓から全面海が広がっている。冷房もよく効く。

方向音痴気味なので、海の向こうの低い山がどこなのかてんでわからない。あれは、タイ国境の山なのだ、と男たちが教えてくれる。眼の下は、狭い庭で、泳ぐ気がしないほど小さなプールがある。お定まりのビーチ・チェアーがおいてあり、何人かの男女が寝そべって本を読んでいた。

感覚が違うなあ、と思う。私は本を読むのは、部屋の中がいい。あんなべとべとした海風に吹かれながら、読書をしたって身に入らない。それより、ビーチ・チェアーの真上くらいに、数本の椰子《やし》の木がある。上を見ると、どれにも黄色く色づきかけた実が、十個近くもついている。危険だからあの下に行かないように、息子たちに注意しなければ、と思う。昔、ドミニカ共和国というカリブ海の島に行った。トルヒーヨという大統領の独裁政権の時代だった。土地の人が、嘘《うそ》だかほんとだかわからないような話を教えてくれる。反対派の政治家が、椰子の木陰で昼寝をしていると、椰子の実が落ちて来て、頭を割られて死んだ、というのである。

小説家という職業はほんとに気楽なものだ。この話が嘘でも、おもしろければいいのだから、聞き流して来たのである。ただその後遺症として、椰子の木の下に来ると、小心にすぐ上を見る癖がついた。

ここで何を読むか、ということはうちを出る前に考えていたのだが、多分、その土地で読本を少しは買えるだろうと推測していた。果たして古いホテルだけあって、フロントの前にシンガポールでも有名なMPHという書店の出店がある。前述のピランキンのペナンに関する一節も出ているアンソロジー『彼らはマレーにやって来た』もそこですぐ買えたのである。

このE&Oは、キップリングとモームも泊まった宿屋だという。日本なら、どの部屋にお泊まりになったのですか、ということになるのだろうが、私はそういう発想がいやでたまらない。どの部屋で書こうが、作品とは何の関係もない。キップリングは昔少し読んで（というより英文学の時間に読まされて）ちんぷんかんぷんのところがたくさんあったけれど、最近、熱帯を歩いているとまた無性に読んでみたくなった。当節、キップリング的な思想は流行《はや》らなくなって捨てられている感じだから、なおさら拾い上げて読みたくなっているのである。

ここへ来る直前、偶然、渡部昇一先生にお会いして、軽薄にそのお話をしたら、本屋さんで全巻揃《そろ》いのを見つけたから、私が仕事を始めて四十年という永年勤続賞みたいなものを頂いたお祝いに下さる、というお知らせがあった。感激である。熱帯でキップリングとモームを読めるなどというのは、贅沢《ぜいたく》の極みである。

翌朝、いつものように六時頃眼を覚ます。日本と一時間しか時差を作っていないのが無理なのだ。あたりはまだ真暗である。少し待ってもう一度海に開けた窓を見ると、東の空に一条の茜《あかね》色が見える。それから急に嬉《うれ》しくなって急いで服を着て下に下り、ココナツを乗っけた危険な椰子が生えていることも忘れて、海沿いの遊歩道を少し歩いた。

胸躍る朝である。オリエントに陽が昇る。生気に満ちた風が吹く。椰子が葉を鳴らす。鳥たちが喧嘩《けんか》している。

「九月に」と題されたキップリングの詩があった。私が生まれたのも九月だった。私の生まれた九月はだらだらと暑く埃《ほこり》っぽく、人たちは汗疹《あせも》だらけになって生気を失っていた。しかしキップリングの九月は違う。違ったので、少し不満で切れ切れに覚えていたのである。

「夜明け前、梢《こずえ》にはざわめき、
　池にはさざ波、そして空には
近づいて来る涼しさの予兆がある——」

そうだ、これは九月の詩だった。それに近づいて来るのは数時間後の暑さなのだ。今、私たちがいるのは、いつもだらだらと暑い南海の一月なのであった。

しかしともかく夜明けは瑞々《みずみず》しい。北に向かう船が、私たちに赤い左舷《さげん》の灯を見せて、眠そうに出て行く。暗がりの中でボーイたちが朝食の用意をしていた。テーブルに落ちる鳥の糞《ふん》と木の葉を布で払う。そしてその後に、お茶のコップと小皿とナプキン・ペーパーを置く。

アフリカでもここでも、この朝の一時の涼しさと艶《あで》やかさが曲者《くせもの》なのだ。その時間だけ、人たちは黄金の時間を過ごす。暑くもなく寒くもない。香りのいい風は太古そのままの無邪気さで吹き抜け、朝日は野放図に茜色に涼しく燃えて、性懲《しょうこ》りもなく今日こそはいいことがありそうな幻覚を人々に与える。それらはすべてまやかしなのだ。しかしアフリカとアジアに囚《とら》われたすべての人が、この一時の麻薬のような甘美な時間のために、この土地から受けたあらゆる苛《か》酷《こく》な仕打ちを忘れるのである。私は前にも同じようなことを書き、今もまた、同じように思う。まるで健忘症にかかった患者のように、いつでも繰り返し思うのである。

今は土地はもはやおとなしいものだ。しかしかつてこれらの土地は、わけのわからない論理と、疫病《えきびょう》と、やむことのない暑さと、無数の信仰の神々と彼らに捧《ささ》げられる香煙とでもって、ヨーロッパ人を誑《たぶら》かし、けむにまいたものであった。しかしそれにしても、魂を売り渡してもいいほど、この南海の朝は魅力的である。

部屋に帰って、どこへも行かずに本を読む。志賀直哉の『城の崎《き》にて』の文庫版をカバンに入れて来てしまったので、しまったと思っていた。あまりにも周囲の光景と調和が悪いかな、と思ったのだ。しかし、昔パリの郊外を走りながら「浜辺の歌」を聞いた時に、その風景と旋律が実に合っていたことに驚いたことがあったが、昨夜この短編をひさしぶりに読んだ時にも同じような感動を覚えた。この南方の海のリズムと全く感覚に違和感がないのである。この短編を載せた教科書がある、といつか新聞で読んだが、卓見だと思う。

主人公は電車に撥《は》ねられて怪我《けが》をした後、脊椎《せきつい》カリエスになる恐れがあったので城崎温泉に療養にでかける。そこで、或る日、一匹の死んだ蜂《はち》を見つける。他の蜂はこの死んだ蜂に一向に注意を払わない。死んだ蜂は三日もそこに転がっていたあげく、ひどい降りの翌朝見えなくなっていた。雨水に押し流されたのだ。

また或る日、主人公は、近くの川で、人々が見物しているものを見た。誰かが首のところに魚の串《くし》を刺された鼠《ねずみ》を川へ放りこんだのだ。鼠とわかるまでは、魚に見えた。鼠は死なずに泳いでいたのである。

子供や車夫が石を投げる。鼠は必死で泳いで、石垣の穴に逃げ込もうとする。すると魚串がつかえて水に落ちる。それを繰り返す。人たちは笑う。主人公はそこにいたたまれなくて立ち去る。自分があの鼠だったら、同じむだな努力をして、結局は死んで行くのではないかと思う。

それから更にしばらくしてからだった。夕方、薄暮の中を主人公は散歩していた。だんだん、周囲の景色がおぼろになって行く。その中で、流れの縁にイモリがいるのを見る。濡《ぬ》れていい色をしていた。死んでいるとも見えないが、動かない。

主人公はイモリに向かって石を投げて見た。当ててやろうという意志はなかった。驚かして水に落としてやろうという魂胆だった。しかし石はイモリに当たった。イモリは最初、尾を高く上げ、やがてそれが静かに下りて来ると、傾斜で身を支えていた前足の指も内側にまくれ込んで来た。イモリは死んだのであった。

その気がないのに、主人公はイモリを殺してしまったのである。それは偶然の結果だった。

「自分は偶然に死ななかった。蠑螈《いもり》は偶然に死んだ。自分は淋《さび》しい気持になって、漸《ようや》く足元の見える路《みち》を温泉宿の方に帰って来た」

病後である。判断も少しいつもとは違っているかもしれない。しかしここに書いてある生と死は、この強烈な南の風土の中では、実に自然に納得できる。まだここでは、人間の生死も、小賢《こざか》しい人の手中にはない。それは造物主――何教であっても――の支配する領域に半ば組み込まれた営みなのだ。

今の日本で、誰かがこの作品を書いたらどういうことになるのだ。ボウガンで撃たれた鴨《かも》の像を高い金をかけて作った珍妙な地方自治体があったが、魚串を刺された鼠の銅像もできるか。鼠に魚串を刺してさらに水に投げ込むような人は、全人格を否定されるほどの残虐《ざんぎゃく》な人物だ、と決めつけなければ、ことはおさまるまい。「現国」でいい点を取ろうとしたら、その「人でなし」について非難してみせることが必須《ひっす》条件となろう。道徳では文学は読めない、という基本のわかっている教師がどれだけいることか。

私はもう一冊の本を持って来ていた。この雑誌に書くためである。主にヨーロッパの男たちが、パッポンと呼ばれるバンコックの赤線で買った女たちに、どんなラブレターを書いているか、また女たちは男たちをどう見ているか、というルポルタージュ『いい子ちゃん、元気にしてるかい？』(デーヴ・ウォーカー&リチャード・エーリッヒ共著)である。

「ハロー、セクシー・ガール！

また手紙を書いてるのは、ハンサムなスウェーデン人だよ。すごく早く手紙をくれて、ありがとう。手紙、当てにしていなかったから、来たらほんとうに嬉しかったよ。

お金はここに入れて置く。三百バーツ(一バーツ=四円強)より少し多くね。待たせたからね。五、六百バーツだと思うよ。ＯＫ？　これで、君はただでやらしてくれるよね。

ははは。(中略)

今一生懸命、働いている。いい金になるから文句は言わない。銀行に借金がたくさんあるけど、まもなくバンコックに行けるようにする。シャツを買ってスウェーデンで売るつもりでね。多分ね。友達がやらしてくれればの話だけど。

そうなったら、また君をきゅうきゅう言わせてやるよ。いいだろ? 君も好きだからね。君がこんなにも愛している男が傍にいなくてさぞかし淋しいだろうと思うと気の毒だよ。ははは。

十バーツ紙幣を財布の中に見つけた。これもあげるから、切手を買ってまた手紙を書いてくれないか。トラックいっぱい分のキスを送るぜ」

又別の生真面目《きまじめ》な男の手紙。

「ダーリン。

手紙受け取った。以下のことに答えてくれないか。
一、何というバーで働いているか。そこで踊っているのかどうか。
二、なぜ君は妊娠二カ月だと言ったのか。僕が最後にバンコックにいたのは、二カ月半前だよ。
三、なぜ君はバーで働くのか。もうそういうとこでは働かないと言ったじゃないか。君の姉さんはバーみたいなところでは働かないと言っているのに。どうして君は働くのか。

ということは、金がなければ、すぐ男を見つけるということか？　こんなことを知って、僕が幸福になれると思うかい？

僕の質問に正直に答えて欲しい。

僕は元気だ。毎日、一生懸命働いている。バーで働くことで、病気にならないように。君のことを思っている。けれどあまり幸せじゃない。

二伸。手紙はここへ着くまでに七日かかる」

国籍によって客の性格が違うか、という筆者たちの質問に、女がたどたどしい英語で答えている。

「英国からのイギリス人、かっこつけてるよ。女、連れて行く時だって『あんた、スージイ・ウオンか。幾らだい』なんて言わないよ。『いいよ。いっしょに行こう。食事をしよう』って言うだけ。『寝よう』なんて言わないもんね。ドイツは、酔っぱらうと必ず『ファックしてやるぞ、お前は×××だ。五百バーツだ。終り！』いつも喧嘩口調。テーブルでは怒鳴る。『出ていけ！　ファックしてやる！　金はやったな。出て行け』くず野郎、薬《やく》中毒野郎よ。前はアメリカ人、皆、薬、やってたね。今はきれいだよ、皆。タイではドイツ人、皆くず野郎よ。皆、女を動物だと思ってる。

ヤンキーはいいよ。どうぞ、言うからね。どうぞ、タイの女性は皆かわいいです。タイ式にやってる。こうして……（合掌の仕草）。日本人は、堅いね。好きになると、ただいっしょに、二人っきりでいたがる。でも不思議と、私は日本人と寝たことないの。どうしてかしらね。オーストラリアはかわいい子。『ハーイ』だからね。カナダは、ときどき気にいらないとひどく怒ることがある。悪いことよ。でもまあカナダはいいの。ドイツ、大嫌い。アメリカ、ナンバー・ワン」

コンドームは必ず一回で使い捨てにしろ、とくどくど注意しているのもいる。今自分のいるヨーロッパは暗く淋しい、と綿々と訴えているのもある。そこには嘘と本音とが入り交じる。

こういう本を読んでいると不思議と憂鬱《ゆううつ》にならない。

（一九九四・一・八）

奉仕の源泉

先日偶然、怪我で一時、車椅子《くるまいす》の生活を余儀なくされた方の体験談を聞いた。立てなくなってみて、人の痛みがよくわかったと言う。そういうひどい目に遭われたことに、おめでとうを言うわけにもいかないけれど、挫折《ざせつ》によっていっそう魅力的になった方にまた一人会えたわけである。

思い出話の中から——車椅子の期間に旅行した。日本の飛行機会社の一つから、移動する時、ひどい侮辱的な扱いを受けた。人に親切にする、ということを、親と先生が徹底して教えなかったのだ、とこれは、私の印象である。

怪我が直ってしばらくした頃、その方は、日本で一流も一流と言われる新聞の論説委員に会った。その論説委員は、自分が所属している素人《しろうと》コーラスの舞台のことを語り、そこに招かれていた身障者のことについて、聞くに耐えないような無礼なことを言った。私はその言葉をはっきり伝えられたのだが、ここには書かない。書くだけで、そういう品性の人が論説を書いているのかと思うと悲しくなるし、そういう嫌な人の言葉で改めて不愉快になる必要もないからだ。

「差別語さえ使わなければ、差別してないと思ってる人の典型ですね。大新聞の論説委員なら、もう少し考えたらどうか、って言ってやりましたけどね」

とその方は言われた。

私に言わせれば差別語を少しでも使ったら騒ぎ立てるというやり方が、こういう人——差別語は全く使わないが、実は差別の感覚に満ちている人——を作ったのである。

なぜなら、口では危険な言葉を使わず、心では深く差別をする分には、少しもやっつけられないということを、狡《ずる》い人ほど早くテクニックとして身につけたのである。

しかしその車椅子の体験者の話を聞いていて思ったことがある。人はなぜ差別をするのだろうかということである。

そもそも「他人と自分を比べる」という行為は、それだけでかなり幼稚なものだけれど、それをやめろ、ということはできない。それは人間の原初的な本質を確認する作業と繋《つな》がっている。

映画で見ていると、ヤクザや不良のケンカに「おめえのツラが気にくわねえ」というのがある。それは、台詞《せりふ》としての虚構性もあるだろうが、実感も含まれていると思う。感情的な人は、自分がかっとなる理由を、そういう形でしか見つけられない場合もあるだろう。

私はもうずっと以前から、四十歳を過ぎたツラは、親からもらったものではなくて、自分の責任だ、という説にずいぶん逆らって来た。自分の責任にされてはたまらないからである。自分の責任も当然いくらかはあるだろうけれど、やはり親からもらった先天的な要素が大きい、ということにしてほしいのである。近年、遺伝子研究が盛んになるにつれ、いよいよ性格や病気などに対する自分の責任は減って来た感じがあって少しほっとしているところだ。

大新聞の論説委員は障害者に「ツラが気にくわねえ」というのと同じ感覚を持ったのだ。これは私が或《あ》る人に器量で嫌われるのと同じで、理屈の外である。車椅子の知人は飛行機会社の男に、やはりツラではなく「アシが気にくわねえ」と嫌悪《けんお》されたのだと思う。

そういう嫌悪を持つのは、道徳的にいけない、と言うことは易《やさ》しいが、持ってはいけないとしたら、その根拠を、普通はどこにおくのだろう。「同じ人間だから」というのはこのごろはやりのヒューマニスティックな答えだが、ほんとうは答えになっていない。それなら、若ノ花お兄ちゃんは、どうしてああいう美人のスチュワーデスに惚《ほ》れたのだ。美人か美人でないかで差別されることに対して、全女性がそれこそフェミニズム運動を起こして「差別撤廃」を叫んでもいいのではないか。しかしそれが起きないところを見ると、人間の多くは「ツラが気にくうか、くわないか」という不条理も、生まれつきの美人・不美人が出る不条理も、どことなく納得している部分があるからだろう。

美人がいい、というような見え透いたところから始まる差別を心から取り除くにはどうしたらいいのか。人間が本能的に持つ好き嫌いの感情をなくせ、と言うのは簡単だが、どうしたら感情的なしこりもなくなるか、という有効的な方途をはっきりと教えてくれる人はあまりいないのである。

こういうことを言うとすぐ、一部の人は、黒人に対する嫌悪を考えたりする。白人が黒人に嫌悪を抱く場合もあるだろうが、黒人が白人だからというだけで嫌悪と憎悪を抱くという差別も立派に存在するのである。その場合、「ツラの白いのが気にくわねえ」という台詞になるのだ。白人や黄人だけが黒人を嫌うという形で問題を考えること自体が、もう差別的な意識の存在を証明したことになるだろう。

私はこのごろ、宗教がなくては説明できないものの領域をますます感じるようになった。

神はどこにいるか、ということがこの場合大切なことなのである。かつて子供の頃、私は神は天の上の方に在って、私がどんな悪いことをするかと、絶えず監視している意地悪な刑務所の看守のような存在だと思っていたのである。

聖書の解釈によれば、神は、私たちが今、現に向かい合っている人の中にいると考えるべきなのである。

「わたしの兄弟であるこの最も小さい者の一人にしたのは、わたしにしてくれたことなのである。」（「マタイによる福音書」25・40）

この思想は他の個所にも見られる。つまり神は、私たちが日常向かい合っている人の中にいると考えられるのである。庶民に理解させるには、このような表現でないとむずかしい。つまりウンコまみれの病人にも、虱《しらみ》だらけの浮浪者にも、根性の悪い年寄りにも、全く表情のない知能の遅れた子供にも、その中に神がおられるから、こういう人たちに尽くせば、それは神が、自分にしてくれたとお思いなのですよ、という考え方である。

小さい者という言葉で思い出す、すさまじいヘブライ語の表現がある。それは、アナウィムという言葉である。「マタイによる福音書」（5・3）には「心の貧しい人々は、幸いである、天の国はその人たちのものである」という個所があって、その「心貧しい人々」という表現が日本語で言うと、いかにも物質的で、精神性のない人、という感じになるが、実は新約の中の「小さい者」の極限のものだという解釈である。

アナウィムは、この世で一人の人間が得られる権力、財力、知能、学歴、門閥、健康、体力、才能、美貌《びぼう》、愛嬌《あいきょう》、強い精神力、有力な知人、幸運、彼を救済する国家や社会や組織、などを全く持たない人たちを指す。持たないから失望するのではなく、持たないが故《ゆえ》に神に希望をつなぐことを知っている人たちであるこのような人たちを、ユダヤ人たちは「アナウィム」という言葉で表現した。そして聖書はそのようなアナウィムが天の国を得るだろう、と規定したのである。その理由は、先に上げたようなものを何か一つでも持っていると、人間はそれに頼るようになる。しかしそれらを何一つ得ていなければ、その人は、ただ神に自分を預け、それによって天国の永遠を見る、という発想なのである。

こういう気の毒な人を今の日本で見つけるのはなかなか困難だ。病気の人も国家が一応保護する。私は国民健康保険にも加入していない人たちが、救急車で運び込まれた後に受ける処置を調べたことがあるが、懐《ふところ》に百円しかなく、住所も氏名もわからない意識不明の患者でも、病院はすぐレントゲンとCTスキャンを取る。もちろん他に必要な検査の手を抜くことはない。こういうことが国家の基準というものだ。アナウィムに相当するかな、と思う人を見たことがある。インドのカルカッタでマザー・テレサがやっている捨てられた子供の家を訪ねた時である。

マザー・テレサの孤児の家は、カルカッタの町の中にあった。ただの孤児ではない。その多くが、重度の奇形を持っていたから捨てられたのである。もう少し健康な奇形なら(こういう言葉は日本では極めて奇異に思われるだろうが)有能な乞食《こじき》の稼ぎ手として使えたかもしれない。インドには、乞食の組合《ベガーズ・ユニオン》があって一番小さな貨幣の単位であるパイサ貨はもらうな、というような乞食業界の指令も出る、と私の知人が教えてくれたことがある。しかしここにいる子供たちは奇形がひどくて、立つことも歩くこともできず、知能も言葉もないから、乞食にも使えない。それで捨てたのである。

私が今でも覚えているのは、背骨がカレイのひれのように曲がっているので、決して仰向けに寝られない男の子であった。八歳か九歳くらいの大きさに見えたのだが、彼はもう二十歳であった。訪ねて来てくれる親もなく、親戚《しんせき》もなく、健康もなく、知識もなく、後楯《うしろだて》もなく、彼は二十年間そこで横たわっていた。これがアナウィムかと私は思い、同行の人に見られないように少し泣いた。しかしこの子でも、マザー・テレサの会の修道女や職員の愛を受け、体を洗ってもらい、食べ物を食べさせてもらって生きているのだから、彼はもはや厳密な意味でのアナウィムとは言えないという見方もあるだろう。

しかし常識的に言えば、彼はアナウィムであった。マザー・テレサはそのような捨てられていた子供を、なぜ養っているのか。それは彼もまた人間だから、というていどでは答えにならない問題である。自分を育ててくれたまともな親でさえ、年取って不自由になると、自分の所へは引き取れないという人が、日本にはいくらでもいることが、その答えになっているだろう。

それはこうした子供たちの中に、少なくともキリスト者たちは、神を見ていたから、自然に世話ができるのであった。

相手の中に神がいると思えば、たとえ外面がどんなにみじめだろうと、私たちはばかにできない。しかし神がなければ、表向きみじめな人は徹底してみじめなだけの人になってしまう。

最近、駒沢大学仏教学部の袴谷憲昭という方が、仏教学部論集第二十四号に記載された論文「苦行批判としての仏教」の中で、曽野綾子批判を書いているが、それも、この点と関係がある。

その要点を整理すると次のようになる。

(1)皇太子御成婚の発表のあった翌日の一月二十日に、産経新聞が無料で配布された。

(2)その中の特集記事の中で曽野綾子は次のように述べている。「『マタイによる福音書』で『偉い人は仕えなさい』と書いてある。立場の上の方(つまり天皇・曽野注)が国民に仕えることができることが、むしろ力があることとです。それを、もう皇室はやってらっしゃったような気がするんですね」

(3)曽野綾子に、ただ一言「マタイ伝」をちゃんと読め、と言いたい。その理由は「福音書にいう『仕える人』とは servant (使用人) か slave (奴隷《どれい》) であり、特に後者に対応するギリシア語の doulos は『生まれつきの奴隷』という意味が強いとのことである」

天皇がもう既に国民の奴隷であると曽野は言うのか。「曽野氏の発言が福音書の誤読によるものだとはキリスト教の方には容易に分るはずのものだからである」

（4）「マタイ伝」第二〇章第二〇〜二八節については、「読めば明らかなごとく、ここで『仕える人』になれという話は、エルサレムへ入って十字架にかけられようとしている途上のイエスが十二使徒に向って語っているもので、本当に偉い人になりたいと思うなら、異邦人の支配者のようではなく、また、ヤコブやヨハネのように残りのものを出し抜くような真似《まね》はしないで、残った十一人のための servant であり slave であるように振舞わねばならないということを示した一段である」

「キリスト教徒にとって、天皇とは『仕える人』ではなく、『異邦人の支配者』なのではないのかと私は思うが、いかがであろうか」

以上が袴谷氏の要旨である。

それではっきりと答えることにした。もっともこれだけなら、わざわざ書くほどのことはない。この方はしつこいご性格で、今までにも私が聖書を知らない、という指摘をくり返されて来たが、この方も単なる素人の私よりもっとご存じないのである。仏教だからキリスト教は知らない、と言うのなら、敬遠してお書きにならないことだし、学者として触れるなら、駒沢大学の名誉のためにも専門家でなければならないだろう。

話はイエスが最後にエルサレムに上るところである。

どの時代にも我が子かわいさのあまり、裏口入学を頼む母というのがいたのである。使徒の中にはゼベダイの子が二人いたが、その母がイエスに会いにきて頼みごとをした。

「マタイによる福音書」（20・21〜28）は次のように書く。

「彼女は言った。『王座にお着きになるとき、この二人の息子が、一人はあなたの右に、もう一人は左に座れるとおっしゃってください。』」

　聖書を私がおもしろいと思うのは、時代を超えてどこにでもいそうなこういう俗物がいつでも登場するところである。この母は現世の制度と同じようなニュアンスで子供たちの「昇進」を望んだのである。しかしこれに対するイエスの答えはもっと精神的なものであった。

「『わたしの右と左にだれが座るかは、わたしの決めることではない。それは、わたしの父によって定められた人々に許されるのだ。』ほかの十人の者はこれを聞いて、この二人の兄弟のことで腹を立てた。そこで、イエスは一同を呼び寄せて言われた。『あなたがたも知っているように、異邦人の間では支配者たちが民を支配し、偉い人たちが権力を振るっている。しかし、あなたがたの間では、そうであってはならない。あなたがたの中で偉くなりたい者は、皆に仕える者になり、いちばん上になりたい者は、皆の僕《しもべ》になりなさい。人の子が、仕えられるためではなく仕えるために、また、多くの人の身《み》代金《しろ》として自分の命を献《さき》げるために来たのと同じように。』」

　それにしても袴谷氏の読み方はあまりにも程度が悪いか曲解の悪意が込められているかのどちらかであろう。キリスト教を全く知らない高校生なら、「父というのは生みのおトッツァンのことかな」と思い、「人の子、っていうのは他人の子のことだろうな」と考えるかもしれない。しかし少し読解力のある中学生なら、そのような神学的な約束ごとをはっきり知らなくても、最低限ここには比喩《ひゆ》的な意味が含まれていそうだ、と感じるであろう。ちなみに「人の子」というのは新約聖書において、イエスが自分のことを神の子という意味で使っていた(一回の例外を除いて)言葉である。

事実イエスは、ほとんど無学な使徒たちやその周辺の人たちのために、できるだけ分かりやすいようにたくさんの譬《たと》え話を使って話されたのは有名なことである。しかし袴谷氏のような人がいると、それでもまだ話が通じなくて困ったことだろう。

袴谷氏はしかもわざとこの部分の最後の文章を読み落とし「仕える人」という言葉の原文には、奴隷を意味するドゥロスという言葉が使われている。しかもそれは生まれつきの身分上の奴隷のことを示すはずだ。今の日本の皇室が奴隷だと言うのか、などとおかしな論理を展開する。私が聖書をもっと勉強する間に、先生にも日本語の読解力をつけて頂きたいと思う。今のままでは、中学生以下の読み取り方である。

この部分で既にイエスは、自分を「人の子」つまり神の子でありながら、仕えられるために来たのではなく、仕えるために来たのであり、身代金として自分の命を捧《ささ》げるために来た、と言われたのである。この身代金という言葉の原語は「リュトロン」で、これは明らかに奴隷の身請け金をも指している。

ここでは神の子でさえも人々に仕えるために奴隷になるのだ。ましてや人間なら、誰もが神の奴隷になり得る。ただ単に残りの使徒に遜《したが》って仕えろ、などという簡単なことではない。

そもそも聖書には「神の奴隷」（ドウロス・テウウ）「キリストの奴隷」（ドウロス・クリストウ）という思想がパウロ神学の中にははっきりとある。それらは、決してパウロが突然思いついた言葉でもなく、捏造《ねつぞう》した思想でもない。神の子イエスさえも、奴隷のように仕える、と言われた。そこで私たちが「神の奴隷」になる光栄、という思想が生まれる。つまりどんな立場の人でもキリストの奉仕の精神を実践することができるということだ。

もっとも袴谷氏のような方にかかると危なくて仕方がないので、現実の天皇がキリスト教の神の奴隷であるなどと、私が言っているのではない、とはっきり言っておこう。しかし原則としていかなる高貴な身分の人でも、人間である限り「神の奴隷」になる光栄を、望めば持つことができ、しかもそれを肯定して来た人はヨーロッパのキリスト教社会にはいくらでもいたと思われる。

すべての人の中に神を見るかどうか、そしてほんとうは「最も小さい者」の中にも神を見なければならないにもかかわらず、聖書の読み方にまで、現世の皮相な社会的権力構造を持込み、「天皇は異邦人の支配者」だなどと解釈する「学者」がでることは、ほんとうに迷惑なものである。天皇制の権威を認めないというポーズを取りながら、聖書をこの程度にしか解釈できないということは、裏返しの権力主義者なのだろう。

（一九九四・二・一八）

偉大な牧師としてのアフリカ

昔から、私はアフリカ大陸にだけは、足を踏み入れないでおこうと思っていた。何と言ってもアフリカは遠い異国である。私は何についても、「店を拡《ひろ》げる」という発想が恐《こわ》かった。世間には、事業の拡大を生涯の目的にしたり、社長や総理大臣になることを一生の目標にしている人もいる。しかし私はそういう恐ろしい繁栄より、自分の身の丈に合った静かさの方がずっと楽しく思えた。

私は二十代に東南アジアに初めて行って、すっかりそのおもしろさに取りつかれた。というと体裁がいいが、食べ物がおいしいのと、寒さに弱い体質に、南方の気候が合っていただけのことだったのかも知れない。その後、四十代から度々中近東に行くことになった。これは少しはっきりした目的を持っていた。やや本気で聖書の勉強を始めていたからである。

中近東と東南アジアだけだって、途方もない広く深い文化である。ユダヤ教とキリスト教だけでも、素人《しろうと》の勉強は手いっぱいであった。それにもかかわらず、知人が発掘に加わっていたので、つい誘われてエジプトに行くことにした時は、古代エジプトは、アフリカではない、と自分で言い訳をしていた。

しかし私はやはり節操のない性格であった。オイル・ショックの時には、アラブ諸国を覗《のぞ》くという野次馬根性を捨てかね、その後聖パウロを読むにつれ、地中海文化圏をぐるりと見たいという思いにも抗し切れなかった。もっともアフリカ大陸でも、地中海に面した国々、つまりモロッコ、リビア、アルジェリア、チュニジアなどを旅行している間は、ここはアフリカとは言えない、とまだ心の中では、アフリカを避けているつもりだった。

それが通用しなくなったのは、十年前にサハラ砂漠を縦断した時であった。地中海沿岸の国々から南にアトラス山脈を越えると、アフリカははっきりとその顔を見せるようになる。私たちはサハラからマリへ抜け、象牙《ぞうげ》海岸を最終の目的地とした。

それとは全く別のルートで、私にはアフリカに行く機会が舞い込んで来た。私は一九七〇年代の初め頃から、NGO（非政府間組織）のお金を集めてそれを主に発展途上国で働くカトリックの神父や修道女に送る仕事（海外邦人宣教者活動援助後援会）をすることになったが、その仕事と関連して、飢餓のエチオピアや、あまりニュース種にはならないけれど、慢性的な貧困と素朴な優しさに満ちたマダガスカル、ガーナ、チャドなどという国を訪問することになった。日本でこれらの国の話をしても、皆それがどこにあるのかほとんど知らなかった。もっとも、私もでかけるまではほとんど同じだったのである。

去年暮に、私は緒方貞子国連難民高等弁務官が日本に帰られたのをニュースで知って、或《あ》る晩、思い立って電話をしてみた。緒方貞子さんは私の大学の上級生で、昔から、学生自治会の会長として、英語で議事を進めていかれるのを、眩《まぶ》しい思いで眺めていた記憶がある。緒方さんにお願いをしたのは、私たちのNGOも国連難民高等弁務官事務所(UNHCR)を支援して、ここのところ毎年三百万円ほどの醵金《きょきん》をしている。その二十年以上にわたる記録の連載を或る月刊誌で始めるに当たって、国連難民高等弁務官事務所の仕事の実態の一部を拝見できないか、と申し入れたのである。

すると、ちょうど二月下旬から、南ア、モザンビークなどへの訪問の予定を立てているので、そこに同行しても構わない、という許可を頂けた。もっとも、この日程には、しばらくすると、ジンバブエ、スワジランドが加わって、けっきょく四カ国訪問の旅行が実現したのである。

アフリカのことを話す時、今でも私には、或るためらいがある。あんな広い土地のことをうっかり話したら、きっと間違ったことになるに違いない、ということである。既に私は、体験的にアフリカの気候風土の違いに驚いてしまった。アトラス山脈の北は地中海性の気候である。私は地中海性の気候についてだって無知だったのである。池田満寿夫さんの映画のポスターを見て、エーゲ海、つまり地中海という所は、いつでもああいう風に、陽が燦々《さんさん》と降り注ぎ、空気は乾いて、家々はあくまで白く、花はあくまで赤い所だと、信じ切っていた。ところが土地に詳しい人に聞くと、冬の地中海は、荒れて暗く、下から雨が吹き上げて、百年の恋もたちどころに冷めそうな土地だという。アフリカの北岸もはたしてそんな土地なのだろうか、と私はイメージを調整するのに大変だった。

アトラス山脈を越えると、アフリカは、私が思い描いていたアフリカに近くなった。私たちが一言で砂漠という土地は、岩漠、土漠、砂漠の総称である。サハラ砂漠では、私たちは寒さにも苦しみ、わずかだが雨も体験した。海岸線近くには熱帯雨林があってひどい湿気であった。

別の年にはまたチャドにも行ったが、ちょうどその時は雨季だったので、乾季には通れる自動車道路が、数メートル水の下に浸《つ》かってしまい、私たちは、小型のチャーター機を使用しなければ奥地に入れなかった。水というものはかなり強力に人工的な調整をしないと、こういうすさまじい力を持つのだ、という実感はそれまでなかったのである。しかしこういう旅の間に、私は素人目にも、かなりの土地で共通項もあることを発見した。それは田舎の村の人たちの暮しである。

高等弁務官とごいっしょしたモザンビークの北部の難民の村で、彼らがどういう家に住んでいるかをつぶさに見る機会があった。難民の生活は豊かではないが、一応のアフリカのものの考え方の基準に則《のっと》っていると見て差支《さしつか》えないだろう。近くに川がない時には、国連難民高等弁務官事務所では、井戸を掘ったり、共同の水道を敷設したりしているから、彼らは水には困っていない。

難民の家は、粗朶《そだ》か木の枝のようなものを集めて作った小屋である。だからビニールシートを張り巡らしたり、壁の粗朶の間に土を塗りこめたりしない限り、風は吹きさらしである。寒くないところだとは思うが、やはり季節によっては雨も風も身を切るような状態になるだろう。

そこで私は初めて、人はどれだけの面積があれば暮らせるかの基本を教わったのである。家の面積の計算は、一人大体大人が一畳、子供は半畳というふうに見える。小屋はもちろん一間。だから夫婦と子供が四人なら、大人二人で二畳、子供四人で二畳の合計四畳で済む。それが可能になるのは、彼らが一切の家具、布団《ふとん》と言えるものを持たないからである。

大地がある限り、私たちは寝ることができる、という実感は、サハラ以来身についた。だから、空港の建物の中で一夜を明かすことくらい、新聞紙を敷いて床《ゆか》に寝かしてもらえるなら、私にとっては何でもないことだ。

難民の中にも、家によっては、小さな棚のようなものはある。しかし同じ屋根の下にトイレも浴室も台所もなく、水道も電気もないのだからそれで済むのである。

人たちの生活は簡単である。私たちが考えるようなしきたりとしての、着替え、洗濯、風呂《ふろ》、歯磨き、洗顔などをしないと生活は単純で時間はあり余るようになる。毎日、朝になると歯を磨き、顔を洗い、寝巻を普通の服に着替え、洗濯と掃除をするのが当然ということになるから、私たちは忙しくて生活が心理的な圧迫になる。

もっともアフリカの貧しい町では、街路はゴミの吹き溜《だ》まりみたいになっているが、自分たちの住む家の中は恐ろしくきれいに掃除をしている、という場合も多い。しかしとにかく単純生活は徹底している。私たちのように料理によって、皿を違えて楽しむということもない。炊事の竈《かまど》も外。できれば一戸に一個ずつ、トイレの囲いを外に作るというのが国連難民高等弁務官事務所の方針らしいが、それも確実にできているわけでもない。もともと彼らの中には、野原で楽しく用を足す、という自然主義派も多いのである。

子供たちは、肩からずり落ちそうな大きな服でも平気で着ている。多くは、上のきょうだいのお古なのである。その服も着たままだから、限りなく垢《あか》の色に近づく。そして垢は破壊力を持っているから、垢の付いた線から服は破れて来る、と私に教えてくれた人もいる。

赤ん坊はおむつをしない。お尻《しり》の風通しがいいことは天下一品だろう。赤ん坊のおむつを替えたり、洗ったりするから、育児は忙しく時には耐えられないほどの重荷になる。

しかしアフリカではそんな不自然なことはしない。赤ん坊はおしっこをしたくなれば、抱かれているお母さんが着ている木綿の腰巻風民族服にするか、地面の上にするように仕向けられる。

マダガスカルの産院では、フランス人や日本人の修道女たちが、入院しているお産婦さんたちに、おむつを貸し与えていたが、多くの母親は濡《ぬ》れた繦褓《むつき》はそのまま洗わずに干していた。一手間省けば、この世はほんとうに楽な場所になる。

服を服として洗うことはなくても、近くに水溜まりや川があれば、子供たちは服ごと入って洗ったり遊んだりしているから、少しは洗濯の効果もある。しかし私たちのように毎日下着を着替えて、服は洗濯石鹼《せっけん》で垢を洗い落とさなければ不潔に感じる、というような強迫観念はないから、実に健全である。

だからアフリカの田舎の暮しでは、家が狭いから、とか、忙しいから、とか、貧しいから、とかいうことで、赤ん坊をもうこれ以上は生めない、などという発想はないのである。男と女が近くにいれば、そこで性行為が行われ、その結果、寡婦《かふ》でもお腹《なか》が大きくなるのは、当然のことだ。

あの男の人は、始終、別の女の人を妻だと言っている。アフリカには性的にだらしのない人が多い、などというヨーロッパ人やアジア人がいるが、人間が動物としての本性を自然に持っているとすれば、近くの牝に牡が性欲を感じて性行為に及ぶということの方が自然なのである。

モザンビークでは、平均寿命は四十七歳だという。

しかし一歳の幼児の平均余命となると、ずっと長くなる。つまり薬も充分になく、水も清潔でなく、マラリアも多い土地では、一歳までを生き抜いた幼児というのは、素晴らしい素質を持った子供たちなのだ。日本のように、予防注射や抗生物質で、辛うじて生かしたようなやわな子供ではない、ということになる。

そもそも子供は、たくさん生まないと、生き残らない。たとえば、チャドでは（私の持っている統計は少し古いが）乳児死亡率は千人に百三十四人、幼児死亡率は千人に二百二十八人である。荒っぽい見方をすると、子供は四人に一人が死ぬのである。

モザンビークではマラリアで死ぬ人の三分の一がエイズだという。しかし人たちは病気を、それほど悲劇的なものと思っていないのかもしれない。自衛隊の医務官に、私は、もし土地の人たちが、「あそこ（自衛隊）に行けば、マラリアの薬がただで貰《もら》える、ということになって、おしかけて来たら、どうなさいます」と質問した。この手の問題は、いつでもどこでも起きるのである。投薬し診療することが善意の範囲でできれば問題ない。しかし大勢が押し掛けて、医師たちが本来の任務ができなくなったり、土地の患者が治療の途中で死亡すると、外国の医師が魔術を使ったからだ、とか、いや毒殺したのだ、とか言うことになるのがアフリカの発想だ。もちろんそういう問題も対処する方法はあるのだが、日本人はその対処が必ずしもうまくない。

しかしモザンビークでは隊員以外の患者は全くないという。ただ夜中に遠くで太鼓の音がする。病人を呪術師《じゆじゆつし》の所へ連れて行って、治そうとしているのである。

もちろんこういう状態をいいと言うわけではないが、「あなたはエイズです」と言われ、その人がエイズが重い病気であることを医学的に理解していて、自分の未来を暗く推測するのと、エイズに罹患《りかん》してはいても何もわからずに、人並みに近い寿命を生きるのと、どちらが残りの人生を幸せに暮らすかと考えると、私は答えをためらうのである。アフリカの幸福というものは、しばしば自分の正確な年齢も知らない、ということに起因している。だから死は永遠に遠い向こうにある。皆が字が読めて、出生届けなどという制度があり、平均寿命などという知識があるから、死期を予感したり、医学的予後を悲観したりする。死の予感が死ぬまでの日々を立派にする人もいるが、惨《みじ》めな恐怖に脅《おび》える人も出るのである。

なぜアフリカへ行くか、という目的を、私はこのごろ、はっきりと自覚するようになった。私はアフリカの地方の素朴な生活の中にしばしば、私たち人間の生活の原点を見ているのである。何よりはっきりしているのは、部族抗争という、生き残るための情熱の存在である。その強さの前には、アパルトヘイトさえ脆弱《ぜいじやく》に見えるほどだ。もちろんこれは危険な論理である。

アフリカの人たちが今のままでいいと思ったことはない。十年前、私はマリのドゴンの村で一人の少年が、ひょう疽《そ》の痛みに顔をひきつらせているのを見た。薬はないか、と私たちに言うのである。

その時、私は、無残とはこのことだと思った。私たちの社会では短時間のうちに痛みを止めることができる。しかしアフリカではまだ多くの人たちが、痛みに耐え続けなければならないような社会制度の中にいる。

私たちは、しばしば自分たちがどういう生活から出て来たのか、その出身地を忘れている。水は汲《く》むものではなく、栓を捻《ひね》れば出て来るものであり、このごろでは、カランの下に手を差し出せば出て来るものまである。電気がなければ、ワクチンもコンピューターも電気《でんき》釜《がま》も使えない。夜の生活も原始に還《かえ》って、夜でも書類に目を通すなどということは、全く考えられなくなる。私たちが信じている便利な生活の諸機能が停止すれば、私たちはうろたえて文句を言う。文明は確実に幸福と同じ量だけ、不幸の種を運んだ。そのからくりが、アフリカに行くと、私ていどの眼力でも見えるのである。

やがて、いつの日かわからないが、アフリカも私たちと同じような社会形態を取るようになるだろう。すると私たちは、もう振り返って素朴な生活の原点を見ることができなくなる。私たちは出発点を見失うのだ。すると多分到達するべき地点もわからなくなる。

そんな病的な社会が来る前に、私は死んでしまうのだからどうでもいいのだが、二十一世紀が本質的に健《すこ》やかな世紀になるとは、私はあまり期待できないのである。

（一九九四・四・七）

南京とアウシュヴィッツの違い

先日、三回目のアウシュヴィッツ—ビルケナウの強制収容所に行った。初めてここを訪れた時、私はアウシュヴィッツとビルケナウは全く離れた強制収容所だと思っていたが、実際にはほんの数キロしか離れていない。二つは一群の強制収容所なのである。アウシュヴィッツは博物館になっているだけに、人に見せる場所の匂《にお》いが年々濃くなってしまったが、ビルケナウの方は、何もない寒々とした廃墟《はいきょ》になっているから、悲しさが凝縮している。

雨の降る寒い日であった。一九七一年に来た時も十月の寒い雨の日だった。当時はもっと生々しい品々が残されていて、私は衝撃を受けた。その夜から、私は心臓神経症になった。今年、見学の人々の中で、一際《ひときわ》目立つ団体は、白地に青いダビデの星をつけた大きなイスラエル国旗を手にしたユダヤ人の高校生の一団であった。殺された人々の残した眼鏡や食器や靴の山の保管されている棟を見た後、女子生徒たちは雨の中で抱き合って激しく泣いていた。それはそうだろう。自分たちの同胞がこうして殺された現場がまだ残っているのである。

今年私が初めて知った知識は、シャワー室と偽って閉じこめたガス室で使われたチクロンBというガスは、本来は殺虫剤だが、ガス室の中が、人体の温度と湿度で一定の高さに達すると毒性を発して、十分以内に絶命させる殺人ガスになるという。ナチスの人殺しは、かっとなってやったものではない。充分に計画された殺人である。さらに今年初めて私が得た資料は、フランチシェク・ピペルという人の書いた『アウシュヴィッツ 何人のユダヤ人、ポーランド人、ジプシーが殺されたか』という本で、初版は一九九一年にエルサレムで出されたものであった。その前文の最初は、次のような文章で書き出されている。

「アウシュヴィッツ―ビルケナウ強制収容所の歴史の中で、もっとも基本的で論争の的になっているのは、その犠牲者の正確な数字である」

筆者はアウシュヴィッツ記念館の歴史部長である。

この薄い本の全体が、さまざまな出所からの資料で溢《あふ》れ、その中には個人のものもあれば、裁判記録もある。その中の一人ポーランド人のイェジ・タベアウ(ヴェソロフスキ)という人は、一九四三年十一月十九日に強制収容所を逃げ出したが、ポーランドの地下組織に対して百五十万人のユダヤ人が殺されたと報告している。また、それより数カ月後の一九四四年四月七日に逃亡したアルフレッド・ウェッツラーとワルター・ローゼンベルクという二人のユダヤ人は、一九四二年の四月から一九四四年の四月までに百七十六万五千人のユダヤ人が殺された、と報告している。これは少なくとも、全く矛盾した数字というわけではない。

その中でも多く使われているのはヘス裁判の法廷記録で、強制収容所内のゾンダー・コマンド（特殊部隊）にいて生き残った人たちの証言である。記録の一部は彼らが火葬場の一部に埋め、戦後掘り出した。その筆者たちの多くは生き残ることができなかったものであった。

その中の一人ツァルマン・レーベンタールは書く。「数千人が毎日殺された。これは誇張ではない。文字通り数千人が、だ」

一九四五年一月に逃亡して生き残ったゾンダー・コマンドの一人、アルター・ファインジルバー（スタニスワフ・ヤンコフスキ）は証言した。

「二年間に、二百万人がビルケナウの火葬場と壕《ごう》の中で焼かれた。これはこの時期より前に生存していて戦後殺害された他のゾンダー・コマンドの手によって処理された犠牲者を含んでいない。彼らは、彼らが生きていた時代に焼いた犠牲者の数について、情報を伝えることができなかったのである。記録されない処理死体数は数百万に達する」

ゾンダー・コマンドで働いたシュロモ・ドラゴンは一九四二年の十二月から一九四五年の一月までに「自分の計算によれば四百万人以上」。死体焼却係だったヘンリク・マンデルバウムによれば「同僚によれば四百五十万人が殺された」と言う。

エルヴィン・オルショフカは「少なくとも四百万人」、医師ミクロス・ニツリは「数百万の父と母と子供たち」。殺された犠牲者の所持品を仕分けしたカポ（監督囚人）のベルナルド・チャルディボンは「集められた品物から類推して五百万から五百五十万人が死亡」。親衛隊員だったヴォチミェシュ・ビランは「犠牲者は五百万人」。一九四二年から四三年にかけて勤務した同じ親衛隊の医師のフリードリッヒ・エントレスは「二百万から二百五十万人がアウシュヴィッツで殺された」と証言している。

この本の最後のページには一九四〇年から一九四五年にかけてアウシュヴィッツに移送されたユダヤ人の数が国別に記録されているが、それによると最も多いのは、一九四四年三月十九日のドイツ侵攻後のハンガリーから、同年の五月に二十二万八千六百七十四人が、六月には十六万九千三百四十五人のユダヤ人が、アウシュヴィッツに運ばれており、その数は四十三万七千四百二人に達した。当時ハンガリー領内には、七十四万二千八百人のユダヤ人が住んでいたのである。この数字は、ハンガリー駐在のドイツ全権大使エドムント・ヴェーゼンマイヤーがベルリンの外務省に当てて送った一九四四年七月十一日付の電報によるものである。この内容は、十月三十一日、ドイツ外務省のワグナーからリッベントロップ宛《あ》ての報告書にも使われている。

これだけしつこく数字を上げたのは、組閣されたばかりの羽田内閣の法務大臣・永野茂門氏が、毎日新聞のインタビューに対して「南京事件はでっち上げだと思う」「（太平洋戦争を）侵略戦争というのは間違っている」と述べたことを全面撤回した、という記事が出たのと同時に、あちこちのテレビが、一斉に永野法務大臣非難の論調を示したからである。

今回の法務大臣の言葉は次のようなものだと言う。

「私が疑問に思っていたのは、（南京虐殺《ぎゃくさつ》の犠牲者の）数字が非常に違っており、三千（人）から三十万ぐらいまでで、非常に判定は難しいことで、何もなかったとは考えていない。『大』の字の表現の仕方だが、私は数がわからないので本当に大虐殺といえるかは疑念を持っている。しかし、千とか二千でも大虐殺と定義してもいいから、そういう意味では大虐殺といえる」

南京事件に関しては、アウシュヴィッツ―ビルケナウ強制収容所の事件に比べてあまりにも客観的調査がなさ過ぎる。東京日日新聞記者の向井巌少尉の百人斬《ぎ》りのでっちあげ記事、松井石根指揮官の南京故宮飛行場での慰霊祭の演説を松本重治氏が記録したもの。南京在住の哲学博士・許伝音《スー・チュアン・イン》の極東国際軍事裁判所での証言。それくらいなものである。

そのことについて言及するのは、いささかの調査がなされてその信憑《しんぴょう》性が見えてからの話であろう。アウシュヴィッツ―ビルケナウでは、厳密な調査の元に次のような死者の数が発表されている。

ユダヤ人——九十六万人(未登録八十六万五千人、登録九万五千人)

ポーランド人——七万四千人(未登録一万人、登録六万四千人)

ジプシー——二万一千人(未登録二千人、登録一万九千人)

ソ連戦犯——一万五千人(未登録三千人、登録一万二千人)

他国籍囚人——一万人〜一万五千人(白ロシア、ロシア、ウクライナなど旧ソ連邦人、チェコ人、ユーゴ人、フランス人、ドイツ人、オーストリア人)

アウシュヴィッツ—ビルケナウに連行された百三十万人のうち、少なく見積もっても百十万人が一九四〇年から一九四五年の間に殺されたという。実際には一九四二年から一九四四年までの三年間に事は行われた。改良に改良を重ねた最新鋭の機械化した火葬場の機能をフルに使っても、三十六カ月で百万人余りしか「始末」できなかったのである。当時、四基の人体焼却炉をフル回転させると、二十四時間に八千体を始末することができた、というゾンダー・コマンドの証言もある。

南京の許博士は、陥落後も日本人の蛮行は三カ月続き、その後次第に終息したと言う。もしこのような「遺体処理設備」のない南京で三カ月余りで三十万殺したとなると、その遺体を許博士以外の人たち、当時付近にいたと思われる外国人宣教師などに一人も知られないように始末するには、どうしたら可能であったのだろう、という疑問は解かれたことがない。許博士以外の外国人、主に反枢軸国《すうじくこく》の国籍を持つ人たちは当時南京にいくらでもいただろうに、彼らからの南京虐殺の風評の報告は、日本の新聞には昭和の歴史を通じて一件も記載されていないらしい点が、未《いま》だに不思議なのである。

いつも言うことだが、一国の責任ある人が謝るには、それなりの調査と根拠がいる。一国の代表がデータなしに謝ったり怒ったりしてみせ、傍でマスコミと文化人が無責任に煽《あお》っているのが南京事件というものだろう。それは国の歴史に対する冒瀆《ぼうとく》で、それに荷担する政治家は国を売っているのである。もちろん一人しか虐殺しなかったからと言って、それなら罪は軽いというものではない。しかし南京とアウシュヴィッツ―ビルケナウではあまりにも態度が違う。

アウシュヴィッツ―ビルケナウには青い炎に似た冷静な調査の続行の情熱がある。南京にも、厳密な調査の赤い火をまず日中両国で灯《とも》し、実情を調査してから問題にすることだ。

（一九九四・五・九）

オリーブの実が絞られる時

東京を離れると、死んだように眠る。昔、不眠症だなどと言っていたし、今でも時々眠れなくなるのに、このだらけ方はどうしたのだろうと思うくらい眠る。

シンガポールに来ても同じである。その理由は、どうも電話がかかってこないことにあるらしい。私はいつも或《あ》る情景を空想している。私がうんと年を取った時である。私はどこかシニヤーのホームにいて、惚《ぼ》けていつでも同じ話ばかりしている。その多くは、愚痴か自慢話である。

「ええ、私も昔は、一日に四十本も電話をもらうような生活してたもんですよ。忙しくてね。昼ご飯の間にもかかってきますから、何を食べたかもわからないようになりましてね。人に聞くんですよ。『私、ご飯食べたかしら』って」

こういう時の自慢話というものは必ず誇張がつきまとうものだから、こういう形になるのではないかと思われる。想像するだけでイヤな婆《ばあ》さんだ。私が話して聞かせていると思っている相手も、全く惚けてしまっているから、私の話にきょとんとしている。それでも私は得々として自分がいかに社会で活躍していたか、を喋《しゃべ》り続けるのである……

こういう婆さんになるかどうかは別として、私は電話をひたすら煩《うるさ》いものだ、などと思っていたわけではないのである。自分が誰かの電話で呼んでもらえるというのは光栄なことだ。それはどれほど感謝してもいいことなのである。その「半分の真実」の裏側で、私は「半分の不遜《ふそん》」な思いを抱いていたのである。

少なくとも、こうして日本を離れて電話がかかって来ないと、人生は全く違う面を見せる。

この土地に住む私の友人が、たまたま或る治療を受けるために数日間入院をしていた。点滴の注射を受けるだけだから、実を言うと退屈するほど元気なのである。その友人を、毎日訪ねて数時間も喋って行ってあげているのは、私の住んでいるアパートの上にいる二人の中国系フィリピン国籍の、中年の姉妹である。

二人のことを私はよく知らない。姉の方はうんと年の離れていたご主人を数年前に亡《な》くして、まだ幼い娘を一人抱えた裕福な未亡人なのだという。妹の方は二十代の終わりにしか見えない四十代で今は中国語の勉強をしている。彼女はフィリピンの上流階級の娘だからスペイン語はできるのだが、中国語はあまり得意でないのである。

この二人のように、私も長時間、お喋りをしに行きたいのだが、何しろここへ来てまで私はまだ仕事の尻尾《しっぽ》を引きずっている。昼間はほんの少しだが、毎月の連載の締切がある。しかも今度は家中に十人近い職人さんが入っていて、始終ここはどうしたらいいですか、という質問を受けるのである。

この古いアパートは四年前に壁紙も新しくしたのだが、その時から張り方がめちゃめちゃだった。それを説明するのに、私は日本風に「ダーツが取ってあるように見えるのを直してください」と言い、夫に英語では「リンクル（皺《しわ》）」と言うのだ、と訂正された。どっちだってここでは通じるのである。そこがお互いに英語が完全な母国語ではない強みだ。とにかく余りにひどい壁紙の皺を、他の修理といっしょにきれいにしてもらうことにして数日間、一日中、職人さんと対応することになったのである。入院中の友人も「あなたは必ずうちにいなきゃだめよ。ものがなくなったって、誰も責任とれませんからね」と言う。日本以外のほとんどすべての国で、他人がうちに入ったらもう信用ができない、というのが普通なのである。しかし私はまだそういう暮らしに馴《な》れていないからひどく疲れてしまう。

しかし人種の坩堝《るつぼ》と言われる国で、仕事の仕方を見ているのには、それなりのおもしろさはある。

のんきなものだ。朝、仕事始めは九時ということになっているが、三十分は遅れる。それでいて終わりは五時きっかりだ。朝方豪雨が降れば、そのためにも更に三十分は遅れる。工事の現場監督も、壁紙張りや塗装の専門職も、すべて中国系の人たちである。

ここの人口の七十六パーセントが中国系だから、当然と言えば当然だが、それにしてもこうはっきりと人種によって主導権を握っていいものかと思う。職人の中でマレー系と思われるのは、ほんの数人しかいない。

中でも私の眼を引くのは、毎日やって来る二人のインド人の掃除係である。この人々は扇子状に広がっているこの土地独特のノンキな箒《ほうき》で、一日中工事の後の汚れを掃いている。だから毎日五時に仕事が終わると、家中の荒塵《あらごみ》はきれいに片づいているのでありがたいのだが、五日間、私はこの二人が笑ったり口をきいたりするのを見たことがないのである。

耳が聞こえないのでもないらしい。中国系の監督さんは普通に彼らに命令を下している。しかし私が朝の挨拶《あいさつ》をしても、彼の箒の先っぽを通らねばならない時に、「ありがとう。ごめんなさいね」と言っても、ほとんど聞こえないかのように眼を上げるということもしない。

英語でスウィーパーという言葉を昔々教わった。当時はたとえば煙突掃除人というような場合に使われていた。チャールス・ラムのエッセイが最初だったのではないかと思う。

後年、二十三歳で初めてインドに行った時、ヒンドゥ社会の約束ごとに否応《いやおう》なく従わされた。私は或る日本人の家庭を訪ねていた。そこで粗忽《そこつ》な私は、果たして！コーヒーを零《こぼ》した。しかも立派なカシミール絨毯《じゅうたん》の上にであった。

私は慌《あわ》ててその家の夫人に「雑巾《ぞうきん》を拝借させていただけませんでしょうか」と言った。子供の時から母に床掃除でもトイレの掃除でも厳しくしつけられていたから、汚れた絨毯を徹底して拭《ふ》くくらいのことは馴れたものであった。しかしその時ばかりは、私はそれを断られた。

「この国にはしきたりがございましてね」

とその家の夫人は言った。

「私共が床を拭くわけにはまいりませんの。ですからどうぞ、お気になさらずに」

夫人は使用人頭のような男を呼んだ。私は彼が絨毯を拭いてくれるのだろうと思って、じっと見ていると、彼はまた彼らの言葉で別の男を呼びつけた。

それが床の掃除人なのであった。もし私が自分で床を拭いたら、私はインド社会では、卑《いや》しい階層の出だということになる。私はどう思われたって全く構わないのだが、そういう私を客にしたその家の人たちもついでに下層階級だと思われるのである。そうなると、もうビジネスもしにくくなる。だから私は、子供の頃からずっと床を拭いて来たのに、その時だけ、床など拭いたこともないような顔をすることを覚えたのであった。

もう四十年も前の記憶がまざまざと蘇《よみがえ》って来る。

インドからカースト制度が法的にはなくなったのは、一九四九年のはずである。私は日本人なので、それから約半世紀も経《た》ったのだから、こうした古来の習俗は次第に薄れている筈《はず》だと思いそうになっていた。しかしインドを再訪し、サイクロンの後のバングラデシュに初めて入った時、私は法的にはなくなっているはずのこうしたカースト制度の習慣と心情は、薄れるどころか今でも確固として続いていることを知ったのであった。

カトリックがインドに入ったのは四百年以上前だが、今でも古い信者は旧家の人々、新しい信者はヒンドゥのカースト制度から逃げ込んだ人々と思われて、ここまで差別が持ち越されており、教会に行っても、古い信者が前の席、新しい信者は後の席という話を聞いて、それがほんとうかどうかはわからないままに、不愉快に思った記憶がある。

今、我が家で掃除をしてくれているインド人は、黙々と眼を伏せて床を掃き、指で落ちているゴミを拾い、ゆっくりとガラスを磨く。監督さんの言うことも推測しているだけで、実は英語を解するのかどうかもわからないが、ガラス戸は彼らのおかげでぴかぴかになり、その結果、我が家の窓には昔のガラス戸によくあったように、すべてのものがゆらゆらと揺れるように歪《ゆが》んで見える古い製法のガラスがはまっていることまでわかってしまった。そして私は、彼らのてっていした沈黙と生きるための姿勢に微《かす》かな美徳を感じずにはいられなかったのである。

今の時代にこういうことを言うのはむずかしい。社会が悪く、制度が非人間的だからこそ、床の上にしゃがみこんで働くような低賃金労務者を生むのだ、という理屈である。

それを認めるとは何事だ、という形で糾弾される。しかしもしかすると、人間に苦しみがなければ徳のある人にはならないのかもしれない。

フィリピンの姉妹の方も、ほんとうに病人に優しい。夜九時までも、病室でお喋りをして行ってくれる。私の方は、職人さんたちが帰った後なので、少し肉体的に疲れている。自分が食べるために作ったおかずを持って病院に行くと、明日のこともあるから、今日は早く寝た方がいいだろう、と利己的な計算をしてしまう。

自己弁護になるけれど、徳というものは忙しい暮らしの中では育たないものなのかもしれない。配慮をし、命じて人に何かをさせることはできる。秘書に見舞いの食べ物を届けさせたり、妻に命じていささかのお金を送ったりする人は、日本にもたくさんいるのである。しかしこの姉妹のように病人の枕元《まくらもと》に長く座って話をする、という誠実を示すことはできない。人は少し貧しく、少し閑《ひま》であることが必要なのだろうか。そうでなければ、どのような優しさも示すことができない。日本人は誰もが時間的に忙しいので、私はこの手の基本的な優しさを見ることがめったにないのである。忙しさを誇るなどというのは、思い上がりもいいところなのである。

イスラエルの旅行の時に持ち帰った印刷物を整理していたら、「ユダヤ人の発想〝逆境〟」について書かれたエッセイを見つけた。イスラエル・ユダヤ文化情報誌「季刊みるとす」に出ているものである。

ユダヤ人たちは、苦難を決してマイナスのものとは考えなかった。「苦難に意味を見《み》出《いだ》した人は強い」とはっきりいう。タルムード（ユダヤ教口伝律法の総称。生活、宗教、道徳に関する律法の集大成）は次のように言うという。「イスラエルはオリーブの実に譬《たと》えられる。なぜか？ オリーブの実は圧迫されてはじめて油を産み出す。イスラエルの民も苦難にあってはじめて悔い改めるからだ」（メナホット53b）

ブラウニングは「挫折《ざせつ》を歓迎せよ（Welcome each rebuff）」と言い、イスラエル人たちは今でも彼らの言葉で「問題のあることは良いことだ《トヴ・シエ・イエッシュ・バーヤー》」と言うのだという。

彼らの言葉も一つの真理である。しかし問題から逃れたいと願うのも当然の真理である。心配しなくても、問題がなくなることは現世ではないから、人間にとっていい状況は続くとも言えるが、世界的レベルで見ると、日本人は「問題がなくて困った状況」なのである。

食事の時、このごろ私は始終「アフリカの人のことを考えたら、雨の漏らない家に住んで、水が出てトイレが清潔で、乾いた布団《ふとん》に寝られて、毎日ご飯を食べられて幸せ」と言っている。これだけの条件を叶《かな》えられている人間の生活は、地球上でまだそれほど多くはないだろう。日本に生まれたというだけで、私たちは或る程度の幸運を得てしまった。そんなことは当然という人もいるが、私はどうしても当然と思えないのである。

シンガポール在住のアメリカ国籍の「悪ガキ」に対して、笞《むち》打ちの刑と禁固刑と罰金刑が科せられたことに対してクリントン大統領が横槍《よこやり》を入れたことは、この国でも極めて評判が悪い。大人気ない、というわけだ。

もっとも笞打ちの刑は、私が考えるような「ズボンを剥《む》いてお尻《しり》を叩《たた》く」ていどの、屈辱だけが大きいものではないらしい。話だけだが、やくざもギャングも、笞打ち三回で、痛さの余り失神するという。しかしそのために死んだ人はいないらしい。この子の場合は、打ち方も軽くしたんじゃないの？　というのが市民の推測である。

しかしスプレーで悪戯《いたずら》描きをするなどということは、市民の私有財産か共有財産に損失を与えることだから、それくらいの刑罰を受けることは当然と私は思う。オリーブも絞られた時に、初めて豊かな油を産むと思えば、いい教育だということになる。

（一九九四・六・七）

清貧と眉毛《まゆげ》のメロドラマ

このごろ、政府の審議会などを公開せよ、という意見が強い。私は会議中に発言したことを隠したいという気持ちはいささかもないけれど、公開には常に反対である。ただ個人としては反対でも、多数決原理で公開を決定する審議会がこのごろは幾つかあってそれに従っているだけだが、実におかしな流行だと思っている。私が公開に少数派として反対することはむしろいいことだろう。満場一致でことが決まるという場合は、既にそこに何らかの危険を含んでいるので議事の決定は撤回される、というユダヤ人の知恵が生かされることになるからである。

知る権利という言葉にはよく考えて見ると、不自然な要素がたくさんある。

私個人はもともとやくざな商売だから、自分が偏《かたよ》った意見を出しているのが世間にわかっても別にどうということはない。しかしほとんどのまともな組織に組み込まれている人たちは、自分の立場と重いバックグラウンドを自覚していて、それを思うとめったなことは言えないという状況にある。彼が公開された場で口にできるのは、「公式見解」

だけになる。しかし公式見解だけだったら、審議会など開く必要もない。合意ができるまでには、いささか分裂し、いささか自己告白めいた人間性の表現もあり、いささか人情めく部分も話題に上り、そうした上で、「しかし法的にきっちりするにはこういうことになるのではないでしょうか」ということになる。だから、個人の意見や審議の途中経過をすべてさらして、それがたちどころにマスコミの攻撃の材料になるようでは、自由な討論などできるわけがないのである。

今、日本で言われている審議会の公開ということは、審議の過程まで公開せよ、ということなのだ。答申までの作業が行われている最中に、その任にない人を、作業の現場に入れる、ということなのである。しかし私は、そのような他人が入れる場所で仕事をしている本物の「仕事師」などという人を知らないのである。

手術の最中にだって、見学者を許すとすれば、必ず防備をした上で、時にはガラス越しに経過を見る。つまり同じ空間には入れてもらえない。CDの制作をする人は、収録の時第三者を、演奏が行われる「聖なる」空間にはまず入れないだろう。編集者を別室に待たせて書く作家はたくさんいるらしいが、創作過程を公開して見学者を傍において原稿を書く小説家がいるかどうか。絵描きが、弟子やファンや画商の見ている前で制作を続ける、ということも、普通は有り得ない。

すべての仕事（タスク）というものは、当事者だけがそこで静かにやるものだ。仕事は公開録音ではないし、審議会は劇場ではないのである。その代わり、そこでその作業に連なった人は、そのレポートの結果に対する共同の責任を取るのである。

「国民の知る権利」などという言葉を引合に出して、審議会などの公開を要求している急先鋒《きゅうせんぽう》は、新聞社などのマスコミと市民団体だが、それならば、彼らの仕事もすべて公開にすればいい。新聞も公正をうたい、最近では公器に近い機能を持っているのだから、どの会議にも、編集室にも、見たい人が自由に立ち入ることができるようにする、と言ったら、新聞社は「喜んでどうぞ」と言ってくれるのだろう。

真実を摑《つか》むためには、逆にどんな分野にも必ず公開できない部分が出る。誤解されるといけないので、安全のためには結論が出るまで公開できないという部分である。それは、私たちの家が、トイレや風呂場《ふろば》を覗《のぞ》き見されないように作るのと似ている。排泄《はいせつ》の機能や、人間の裸体などというものは、別に特異なものではない。私たちは誰もが——多少の美醜の違いはあっても——生理学的に見たら、たいていの人が同じ裸体を持っている。

しかしそれでも裸体や排泄の瞬間を見られたら嫌だから、こういう部分は外から見えないようにする。別に風呂場で夜陰ひそかにお化けになって行灯《あんどん》の油をナメているわけでもなく、トイレで麻薬の製造をしているわけでもない。しかし公開にはできない。トイレや風呂場だけではなく、台所を見られたくないという女性も多い。私はどこでも書けるたちなので、平気で書斎で人に会ったりたまには写真を取られたりもするが、書斎に人を通すなんてそれで作家か、と非難する人がよくいてその気持ちもわからないわけではない。

新聞社だけではない。医師も神父も、裁判官も教師も、それぞれに立場上知りえた事実に対して秘匿《ひとく》義務がある。しかし病気そのもの、事件そのものは、知って対処しなければならない。時にはそのケースを会議で公開して、数人の人で検討し、討議をしてから決定しなければならない。

六月三十日付の朝日新聞は「脳死による臓器移植を検討していた脳死臨調の審議過程は非公開だった。結果的には、脳死が人の死であるとの社会的合意を得られず、法案はいまだに成立していない」と書いている。

私はその委員の一人だったからはっきり言えるが、審議過程はすべて明らかに報告されていた。非公開を非難するのは、そこにいた委員の一人一人が、その場でどう言ったか責任を取らせられない、ということをなじっているのだろうが、現実はおもしろいほど筒抜けであった。委員は誰でも自由に、今日は誰が何を言っているか、マスコミに洩《も》らしていた。誰が何を言ったか、全く言わなかったのは、私だけくらいなものだったろう。私はかねがね、他人が何を言ったか、ということを正確に書ける人はない、と思っているので、人のことはゴシップから追悼文まで一切書かないことにしているから、審議会で発言した他人の意見も、イジワルだと思われるくらいマスコミに教えなかったのである。しかし他のほとんどの委員は、会長・副会長の公式の記者会見とは別に、会議が終われば、自分と仲のいい新聞記者と連れ立って歩きながら、或《ある》いはどこかへ消えて、内容を話してあげていた。それを止める人もいなかったし、また人のことは一切喋《しゃべ》らない私でも、自分の考えは自由に書いていた。非公開の現実はそういうものであった。

臓器移植ができないようにして、助かるかもしれない人の命を殺しているのは、マスコミと、移植に反対する人々である。移植にはもともと条件をはっきりつけられるのである。あげたい人と受けたい人との間でのみ行われる、という原則はいくらでも守れる。それを、あげたい人の希望も叶えられないようにしている人たちは、移植を受ければ助かる人たちの死に明らかに責任がある、と私はずっと考えている。その一翼を担《にな》っているのが日弁連という名の(私からみれば)思想統一推進団体で、弁護士という人たちはよくこういう団体の存在を許しているものだと驚嘆する。著述業者の団体だったら、とうていいかなる統一見解も誰かが代表して言うことを許さないだろう。

脳死臨調(正式には臨時脳死及び臓器移植調査会)の前の臨時教育審議会の時も、公開非公開は問題になっていた。私はその時も当事者だったから体験として言えるのだが、その時の審議も非公開だったにもかかわらず、現実は全く表向きだけのことだった。どうして非公開が破られたか、今思い出しても漫画的なアウトローたちがそこにはいたのである。

それは新聞記者たちであった。

総理府の五階の会議室のドアは鎧戸《よろいど》になっていたが、そこに彼らは縦並びになって耳を押し当て「立ち聞き」をしていたから、会議の内容は複数の耳によって筒抜けになっていたのである。

私も子供の時から時々親や他人の話の立ち聞きをしたことはある。しかし私はそれを、後めたいこととしてやっていた。だから人の気配がすると、飛びのいたり、聞いていなかったふりをしたりした。

しかし臨教審の時初めて、立ち聞きを少しも恥じないという品性のない人がいることを知ったのである。こういう人たちが、教育問題を報じたり論じたりするのだから、漫画はさらにおもしろくなる。

私は、自分の関わったすべての仕事の内容にも結果にも、責任は持たねばならない、と思っている。しかし創作の過程を他人が知る権利など認めない。「知る権利」という言葉は結果には認められる。しかし過程にはない。

どの企業にも企業秘密がある。ヤキトリ屋さんは、おいしいヤキトリを供する義務はあるだろうが、そのタレの味の秘密を決して人には教えない。マツタケの生える場所を自分の息子にも教えないで死んでしまったガンコ爺《じい》さんは、決して一人や二人ではない筈《はず》である。

そもそも「知る権利」というのは、「平和」と同じくらい現実性の少ない言葉である。なぜなら、人間は自分さえよくわからない場合が多いのに、他人が私のことを私よりわかるわけもない。「知る権利」は限定された分野の結果だけである。国防など、「知る権利」より「知らせない権利」を行使しないことには、効果を発揮しない。公文書を公開し、関係者は署名した以上責任をとることに誰も異存を唱えてはいないのだから、現実性のない、「経過まで知る権利」などというものを、何かにつけて絶対で最大の正義のように振り回すのはやめた方がいいと思う。

七月四日の朝、民放を見ていたら、村山新総理が、自衛隊で果たして日の丸と君が代に敬意を払うだろうか、ということが話題に出ていた。すると出演者の一人が、

「大丈夫ですよ。昨日一日の総理の行動を見てごらんなさい。午前中はずっと宮家訪問ですよ。日の丸、君が代にだってちゃんと敬意を払いますよ」

という意味のことを言われた。

調べてみると、確かに総理はサミット前の大切な時に、半日をかけて宮家に挨拶廻《あいさつまわ》りをしている。新聞によると、七月三日の総理は、午前十時二分に桂宮家。十一分からは赤坂御用地内の東宮仮御所で秋篠宮家など六宮家に挨拶。三十八分に常陸宮家。五十二

分に高松宮家にそれぞれご挨拶に立ち寄っている。

これはもう、社会党として眼を覆《おお》うばかりの醜い変節というべきだろう。私だったら、社会党総理として、総理大臣の仕事の中には、国事行為をされる天皇と代行される皇太子の所は別として、宮家のご挨拶廻りに半日を費やすことは入っていない、と言って拒否するところから始めるだろう。

私は国際社会で、お互いに言葉や意志の疎通《そつう》もままならない時、国歌と国旗への礼儀を通してしか、相手に敵意のないことを知らせる方法はない、と思っているから、そのために、国歌と国旗(現在では君が代と日の丸)に対する教育をきちんとするのは当然という考え方だが、それでも時々、壇上の日の丸を引きずり下ろして、踏んだり焼いたりする生徒や父兄が出たら、止めたりせずに、ゆっくり見物することに賛成だと、講演会などでも話して来た。

私が願うのは最低限、総理という方が、どんな思想であっても構わないから、信念を貫く方であってほしいということだけだ。国歌と国旗に対して敬意を払わない人は国際的な感覚がない人だとは思うけれど、それはその人の考え方だ。ただ人間は自分が信念として言ったりしたりして来たことは、どんな立場になっても守らねばならないということだ。それもそれを押し通すと、家に火をつけられたり、軟禁されたり、拷問《ごうもん》に遇ったり、最後には殺されたりするような状況なら、私たちは信念をまげても仕方がないだろう、と卑怯者《ひきょうもの》の私はすぐ同情する。しかし総理はいけない。命の危険くらい覚悟でその任に就くのが政治家というものだからだ。

七月二日の朝日新聞は、岡崎トミ子文部政務次官が「自社が長年対立してきた日の丸、君が代の学校行事での事実上の強制と、これに従わない教職員の処分について質問され、『一議員としては適当でないと思うが、政策の継続性も大切。話し合いなど、ぎりぎりの努力をしたうえで、仕方のない場合は処分もありえる』などと苦しい答えに終始した」と報じた。しかも岡崎政務次官は、「初め、日の丸、君が代を『国旗、国歌』と呼んだため、記者から『社会党は国旗、国歌と認めているのか』と指摘され、『日の丸、君が代でした』と言い直す場面もあった」という。

社会党議員の今までの政策というのは、その程度のいい加減なものだったのだろうか。それを信じて社会党に一票入れて来た選挙民はたまったものではない。日の丸や君が代の問題は、反対するにせよ、賛成するにせよ、重大な信念の問題だろう。政策の継続など言い訳に過ぎない。第一、この岡崎政務次官は、政務次官の座につきさえしなければ、このような人間として筋の通らない返答を迫られることもなかった。野党、一議員でいれば、堂々と自分の信念を通せたのである。その程度のことは予測がつくのが政治のプロというものだろう。しかも通産や大蔵なら、数字とものを見て、政策を変えるということもある。しかし人間を育てる文部省の次官に、こういう骨のない、人の顔色を見るに長《た》けた人を据える。こういう人事は誰がするのかしらないが、その人事を行った人を考えても、今度の政府はでたらめだ。

村山総理に対して、マスコミは最近やたらに「清貧」などという言葉を使うようになった。家がボロなくらいで清貧ということはない。第一客観的資料として発表された総理の年収は二千百二十七万円で、その額は決して「清貧」というものではない。人にやってしまうから自分の生活は質素だったというが、村山氏が、そのお金を政治に使ったのなら、それはやはり自分の勢力拡張のために使ったのである。もし、自分の仕事とは全く関係ないこと——たとえば、ホスピス建設とか難民援助とか——に使われていたのなら、それで初めて清貧になるだろう。

またマスコミは、村山氏自身は決して総理の座に就きたくもなかった、と言っているが、村山氏は総理指名の決選投票の時、自分の名前を書いたのである。そのスクープ写真は、「週刊宝石」七月二十一日号に西山雅都氏の作品として掲載されている。総理になったことを奥さんが「可哀相《かわいそう》」と言われたとかいうことを肯定的に書いている週刊誌も読んだが、自分が好きでなったのを、別に可哀相ということはない。

「ほんとうは私は辞退したかったんだが」と言いながら名誉職に就いた男たちに、私は今までに何回も出会った。私はその度におかしくてたまらなかったのである。ほんとうに嫌なら、必ず断れる。断っても命に別状はない。牢屋《ろうや》にもぶちこまれない。村山氏はなりたくて総理になられたのである。総理になれば、社会党員として信念を曲げた仕事もしなければならないことはわかりきっていたのに、その地位に就いたということだけで、愚かで信頼できない人だということがわかる。清貧でも好々爺《こうこうや》でもない、ただの通俗的な権力主義者で意志薄弱な人に、マスコミは眉毛《まゆげ》と顔つきで騙《だま》され始めている。この成り行きを見るドラマの方がおもしろい。

（一九九四・七・七）

東大総長の英語

この五月下旬、仕事で滞在していた北陸の新聞の同じ日の朝刊と夕刊に似たような悲劇が報じられた。

五月二十日の夕方七時少し前、四十七歳の土木作業員が、空き地できょうだい三人にネクタイで首を締められて殺された。その日は七十一歳で亡《な》くなった母の葬儀に出席するために五人のきょうだいが集まっていたのである。

四十五歳と四十三歳の弟二人と、結婚して姓の変わっている四十一歳の妹の三人は犯行を隠さなかったのですぐ逮捕された。

地元の二つの新聞の報道の内容を繋《つな》ぎ合わせると大体次のようになる。七十一歳の母は腎臓《じんぞう》が悪く二年ほど人工透析を受けていた。その葬儀の後に、親戚《しんせき》の家で会食になった。四男は先に帰り、二男と三男と結婚している妹が残ったが、妹も帰ろうとすると長男の土木作業員は、恐らく酒も入っていたのだろう、「自分一人を残して帰るのか」と妹の首を締めたので、三男が止めようとすると、土木作業員は弟の三男の首も締めようとした。それできょうだいは近くの空き地に長男の土木作業員を連れ出し、二男、三男、妹が三人がかりで長兄の首を締めたのであった。

殺された長男については、酒を飲むと人が変わるようなところがあり、数年前まで現場近くの倉庫を借りて住んでいたという。他のきょうだいは、母親の葬儀の後、近所の手伝いの人たちに礼を言ったりして、変わったところはなかったという。

別の事件だが、その翌日の早朝に、同じ県下で、火事があった。

家族構成は、八十六歳の祖父、無職の六十一歳の父、近所でパートで働いていた四十九歳の母、そして二十二歳の重度の知的障害のある息子である。火事の後、八十六歳の祖父は体を震わせながら呆然《ぼうぜん》と現場に立っていたのを近所の人が見ている。二階に寝ていた父は、煙に気がついて逃げだしたが、別の部屋で寝ていた母と息子は、二階が焼け落ちたので「一階部分で折り重なるように死んでいた」という。

出火当時、近所の人は、八十六歳にもなる「おじいちゃん」がまさか放火の犯人だと思いもしなかったというのも当然だろう。「体をブルブルと震わせて言葉にならないおえつを漏らしていた。見かねた近所の人たちが、背中を丸め、肩を落とす(この老)人を抱きかかえて隣家へ連れていった」

新聞では、この老祖父は警察で次のように言ったということになっている。

「昨夜の夕食時に、腹が痛いにもかかわらず息子から早くメシを食えと言われ、腹が立って仕方なかった」それで「驚かすために台所にあったストーブからカートリッジを抜き出し、自室の仏間で灯油をまき散らしライターで火をつけた」。焼死した母は、毎朝、二十二歳の息子を精神薄弱者授産施設に送り出した後、パートで働いていたが、「まじめでおとなしい」という評判の息子のことをいつも皆に話していたという。いい母と子であった。

祖父にすれば、高齢でお腹《なか》が痛ければ、ご飯をさっさと食べろと言われても辛《つら》かったのだろう。しかし恐らく六十一歳の息子の方にしても、知恵遅れの息子を抱えながら働いている妻への労《いたわ》りや気兼ねもあったのかも知れない。老人はだんだん自分のことしか考えられなくなる。今はこういう高齢の親をみない子供もたくさんいる時代なのだ。たいていの親子が、同居すれば喧嘩《けんか》している。私は自分の母と夫の両親といっしょだったから、よくわかる。夫の両親とはそんな派手な喧嘩はしなかったが、自分の母とは、よく言い争いをした。しかしすぐ仲直りもした。理想には遥《はる》かに遠いが、いっしょに住めばそんなものだと思っている。

話は少し脇《わき》へそれるが、今流行の福井県丸岡町が編集した『日本一短い「母」への手紙』という本がベスト・セラーになっているという。私はまだ読んでいないのだが、その企画にあやかって、いろいろな人に「母への手紙」を書かせている雑誌は読んだ。

おそらく原則としては、母へ手紙を書こうと思うのは、親と同居しなかった子供たちである。いっしょに住めば、手紙なんか書こうと思わない。いっしょに長年暮らしていれば、曲がりなりにもお互いに一生懸命暮らした実感があるから、それでもう書くことはないのだ。もちろんいたれりつくせりにしたお嫁さんと、私のように手抜きばかりしていたのとの違いはあるだろう。しかしとにかくいっしょには暮らしたのだ。同居して親を見送った子供たちは、手紙を書くくらいなら、いっしょに暮らせばよかったのに、と思うかもしれない。

先のきょうだいたちといい、この火事を出した家の親子といい、決して憎しみが先行したわけではないだろう。どちらの家族も、ずいぶん心を痛めて何年も生きて来たに違いない。少しでもいいような方向にいかないかと、気を使い、時には励まし、時には褒め、時にはそんなことじゃだめだ、と叱《しか》り、金を与えたり、突き放したり、何年もああでもないこうでもない、とやって来たはずだと思う。

しかし周囲全部が善意を持ち続け、努力をし続けてもだめな、相手と状況と時、というものがあるのである。

理由のいかんにかかわらず、誰かの首を締めたり、灯油を撒《ま》いて火をつけたりするのは、常識と異常との間に引かれた一線を越えてしまう病的な性格である。すれすれまで行く人は、私を初め、作家などにはよくいる。

そもそも癪《しゃく》にさわることは、世間にいくらでもあるのである。それに対応して破壊的な行動に出たいと思う衝動くらいなら、誰もが体験していることだろう。ただそういう時、普通の人は、みみっちく心の始末をつける。ぷいと数時間いなくなってしまう人、口をきかなくなる人、やけ酒を飲む人、不貞寝《ふてね》をする人。衝動買い、やけ食い、長電話、面当《つらあ》て不倫、というのさえあるのだそうだ。しかし多くの場合、決定的なことにはならない。それは多くの人が、耐えるだけの健康、と、精神のいい加減さを持っているからなのである。しかし、そうでない人もいる。異常の領域に踏み込んでしまう短気も弱さも厳密さも、すべて遺伝子のせいだ、ということなのかもしれない。

酒癖の悪い土木作業員の長男を持った家族も、四十年余りはどうにかやって来たのである。母親が心配するから、ということもあるかもしれない。しかし妹の首を締めようとした時、きょうだいの忍耐も限度に来た。犯行の現場が、近くの空き地であって、親戚の家ではないことも、きょうだいの配慮だったように思える。

火をつけた老人を抱えた家庭の方もそうである。老人が僻《ひが》みっぽくなっている家は、日本中に何百万軒とあるだろう。老人が不当に僻みっぽい場合もあるだろうし、老人が僻んでも当然と思われる場合もあるだろう。しかしヒステリー、仕返し、嫌がらせ、というものはすべてどこかでルールのあるものなのである。たとえば、ヒステリーの人は失神するが、決して自分が危険なところでは倒れないものだ、という。つまり焚《た》き火の傍、断崖《だんがい》の上、プラットホームの端っこ、水泳中などには気を失わない、というのである。それに対して、脳神経の病気では、どこででも意識不明になる危険を持つものがあるから注意してあげなければならない。

祖父の放火で、六十一歳の父は、知恵遅れの息子と妻を失った。痛恨の思いはどんなに深いだろう。相手が、それをきちんと認識してやったのではなく、後で震えるほどびっくりしているという現実が、もっと気の毒である。一家に老人が同居していれば、全く問題がないということはないだろうが、喧嘩しても何しても、とにかく近所の目には、「仲の良い家族」と映っていたという。老人は少し惚《ぼ》けている様子もあったが、きさくで近所の人にも挨拶《あいさつ》を欠かさないような人だった、というのである。

法は法だから裁きは受ければいい。しかしこうなるまでに、加害者のきょうだいや、被害者の家族が耐えて来た長い年月の苦労を思って、私は辛くなる。

性格の治らない息子を殺した父という人もよく世間にいるものだが、彼らはむしろ深く子供を思っていたと思う。教育をし損なったという親は多い。それは半分は親たちの責任だが、半分はそうでない。しかし利己主義でなく、世間全体に目配りのできる親は、こういう子供を放置しておいたら、いつかは他人を殺すかもしれない、という予測をするのである。そんな取返しのつかないことをさせられないから殺す。子供を加害者にするよりは、被害者にすることを選ぶのだ。それに、自分ももう疲れてしまっている。加害者になることもまた楽なことではない。しかし自分が一切の負い目を負って、殺人者になることがいいのだと判断する。

人は耐えられる限度を越えると、その瞬間、高圧電流が流れるように、価値観が全く変わることがあるそうだ。その時には、もう自分の生涯を捨てることくらい何でもなくなる。私にはその気持ちもよくわかる。

放火犯人の祖父を持った家庭はことに哀れである。一番重荷を背負っていた母が、死んでしまった。これでこの家は崩壊してしまったようなものだろう。四十九歳の母には、普通ならだんだん子供にも手がかからなくなり、これから旅行や趣味のお稽古《けいこ》ごとなどもできる時が待っているはずであった。別に温泉へ行くことや、皆でカラオケを楽しむことだけが生きがいということではないけれど、家族はこうした安らぎの年代を与えられなかったことを痛ましく思うものだろう。老世代とは別居するのが当然とされる西欧社会では、これは理由のわからない事件だろうが、私は東洋的なシェイクスピア悲劇として、胸に迫る。

誰が悪いのではなくても、こうして悲劇は起きてしまう。人に優しい社会を作るのが最近の流行なのだそうだが、人に優しいというのは、たとえばこういう傷ついた家族と、以後何ごともなく普通に付き合うことだろう。

資料の袋を整理していたら、今年三月二十九日の東京新聞の夕刊が出て来た。

今年二月十三日、大雪の翌日、渡辺美智雄元副総理は自宅付近を散歩中、滑って転び、左大腿骨《だいたいこつ》にひびが入る大怪我《おおけが》をした。

「車いす生活をすることになった渡辺氏は二月十四日、都内で講演したが、その中で『ぶざまな格好だが、過大宣伝はしないように』と発言」した。

群馬県桐生市に住む養護学校生（十七歳）がそれを知って、

「〝ぶざまな〟というのは残念。車いすに乗っていても、一生懸命に生きている人はたくさんいる」

と渡辺氏に手紙を出した。それに対して渡辺氏は、

「拝啓、お手紙拝見致しました。

『恰好《かっこう》よく歩けなくて』という意味で申しましたが、車椅子《くるまいす》に頼らなければ生活出来ない方々に対し、大変失礼しました」

というような文面の謝り状を出している。

もちろんこのやり取りには、いい面もある。高校生が「自分が当事者になってみると、日本の社会はいかに車椅子では暮しにくいかがわかるでしょう」という意味のことを書き、渡辺氏も、「駅やデパートに行って、車椅子がどんなに不便であるか実感としてよくわかり」、この体験を元に「身体《からだ》に障害ある方のためにお役に立つよう今後努力しま す」と返事をした。政治家なら、こんな手紙が来る前に、つまり「ぶざまな恰好」と言

ったすぐ後に、「しかしこれを政治に役立てます」と言うべきだった、という人もいる。

しかしていねいに記事を読むと引っ掛かるところがないでもない。高校生は「ぶざまな」という表現を新聞で読むと「とても残念に思った。その後新聞で問題になるのでは、と思ったがならなかったので本人に手紙を書いた」と言っている。

渡辺美智雄氏という方は、テレビで見る限りいつも不遜《ふそん》な口調である。別に特にていねいであることは必要ないかもしれないが、普通の言い方――です、ます調――の日本語くらい使えない方が総理になられるのは、日本文化のレベルのために困ると私は今でも思っている。しかし今度の骨折の結果の話を聞くと、少しは伝統的な日本語もお使いになれることがわかってよかった。すると今度はそれを咎《とが》める高校生がいるのだから困ったことなのである。

昔からこういう時、伝統的な美しい日本語のできる人は、「ぶざまな恰好をお見せいたしまして」と言ったものなのだ。

十七歳だからいたしかたないかもしれないが、日本語に見当外れな解釈をする高校生に、解説をしてやる大人が周囲に一人もいなかったということは、気の毒な教育環境である。その為《ため》に、この高校生は恐らく自分が人道的に大変いいことをしたと思ってしまったろう、そのことには誰も触れない。

昔、誰かわからないけれど、東大の総長がいた。その人が外国人を招待した。その人は、普段あまり使わない英語で会話をしていたので、自分の言おうとすることを一々心の中で翻訳してから口に出すというやり方をしていた。私たちのように和製英語を使う人は、誰しもが覚えのあることである。

食事の時間になった時、その人は「何もありませんが、隣室で召し上がってくださ い」という極めて日本的な表現を相手に伝えることにした。それで心の中で翻訳を完成してから言った。

「ゼア・イズ・ナッシング・トゥ・イート。バット・イート・ザ・ネクスト・ルーム」

これを聞いた外人の客はおったまげた。「そこには何も食べるものはありません。しかし隣室を食べてください」とは何ごとだろう。

「何もありませんが」と言ったからと言って、実際に食物が全く置かれていないわけではない。それどころか、かなりの御馳走《ちそう》が用意されている場合の方が多い。しかし謙遜《けんそん》してそう言う。今でも礼儀正しい方はそう言う。それが日本的表現で、そういう直訳不可能な部分は、どんな外国語にもある。私のように「今日はおいしいものがあるのよ。たくさん食べて」などと自分のうちの食事を宣伝するような浅ましい表現だけでは、日本文化は保たないのである。

東大総長のこの笑い話はもちろん本当かどうかわからない。しかし自由な大学というものは、常に自分の大学に誇りを持つと同時に、自分の大学の権威をも笑い飛ばさねばならない、という相反する精神を、洋の東西を問わず持っているものだから、こういう伝説を生む結果になる。

言葉一つ一つに、そうそう幼稚な解釈をつけるものではない。この高校生がもし視力障害者だったらお詫《わ》びをするが、もし眼がいいのなら、読書の絶対量が足りないから、こういう解釈をしてしまうのである。そしてこの養護学校には、日本語の魂や語法（例えば謙譲語、反語、譬喩《ひゆ》、引喩など）を勇気を持って教えるいい国語の先生がいないから、この程度の国語力しか生徒が持たなくなる。字面《じづら》だけを読んですぐ型通りの人権思想だけを楯《たて》に取るような読み方になったら、日本文学も消える。

しかし今の時代には、見当違いであっても、非難されないことを言っている方が無難で安全だから、誰も生きた日本語の本当の豊かさを教えないのだろう。人間の生活には、いい言葉も悪い言葉もある。それらを適切な時に、裏にも表にも自由に使えることが、国語教育の目指さねばならないところである。それを通りいっぺんの表現だけしか教えない方がひどい差別だと私は思うのだが、生徒の方が通りいっぺんを好むのかもしれない。

もう一つ、やはりここまで言わなければこの高校生にはわからないらしいので、触れることにしよう。

手足の運動に制約のある人たちにとって車椅子はぶざまどころかごく自然で、それをうまく使えることはすばらしいことだ。しかし一方で、普通に歩ける人が転んだら、その人は「慌《あわ》て者」とか「運動神経がない」とか「年ですな」とか言って笑われることもあるのだ。そんなことで誰も怒らない。むしろ温かい親しさを感じている。その結果足を折ったら「こういうぶざまなことになりまして」と当人が言っても少しもおかしくはないのである。すべての言葉は、状況によって全く違った意味に使われる。この鉄則がわからないと「言葉を使える動物」になり損なう。

もし眼の見えない人が、ホームに入って来た列車に急いで乗って、それが反対方向へ行く列車だったとしても、それはいわば気の毒な間違いであって、充分に起こり得ることである。しかし一応、ホームの表示が読める人がそれをやったら、友達は「バカねえ」とか「おっちょこちょい!」とか笑うのである。私は昔も今も時々それをやる。

数年前にも私は講演を終えて一刻も早く東京に帰ろうと焦っていた。指定券を持っていた列車より早いのに乗れそうだったので、高崎の駅でホームを駆け上がり、運よく入って来た新幹線に飛び乗って、すぐ本を読み始めた。ところがひょいと目を上げると、車窓に山が迫っている。あれえ、関東平野にこんな山なんかないけどな、と思った瞬間、心臓が縮まった。列車は長いトンネルに入った。冬ではなかったから、「トンネルを抜けると……」雪国ではなかったが、つまり私は何を読み違ったか、反対のホームに駆け上がって新潟行きに乗ったのである。私はしおしおと越後湯沢で下りた。急いだ結果は予定より遅くなったのである。

こういうドジを、夫は「今さらでもない」という感じでしらっと聞いているが、友達は優しさを込めて「バカねえ」と言うのである。同じ行為でも、眼が見えるか見えないかで、評価は違って当然だ。この気合が、言葉の命というものだ。こういう時の親しさの表現のために、「バカ」とか「アホ」とかいう得難い温かさを示す差別語は、取っておかなければならないのである。

大人になる、ということは決して妥協することではない。しかし立場の違う相手の周辺の事情を、深く闊達《かったつ》に複雑に、相手に対する尊敬と自分に対する自信とを持って、おおらかに理解できることである。そして複雑な言葉の遣い手になることだ。高校生以下ではないのだろうが、決して以上ではなかったこういう幼い話を、いかにも人道上の快挙のように取り上げた東京新聞の姿勢の方が高校生並みだと考えた方がよかったのかも知れない。

（一九九四・八・七）

顔のない母

夕食の後で、茶碗《ちゃわん》を洗っていたら、いっしょに食事をした従妹《いとこ》が私の手を見て、彼女の叔母に当たる私の亡《な》くなった母の手とそっくりだと言う。

申しわけない話だが、私は母の顔さえはっきりと思い出せない。生まれつきひどい近視だったということと、いささか別の理由で思い出せないのである。それは私が、母には顔などなくてよかったような気がしているからなのである。母は存在全体で母なのであって比べようがなかった。だから、どんな顔でも性格でもよかったのである。

客観的に言えば、母は若い時は結核を患《わずら》って細く、やがてチブスをやってあっという間に太った。デブとかヤセとかいうことは、戦前あまり問題にならなかったが、母は最盛期には八十キロ以上あったと思われる。しかしやがて戦争が激しくなると、かなり痩《や》せた。

私にとっては母が美人であろうとそうでなかろうと、瘦せであろうとデブであろうと同じであった。顔だって、人よりきれいな人だったのかどうか、色は黒い方だったのかどうか、他人と比較してみた記憶がない。この頃の子供たちは、母親がPTAに来る時の服装まで気にするそうだが、私はこういう点でも少しおかしな子供だったのだろう、と今になって思っている。

その母に、私の手が似ているという。

私はずっと自分の手の醜いのを少し恥ずかしいと思っていた。しかし他にも醜いところがいっぱいあるのだから、手だけを恥ずかしがってみても仕方がないので、平気な顔をすることにしていたのである。ついてほしくないところには贅肉《ぜいにく》がつくのに、私の手にだけは肉がさっぱりつかないから、ごつごつで血管が浮き出ていて、しかも皺《しわ》だらけである。その上に畑仕事をするから、人前には手を出せないほど汚くなって、自分でも八十歳の老婆《ろうば》の手だなあ、と思って眺めている。私は人の集まる所へ行くことに恐怖を感じていて、パーティーだって一年中ほとんど出たことがないので、どうやらこれで済んでいるのだけれど、社交をしなければならない人だったら、とてもこんな汚い手をしてはいられないだろう。

私がそうした肉体上の引け目にいい加減な気持ちになれたのは、四十代の終わりに、眼が見えなくなりかけたからである。私は長い間、頭痛、肩凝り、眼の周囲の腫《は》れと痒《かゆ》みを繰り返していた。腫れはステロイドの軟膏《なんこう》ですぐよくなるが、その後はしわしわになる。でも視力がなくなっていたので、私は当時自分の顔などまともに見たことがなかったのである。

急に視力が落ちた時、たった二、三カ月の間に私の髪は半分白髪《しらが》になった。親友が或《あ》る日やって来て、私の髪を見て、

「あなた、どうしたの！　その白髪！」

と言ったので、私は初めて精神的な原因で髪が白くなるというのは本当のことなのだと知ったのである。

私はその時、髪を染めることにした。健康だったら白髪のままにしていたろうと思う。私は私の突然の白髪に驚かねばならない友だちが気の毒だった。眼は見えなくなっている。仕事はやめてしまった。そして髪が真っ白になっていたら、彼らは私に何と言えばいいのかわからないだろう、と逆に申しわけなくなったのである。

幼い時から赤毛の私には、時々逸話があった。大学の時にはイギリス人の修道女に、「お前は何人か」と聞かれた。ヨーロッパ人に間違えられるわけはないし、インド人という立派な顔立ちでもないから、ただ髪の毛の色に興味を持たれたのだろうと思う。中年になると、地方へ出掛けた時など、ホテルの美容室で「奥様はまあ、お洒落《しやれ》ないい色にお染めになっていて」などと言われる時もあって、私はつい「ええ、これは、東京の美容室で、とてもうまい方がていねいに染めてくださってましてね」などといかにも高級美容室で専門の美容師にかかっているような口をきいていた。しかし実際には、まだ

ヘヤー・ダイなど一度もしたことがなかったのである。

ずっと黒髪に憧《あこが》れていた私は、前々から、どうして人はおしゃれ染めに髪を赤くするんだろう、と思っていたから、生まれて初めて、やつれてぞっくりとできた白髪を隠す時にも、美容師さんに「少し黒めに染めてくださいね。日本人なんですもの」と言ったのである。私の白髪に驚いた親友は、次にやって来て、私の髪を見ると、また呆《あき》れたように言った。

「何よ、あなたの髪！」

どうなっても驚く人である。

「どうして？　若返って元気そうになったでしょう」

と私は効果を売り込むことにした。

「でもそう黒くちゃあなたらしくないもの」

この人は、幼稚園の時からの親友だから、私の「黒髪」など見たことがないのである。

人間というのは何というばかな動物だろう。地毛の色に、わざわざお金をかけて染めるのがいいということになる……それじゃお金を出して染めた意味がないではないか。染めるなら「染めたぞ」ということがわかるように、黒と赤、とか、金とピンク、とかいうふうにした方が効果があるというものだ。

手術の結果、視力を取り戻した時、私は初めて自分の老年の顔と対面した。数年間、どうしてもよく見えなかったのだから、その間に、髪が白くなる分くらい、顔も老いていて当然であった。自分の老年と対面することは悲しいはずだったが、幸運なことに私は視力を得た嬉《うれ》しさで、その他のことは、どんなマイナスの変化も受け入れる気分になっていた。

自分の醜い手も、その日まで私は自分一人の特徴だと思っていたのである。この醜い手が母と似ているということを知って、私は少し嬉しくなった。責任を母に転嫁《てんか》できるということもあるし、これで母と私との繋《つな》がりがいっそうはっきりしたという満たされた思いもあった。

この年になると、次第におもしろい見方をするようになる。人は、自分の努力よりも、ほとんど持って生まれた素質によって生き方を左右される、ということがだんだんわかって来たのである。つまり私は次第に、運命論者になったのだ。

いささか俗説も利用しなければ、簡単に説明できないのだが、世間には生まれた階層の違いを、差別的に意識している人がかなりいることはほんとうだ。私も時々、そのことを感じる。私の場合は、階層ではなく、やたらに日本に生まれたことを感謝するのである。

「水道の蛇口をひねれば水が出て、乾いた寝床で寝られて、毎日、食べるものがあって、それもちょっと美味《おい》しい栄養のあるものを選べて、私ほんとうに贅沢な暮らしをしてるんだわ」

「――」

「しかも、電車に乗れば、町へ行けるんですもの。一週間も歩くなんてことしなくて済むのよ。痛いとこがあると、最悪の場合には救急車に乗って病院に連れて行ってもらえて、すぐ痛みくらいは止めてもらえるしね。しかもそういう時、収入がどれだけあるかとか、お金をどれだけ払えるか、っていうような調査はしないで、とにかく治療にかかってもらえるんですもの。こういう国は天国よ」

「――」

「しかもうちには、冷房も冷蔵庫もあるんだもの。シャワーの設備があってお湯もでるのよ。王様の暮らしよ。それに着替えを持ってて、毎日洗濯もしてるなんて、ほんとうに贅沢なのよ。道には臭いゴミも落ちてないし、テレビも見られるし、外国にも行ける。人の評判を悪くすることさえ気にしなければ、言いたいことも言えるし、こんな国なんてそうそう他にはないと思うわ。もし××か、◯◯みたいな国に生まれてごらんなさい。今言ったこと、何一つできないんだもの」

「――」の部分は、あまり毎日、同じことを言うので、夫はまたか、という感じで聞こえないふりをしているところである。

私が日本に生まれたのも、私の努力ではない。眼は別として、私が人並み以上の頑丈な体に生まれついたのも、決して私の力ではない。

若い時の私は、非常識な点もあったが、やはり人並みな常識に囚《とら》われていた。私には秀才コンプレックスもあったし、英語のできる人や、上流社会的な出自の友だちに、インフェリオリティー・コンプレックスを抱く瞬間もちゃんとあった。そういう月並みな感覚があって、ほんとうによかった、と私は思う。それがあったからこそ、私は自分のいる位置が見えたのである。

最近、私の知人がやって来て、彼女の親友とのことを話してくれた。二人共、知的な家庭に育っているのだが、昔々はヨーロッパでお互いにお金のない貧しい留学生の生活をしていた。当時の日本は、敗戦後で国全体が貧しかったのである。

その頃の或る日、その親友が私の知人の下宿を訪ねてきてくれたことがあった。

「じゃいっしょにうちで御飯を食べましょうよ」

と言ったのは、いろいろなニュアンスを含んだ言葉だったろう。気兼ねなくゆっくりと二人だけで喋《しゃべ》りたいという気持ちが第一であったろうと思われたし、もしかしたら外で食事をするお金も倹約したい気分であったのかもしれない。すると知人の親友は、

「蠟燭《ろうそく》とワインも忘れないでね」と言った、と言うのである。

もちろんこれは温かい余裕を含んだ言葉だ。決して脅迫的な要求ではない。私の知

人は、当時の貧乏留学生としては、懐《ふところ》の痛むほどの上等のワインを買って親友を迎えた。

友だちには時々、こういう甘えをしてもいい、と私は思う。しかし私は中産階級に育っていたから、蠟燭とワインがないと夕食が豊かだと思えない、という暮らしにも慣れていなかった。

人によってその大事さの順序は違うのだが、私にとって食事の時に最も大切なのは、昔から、礼儀と思いやりと深い哲学と自由な精神の垣間見《かいまみ》える会話だ。その次が単純でもおいしいお料理。それからその食事の行為全体を包み込む「場」というものだろう。何はなくても、月を見ながら食事をできたら、それも忘れがたい会食になるし、私は典型的日本人として器の美しさもけっこう好きなのである。

どんな人にも、上流には上流の、中流には中流の、下流には下流の制約というものがある、ということをこの頃つくづく感じるようになった。(上流とか、中流とか、下流とか、いう荒っぽい言葉を使うことを許して頂きたい。私はこういう表現が好きではないし、普段はよほどの理由がなければ、使うこともない。しかしこういう問題をデリケートに話していると、途方もない時間がかかるから、よく日本人のアンケートで使われるように「あなたはどの階層に属していると思われますか」という質問の答えに用意されている言葉として、使いたいと思う)

人間はすべてをカバーするというわけにはいかないのである。私たちの多くは、アンケートの時でも、いわゆる中流階級に属しているという意識を持つわけで、邱永漢氏の名言だったと思うが、「小金のある庶民が一番幸福だ」という考えに同感する人は多いだろうと思う。

なまじっか人の上に立つと、言いたいことも（その人が代表する立場を考えると）口に出来ず、付き合いたい人とも（いろいろ腹をさぐられはしないかと恐れて）付き合えず、行きたい所にも（立場上の制約や時間がなくて）行けず、食べたいものも（宴会が多かったり、病気が出ていたりして）食べられない。金持ちの指導者層は「したいことをしている」というのは大きな間違いなのである。

反対に下層階級と言われる生活状態になると、今度は、金がなくて、何もできないことになる、という単純な図式が見えて来る。

しかしほんとうは、制約はすべての人に同じようにあるのだ。

中流にも不自由で貧困な面がある。つまり、私たちはほんとうの上流も、ほんとうの下層社会も知らない、という弱みを持っているのである。それに加えて日本人の常識と良識が、私たちの思考をがんじ搦《がら》めにしている。

たまたま初めて外国に出たという日本の地方住いの知人とシンガポールの町を歩いていたら、長い裾《すそ》で長袖《ながそで》の服を着て、髪もすっかりスカーフで覆《おお》ったイスラムの婦人とすれ違った。普通の日本人は、イスラムの婦人などを見ることは、めったにないのである。

それで、私が、

「イスラムの人たちは、足とか髪を見せるのは淫《みだ》らなことだと思うんですって。だから、夫以外の男には、髪の毛一本も見せないことを、道徳的な規範にしているらしいですよ」

と言った。こういう感覚を持っているのは、何もイスラムだけではないそうだ。イスラムと対立しているユダヤ教の正統派のラビ（教師）の奥さんなどは、淫らな髪を嫌って丸坊主《まるぼうず》にしているのだという。それでもそのままの姿で外を歩くのはさすがに現代は憚《はばか》られるらしく、外出用にはかつらを被《かぶ》るのだそうだ。

そういう話を聞くとその知人は、少し憤慨したような声を出した。

「髪を淫らだとか、足を淫らだとか、そういうことを言ったらいけないわね」

それはまさに日本人の感覚なのだ。しかしイスラム教徒や正統ユダヤ教徒の女性たちは、夫でもない男に足や髪を見せて平気だなどという女は、娼婦《しょうふ》と同じなのだと言われて育って来たのである。

どちらも自分が正しいと感じる、ところまではまだいい。しかし他を批判するようになると、それが、ボスニア紛争や、ルワンダのフツ族とツチ族の争いと同じ破壊的な情熱になるのである。

人間はどうしても生まれ育った狭い範囲の中で考え生きるようになる。それがその人の運命だ。だから私が、素朴に「母は母で顔なんか注意して見たこともない」と思い込み、一人の女としてその顔の美醜など意識したこともない、と思ったのも、或る意味では自然なのだが、それは決して世界や社会に通じる見方ではないのである。

人間は一人一人、誰とも比べる必要がないのだ、とこの頃ますますはっきり思うのだが、それほど、私の見たところ、誰もがおもしろい使命を帯びて生きているのである。医師と消防士だけが人命救助をするわけでもないのだ。娼婦も酒屋さんもお風呂《ふろ》屋さんも赤ん坊も、知らないうちに、自殺しようと思っていた人を生に向かわせたことがあると思う。娼婦の存在がいいというのではないが、人が性によってもっとも直截《ちょくせつ》に生きる目的を見つけるのはごくありふれたことである。酒に酔うと多くの人はあまり厳密でなくなるから、自分の死の理由も見失える。お風呂に入っている人間は、あまり他人や自分を殺すという情熱に没頭できない。そして自分一人では生きられない赤ん坊を見る時、多くの人は反射的に死の行為ではなく、生に向かう姿勢を取るようになる。

おもしろいものだ。

誰もが、必ず何か大きな仕事を果たしていると思うと、それでいっそう私たちは他人への感謝を持つし、自分が何かをしたという自負を持つこともなくなる。

私が自分の年を感じるのは、重いものが持てなくなったと思う時である。だから出先でお土産をもらうのが一番困る。自負も名誉も社会的責任も、何にせよ、重いものは老年の体には一番醜悪で、体に悪いのである。（一九九四・八・二四）

ティルティルの山の彼方《かなた》で

ハヴィエラさん、と言っても、れっきとした日本人である。年齢は私より少し上のはずだが、少なくとも十五歳は若く見える。

一九七三年、チリで、初めて選挙によって選ばれたアジェンデ社会主義政権が倒された時、彼女はチリの修道院で働くスペイン語の実に達者な一人の修道女だった。私がサンチァゴに入ったのはアジェンデ大統領がモネダ宮殿で殺されて三十数日目であったと記憶する。町には戒厳令が敷かれ、時には銃声が聞こえることもあった。

政変があったから、慌《あわ》ててチリへ向かったのではない。私ともう一人の女友達は、数カ月も前からチリへ行くことに決めていて、飛行機の切符も買った後でクーデターが起きたのである。常識的には旅行をとりやめるものなのだろうが、私たちはそうしなかっただけのことである。ただ混乱に巻き込まれた場合のことを考え、いざという時、陸路をどちらの方面にも逃げられるように、私はチリに隣接したすべての国の査証を取った。それと一ドル紙幣を三百枚用意した。それは非常事態の中で外国人が行動する時に有効なワイロ用のつもりだったが、使うこともなく、札束は重くてかさばって途中で投げ出したくなったのを今でも覚えている。

アジェンデ政権側についていた人たちは、パンもガソリンの配給も手に入り、国営アパートにも簡単に入れたが、そうでない人たちは、延々と並んだり待ったりしなければパンもガソリンも手に入らなかったし、アパートに入ることもできなかった。人間は右も左も、堕落する時は同じ形を取るものだ、と私はおかしかった。

バスも燃料がなくて止まってしまっている路線もあり、工場では工員たちが、出勤の記録だけすると、後は職場集会ばかり開いている、という状況がもうずっと続いている、と私たちは教えられた。子供たちまでがデモに参加した。「ミニストロ、トーント！（大臣のバーカ）」とリーダーが叫ぶと子供たちがそれを繰り返すのだという。スペイン語はこういう時なかなか音楽的で、ひどく調子がいいのであった。

私と友達は、市で一流と言われるホテルに泊まったが、そこの宿賃が一泊二万円だったと記憶する。修道女のハヴィエラさんはそれを聞くと眼を剥《む》き、

「私たちの修道院じゃ、（十人近くだったと思うが）全員が一月《ひとつき》それくらいのお金で暮らしてるのよ」

と言った。こういう言葉に私はひどく弱い。友達と二人ですぐホテルを引き上げて、彼女の修道院に泊めてもらうことにした。私たちがごく安いお礼を差し上げ、時々鶏や

魚を買って持ち帰れば、質素な暮しをしている修道女たちは素直に喜んでくださったものであった。当時のチリは食料が不足していたので、私たちは米を二十キロ近く持って行った。が、それもけっこう役に立った。

それから数年してハヴィエラさんは修道院を出た。こういう人生の重大な決定に関しては、私は理由の一部を知っているような気はするが、それを私の口からは言えない。それは彼女一人の貴重な心の財産であって何人も軽々しく代弁してはいけないからである。

ハヴィエラさんは筆の立つ人だったから、時々手紙をくれたが、遠い世界にいてもよく本は読んでいるし、礼儀正しいし楽しい手紙だった。ただチリにマリアさまが出現する話となると、私は何と返事をしていいかわからなかった。

そのうちに、彼女は、田舎で政府から土地（とは言ってもひどい荒れ地らしいが）をもらい受け、そこを開墾して住むようになった、と言って来た。自分で小屋も建てた、と聞き、私の想像はいよいよついて行けなくなった。私は少し返事を書くのをさぼるようになった。

私は今年から、私が世話人の一人としてスタートした小さなNGO（非政府間組織）活動の結果を調査するための仕事に入った。何度かこのエッセイでも触れたことがあるのだが、それは海外邦人宣教者活動援助後援会と言い、主に海外で働くカトリックの神父と修道女の活動を経済的に支援するものである。私たちが送ったお金が果たしてきちんと機能しているかどうかを見るのが、私の仕事であった。

第一回の調査は、国連難民高等弁務官事務所（ＵＮＨＣＲ）に対しても私たちが出している年間三百万円ほどのお金に対するものであって、それはこの二月から三月にかけて、ジンバブエ、スワジランド、モザンビーク、南ア、の四カ国を公式訪問された緒方貞子高等弁務官の随行を許されることで果すことができた。八月末に再び旅に出たのはその第二回目で、南米のブラジル、ボリビア、チリ、ペルーの四カ国を訪ねるものだったのである。

ハヴィエラさんにもしかすると会うことができるかもしれない、という思いは私の頭を掠《かす》めたが、チリでは、首都のサンチァゴではなく、二百五十キロほど南下したタルカという町で、日本人のシスター・真木が責任者になっている「図書室兼多目的集会室兼視聴覚教育室」に私たちがお金を出して来たので、そこを見なければならない。仕事が優先なのだから、うっかり私的な約束をして、そちらに時間を取られては無責任になる。私はそう考えてハヴィエラさんには何も知らせなかった。しかしまずブラジルに入って、南米風の仕事の呼吸を覚えると、私は改めてハヴィエラさんに予告の手紙を出そうかと考えて、その住所を眺めた。変な表示である。「コレオ・ティルティル・チリ」それだけだ。コレオというのは、郵便とか郵便局とかいう意味だろうが、私書函《ばこ》ならナンバーがあるのが普通だろう。私はこれは彼女の冗談ではないかと思って事前に手紙を出すのをやめてしまった。

しかし私はやはり思い切れなかった。私は普段は電話恐怖症みたいなところがあって、必要な連絡も気億劫《きおっくう》になって何もしない。しかしいざとなると、どこまでも手蔓《てづる》を探して相手を見つけるしつこさも残ってはいた。とは言っても、スペイン語で交渉するのはシスター・真木に頼らねばならない。その結果、私は、彼女の家を訪ねたことのあるシスター・ガブリエラという方に同行してもらえることになった。

ティルティルというのは、物語の町の名ではなく、実在する土地であった。サンチァゴから車で四、五十分だという。しかしハヴィエラさんはその町はずれのうんと離れた山の上に一人で住んでいるという。幸い、ホテルに行くまでに乗ったタクシーの運転手さんがいい人らしいと睨《にら》んだので、半日七千円で彼の車をチャーターすることにした。

何とも珍道中である。シスター・ガブリエラは修道女の服ではなく、きれいなキャメル色のカーディガンを上品に着たすばらしい気品のある老美人だが、彼女は英語を話さない。私の片言のフランス語と百くらいは知っているスペイン語の単語だけで、何とかやって行かなければならない。

果たして道を間違ったおかげで、遠い山路《やまみち》を小一時間も走った。すがすがしい雄大な眺めである。峯《みね》の近くになると、何十キロの遠くまで見渡せそうだが、ついでに人生の見渡しもよくなるような気がする。しかし途中の小さな日用品・雑貨を売る店で聞いても、日本人が近くに住んでいるなどという噂《うわさ》は、聞いたこともないと言う。やっと辿《たど》り着いた山の峯近くの土地は、その日は明るい陽射《ひざ》しがさしていたが、雲の濃い日なら、その中に隠れてしまうかもしれなかった。

「ハヴィエラさぁん、今日は！　私よ、わかる？」

と叫ぶと、

「わからなぁい！」

と元気な声が返って来た。彼女が留守かもしれないという心配はほとんどなかった。電気も路線バスもないところでは、そういうことは考えられなかったのである。

手紙に、「私は元気で、病気をするのではないか、と恐れたこともなく、皺《しわ》なんかなく生きています」という意味のことが書いてあった。その通りであった。元々小柄な人だが、日々の労働で引き締まった体つきになっているから、相変わらず私の末の妹みたいに若々しい。

彼女はその家を、一人で建てたのであった。というと、日本人はすぐ経済的なことを考える。一人で金を出して土地を買ったということではない。少しは手伝ってもらったのかもしれないが、土工事《どこうじ》も大工仕事も、ほとんどの部分は彼女が一人でやった、ということである。

ハヴィエラさんによると、一九七九年にピノチェトが出した第二六九五条という法律は、十年以上放置してある土地は、国有庁が払い下げる、というものであった。ハヴィエラさんは、修道女だった間は当然いつかは日本に帰るつもりだったから、修道院を出ても家も土地もあるわけがない。申請してみると、二万平方メートル強の土地が、三年後に、国の規定条件さえ満たせば払いさげられることになった。その規定条件の一つは墓を買うことだったが、その代金はたった三ドルで、それを六回のローンに分けて買うというやり方だったという。

何しろ、水道も電気もない土地である。炊事の熱源は戸外の薪《まき》とガスだという。そのガスのボンベは、彼女が懇意になった運転手に時々運んでもらうのだが、その人は殺人犯で、十四年の刑のうち七年目で出て来て、目下、保護観察みたいな期間にあるので土地から離れられないが、もう若い女に二人も子供を生ませているという。

水は、山に湧《わ》き水があるのをコンクリートで溜《た》め池まで作って、母家《おもや》に続いた別棟の、四十畳敷くらいの作業棟の一部に引いて来ている。そこには台所と、お湯は出ないが水のシャワーと、桶《おけ》で水を流すようになっている簡易水洗トイレができている。

日本風に言えば、家というより小屋という方がいいような住居は、居間と寝室ともう一つのかけ部屋があるだけだった。家の中は散らかしっぱなしだと彼女は羞《は》じたが、予告もしないで訪ねたこちらの方が失礼なのである。日本の婦人雑誌がずらりと並んでいるが、何しろ電気がないし、夜は狭い家の中で暖房や光源の火を使うと火事になる恐れがあるから、暗くなっても、いかに寒くても、火は使わない主義だという。冬はさぞかし寒いだろう、ということと、夜の読書ができないことを私は気の毒に思ったが、生きるための毎日の労働に忙しくて、横になればころりと眠れる健《すこ》やかな日々なのかもしれない。それは不眠症の人の多い日本にはない、自然の偉大な贈りものだ。

彼女は、夏と冬とそれぞれに一着ずつ、外出着を決めてある、と見せてくれた。それ以外のものを着ることを考えない。お針も上手な人だから、安い生地を買って来て、冬服など手袋までついた面白いデザインである。

それを着て、三月に一度くらいティルティルまで郵便を取りに行き、買い物をする。もし乗せてくれる車が見つからなければ二十キロを歩く。朝早く出ても帰りは夕方になる。

庭には彼女の飼い猫が十四あまりもうろうろしていた。どれも痩《や》せていて、何をやっても争って食べる。私が持って行ったチョコレートの紙まで破って中を齧《かじ》ろうとした。こんなハイエナみたいな猫は見たことがない。

ハヴィエラさんの食料、特に蛋白質《たんぱくしつ》は、特別のケージを作って飼っている兎《うさぎ》を時々殺して食べることで補っているのだが、その兎のために彼女が開墾した菜園には、兎用の餌《えさ》の葉っぱもできている。それを食べに来る野兎は大敵だ。だから猫は、その野兎を追い払うために飼っている。しかしそれらの痩せた猫共を、今度は野生の狐《きつね》が捕ろうとしてやって来る。猫の肩をくわえてぱっと放りあげるようにしてうまく捕獲してしまうのだという。だから大切な「番猫」を守るために、犬も二匹飼っている。ところが犬は、ご贔屓《ひいき》の猫を決め、その猫にだけは餌を分けてやったりしている。

年取ってもここで一人生きるために、彼女は各種の野菜やイチゴなどの果物を植えた。イチゴは年間、七カ月もなり続ける。じゃが芋は二百五十キロ、椅子《いす》になりそうな巨大なカボチャもうんと採った。果樹園にはもう百五十本以上もの果物の木がある。彼女は接《つ》ぎ木もうまいのである。

パンも、決して失敗しないところまでできるようになった。殺した兎の皮を狐が取らないように、小屋の壁の高い場所に張りつけて干すことも覚えた。

彼女はイヤホンでラジオを聞きながら畑をしているから、世界のすべてのことから離れているわけではない。神学的な本も読んでいるし、ヴァチカンに対する批判も強い。チリの政治に関する見方や正義感だけは――私と少し違う点もあるけれど、決して生活の厳しさから外部のことに興味を失っているということもない。

「今晩、サンチァゴで皆でお食事するのよ。ホテルも二つベッドのある部屋に泊まってるから、いっしょにサンチァゴまで出て、一晩泊まらない？　明日、路線バスかタクシーで帰ればいいじゃない」

と私は言った。

「とんでもない」

ハヴィエラさんは一蹴《いっしゅう》した。

「そんなことをしたら、一晩のうちに、この村の連中に兎を全部盗まれるし、他にも何を盗《と》られるかわかったもんじゃないわ。私はここから、一晩も出られないのよ」

田舎なら、穏やかで、開けっ放しにしておいても、ものなど盗られないものだ、と日本人の私は考える。しかし南米では、状況は全く違うのであった。

ハヴィエラさんは南米でよく見られるような不法な土地占拠者ではない。たとえばブラジルでは、誰の土地であっても、一夜のうちに屋根さえ葺《ふ》いてしまえば、それはもうその人の土地だと見なされ追い払うことができない。しかしハヴィエラさんは合法的にここに住んでいる。それなのに、女一人だというので、隣の人に土地を取られかかったり、表札の看板を抜かれたり、表札にピストルをぶちこまれたりしたこともあるという。そういう状況に対して彼女は、闘争的である。広大な二万平方メートルの「ご領地」の入り口には、「この低能め！　立札を抜くな」という意味の強烈な言葉がスペイン語で書いてある。

こういう暮しは、ロビンソン・クルーソーに近いのだろう。しかしロビンソン・クルーソーと明らかに違うところは、彼女の小屋には、きれいな象嵌《ぞうがん》の飾りと蠟燭《ろうそく》を立てる燭台《しょくだい》つきの優雅な古ピアノが置いてあることだった。同行したシスター・ガブリエラが早速蓋《ふた》を取って弾いてみると、音は狂っていた。さすがのハヴィエラさんも調律までは手が廻らないらしかった。

どんなにそのピアノが、彼女の質素な手作りの家に似合わなかろうと、音が狂っていて小さな演奏会を開くことができなかろうと、ピアノは彼女の育った人生の象徴なのだ、という意味のことを、ハヴィエラさんは言っている。ヴェルディをこよなく愛するという彼女は、教養のある家庭に、愛を充分に受けて育った。家では、いつもピアノの蓋が楽譜を載せたまま開いていた。だから開拓者の小屋には、不似合いなピアノでも、それは彼女の豊かな過去の象徴だし、それが自分のアイデンティティーとルーツを示すものだ、ということを、ハヴィエラさんは私に渡してくれた手記の中で書いている。

人は思いもかけない人生を送る。しかし彼か彼女が地球と人生のその地点に送られたということは、そこになんらかの必然があったのだ。どういう必然かというと、それによって、思いがけない方法で、その人の魂が高められる、という必然である。

たった一時間半くらいの後に、私は彼女に「さようなら」を言った。

「残念だったわ。私の作ったおいしい兎のシチューと、採りたてのお野菜の料理を食べさせられなくて」

とハヴィエラさんは言った。お料理の本はかなり持っていて、帝国ホテルのシェフの書いたレシピーで、兎料理を作ることもある、と言う。

いつの日か、彼女自身が、自分のこの特異な体験を書くだろう。そしてそのついでに、ヴェルディ論や、カトリック教会の危機についても書いてくれるだろう。私は今、ハヴィエラさんの途方もないスケールの大きい自由と健やかさを尊敬をこめて思い出しながら、私たちの再会のバックグラウンド・ミュージックになったヴェルディの、「愛し、愛し、泣き続けた」と言われる彼の生涯の旋律を「リゴレット」の中に聴きつつこの原稿を書いている。

（一九九四・九・二九）

アメリカの陰影

先日数年ぶりに、数日間アメリカに行った。私も理事の一人になっている財団の会合が行われたのは、アメリカ側の設定でサン・ディエゴの郊外に当たるラ・ホーヤという静かな海辺の町である。

どこの会合でも食事の時によく出るのがチキンの料理なのだが、小説家はすぐ隣の人の食べ方を観察するので（ということは、私はこの世で大切なことはいっこうに見ていなくて、どうでもいいことばかりに気を取られているというわけだ）、アメリカ人と日本人の違いがよくわかっておもしろくてたまらない。

チキン料理が出ると、私は皮のところだけを剝《は》ぎ、それに僅《わず》かに身の部分をつけて食べる。つまり脂《あぶら》っけのない肉の部分はあまりおいしくないから、飢えている国の人に申しわけない、と思いつつ、つい食べ残すのである。

皮を取り除きながらふと見ると、隣のアメリカ人も同じように皮と格闘している。ただし目的が全く違う。彼は皮を捨てて、健康にいい身の方だけを食べる。

私だけの体験かと思っていたら、同席の日本人が、全く私と同じことに感心していたところを見ると、こういう鶏の食べ方は、今やアメリカの知識人の間では、煙草《たばこ》を吸わないのと同じくらい、ちょっとした常識・流行になっているらしい。

この何でもないチキン料理の食べ方の違いを見ただけでも、日米関係はむずかしい。アメリカ人から見たら、私のような食べ方は、栄養学の知識の全くないヤバン人に見えるだろう。一方私の方もアメリカ人というのは、何てまずいものに平気なんだろう、と思ってしまう。私が日本の通産大臣だったら、アメリカに、肉をほんの少しつけた皮だけを我が国には輸出して頂いて、アメリカ人には、残りのぱさぱさで体にいい肉だけ召し上がって頂く。これが真の日米融和の道なのではないか、と会議の間に考えたりしている。

しかしこういう小さなことから始まって、相手は決して自分と同じ考え方をしないのだ、という自覚を持つことは大切なことなのだろう。ただ、日米が喧嘩《けんか》しないためには、チキンの食べ方の違いをそれ以上拡大解釈しないことだ。「だから日本人には、医学的知識がない」とか「だからアメリカ人は料理の味がわからない」などと言ってはいけないのである。それは純粋に鶏料理の好みの違い、だけの問題なのだから。

まだ日本が貧しい国であった時、アメリカへ行けば、私もまたアメリカの豊かさに圧倒されたものであった。当時「男ものの下駄《げた》くらいあるビーフステーキ」は日本では贅《ぜい》沢で食べられなかった。しかし今の日本では、男ものの下駄そのものをよく見たことのない若者もたくさんいるだろう。当時は「サラダも洗面器にいっぱい」出されれば感動したのだが、今では洗面器という言葉自体が古びてしまっている。

今でもだいたい同じような状況がアメリカでは続いているのだが、今度はこちらが変わって来てしまっていて、アメリカという国は、どうしてこうも性懲《しょうこ》りもなく大量の食べ物を客に出し、そして多くの人がそれを食べ残して平気なのだろう、と思うようになったのだから、人間というのは節操のないものだ。

食事が終わると、また大きなチョコレート・ケーキとかチーズ・ケーキとかが出るので、私はつい、隣にいる若いアメリカ人に尋ねることになった。

「ほんとうにこれだけのお菓子を、皆さん食べてしまうんですか？　日本だったらこの三分の一くらいの量しか出ないのが普通なんですけど」

「私たちも、これは多いと思います」

と彼は答えた。

「僕は食べられますが、ご婦人方はダイエットをしているから、多いと思うでしょう」

「じゃ、どうしてこんなに多くするんでしょう」

「レストランの経営者は、客に、菓子が小さすぎる、と言って文句を言われるのが嫌なんでしょう」

もったいない、という精神はアメリカにはない、と日本通のアメリカ人で解説してくれた人がいる。考えてみれば「もったいない」というのは、実に不思議な日本語で、そこには実に多くの意味が含まれている。食べ物は自分が金を出して買ったものだから、それを捨てるとついでにお金もドブに叩《たた》き込むことと同然だ。だからもったいない、ということだけでもない。それは、或《あ》る存在そのものが生きなかったことへの、或いは、存在自体を私が生かし切れなかったことへの、悔悟《かいご》の気持ちなのである。しかしそういう悔悟そのものが、非常に日本的なものだと言う。

私は昔から、あまりアメリカとご縁がなかったので、今でもアメリカはまさに巨象のままである。つまり私は「群盲」の一人に過ぎない。だからよく、アメリカは昔からこうだったのだろうか、と思う。

ラ・ホーヤでは、古くから有名だったラ・ヴァレンシア・ホテルに泊まった。これはちょっとした歴史の宿なのである。その名前の通り、それはスペイン風の外観を持つ古いホテルで、したがってイスラム風の金色のドームを持つ塔が目印になっている。ホテルの故事来歴を書いたパンフレットが部屋に置いてあったので、私は早速それに読み耽《ふけ》った。

ホテルは一九二六年に建てられたのであった。その当時、このホテルがどれほど、「裕福で、有名な」アメリカ人たちを惹《ひ》きつけたのか知らないが、開店以来ここは一種の甘い憧《あこが》れを秘めた宿になったようである。まもなく一九三〇年代の不況が来るが、それにもかかわらずこのホテルはハリウッド・スターたちのご愛好の宿であった。ガルボ、ジョン・ギルバート、ラモン・ノヴァロ、チャップリン、グルーチョ・マルクス、リリアン・ギッシュ、メリー・ピックフォード。なるほど古い名前だが、パンフレットは彼らの心理を正確に分析する。

「有名人たちは、自分たちが受ける特別な待遇が、自分たちが誰であるかを知られているが故《ゆえ》であることを知りながら、自分たちが誰であるか知られていないことを好んでいるように見せかけるのが好きであった」

「有名人たちは、自分たちが全く特別扱いされないということに満足していたし、そして他の人たちは家に帰ってから知り合いに自分たちが有名人のように待遇されたことを語るのであった」

これなどは、ずいぶん正確に、そして皮肉に、人間の通俗的な精神を物語っている。

しかし私が時差ぼけの眠い眼をかっと目覚めさせてもらったような気がするのは、一九四一年の記述である。

「ラ・ホーヤの住人にとって戦争が始まった時のことは決して忘れられない。

一九四一年、十二月七日、日曜日の午後、住人の一部は、隣接しているサン・ディエゴにゲーリー・クーパーの新しい映画『ヨーク軍曹』を見にでかけていた。映画は中断され、劇場の放送は、すべての軍関係者に、すぐ基地へ戻って申告するようにというアナウンスを流した」

「金色のドームを載せたホテルの塔は、やがていつも敵の（つまり小狡《こずる》いやり方で真珠湾を攻めた日本の、ということであろう。曽野注）飛行機が現れないかを見張るホテルの客でいっぱいになった。市民防衛のプログラムの一つとして、塔には二十四時間二時間交代で見張りが置かれていたのである」

戦争は終わった。「一九四七年から一九六四年の間、ラ・ホーヤ高校のオーディトリウムに置かれた『劇場』はこの国のよりすぐりの夏の劇場であった」

そこでもきら星のような名前が並ぶ。グレゴリー・ペック、メル・ファーラー、ジョセフ・コットン、チャールトン・ヘストン、ジンジャー・ロジャース、ジェニファー・ジョーンズ、デーヴィッド・ニーヴン。昔は、こういう美男もいたという証拠のようなグレゴリー・ペックやジョセフ・コットンのお泊まりになった部屋が、私に当てがわれたこの部屋かもしれない……と思う趣味は私にはあまりないのだけれど、可能性もなくはないのである。

当時を偲《しの》ばせるのは、小さなバルコニーに面した木製の戸で、そこから洩《も》れる隙間風《すきまかぜ》で風邪をひきそうになったという理事もいた。「海風が入るのは、サナトリュウムみたいで気持ちいいじゃありませんか」と私は同情しないが、寒がりのその人は、肩の辺りがすうすうして寝られないのだという。そして、私の部屋のバスタブは、排水の能力が極めて悪い。一度、フロントに言って、修理屋さんに見に来てもらったのだが、人のよさそうなその男は「ＯＫ」とにっこり笑って帰って行ったものの、結果は彼の来る前と全く変わらなかったのである。

会議が終わると、個人的な友人に会うために、サン・ディエゴのコロナードという半島のホテルに引っ越した。昔から海軍基地があった関係で、ここには退役した海軍提督がたくさん住んでいるという。ラ・ホーヤも引退した人たちの多い住宅地だと聞いている。考えてみれば、昔話を愛好することと夕陽の美しいことは、いいコンビネーションだ。いずれも過ぎ去ったものを追っている。私は昔話が嫌いで、戦後五十年目に当る来年は一年中マスコミが戦争の話ばかりするだろうと思うと、それが嫌で、一年間どこかへ逃げ出したい思いに駆られているが、夕陽は生まれてからずっと溺《おぼ》れるほど好きである。

ふと、アメリカはいったいどうなったのかと思う。一九六〇年代には、あれほどぴかぴかに輝いていたアメリカは、今は時々私が当惑するような面を見せる。コロナードの、大衆的ではあるが名前の通った新しいホテルでも、今度はベッドの読書燈《とう》が一つつかない。球が切れたのだろう、と思って換えを持って来てもらったが、球ではなくて、アームの部分が歪《ゆが》んで接触不良になってしまっているのである。今度は直し屋さんが来てくれてすぐに直ったが、こういうことは、掃除の段階でチェックすれば防げることなのである。二つの上等ホテルが二軒とも、部屋の設備に不備があったからと言って、それでアメリカを推《お》し量ってはいけないのだが、そういう理性をまた排除しなければ勤まらないのが小説家というものでもあろう。

ラ・ヴァレンシア・ホテルでもう一つおもしろいのは「ザ・ウェーリング・バー」というバーにある勇壮な捕鯨の絵である。尾を垂直におっ立てた鯨に対して小さな捕鯨船がいどみかかる。鯨の一頭は船を真っ二つに折ってしまっている。アメリカでも、捕鯨は勇壮な男たちの海の叙事詩だと考えられていたのである。それが急に鯨捕りは悪徳だということになってしまった。

文学的に言うと、アメリカは今、最高の爛熟《らんじゆく》期に入ったはずなのである。チェホフの『桜の園』がその典型だが、陰りのない進展ばかりの日々から生まれた頽廃《たいはい》のない文学など、味つけのない料理を食べさせられるようなものだ。日本は戦中・戦後に失意と喪失の悲しみに溢《あふ》れた時代があった。だからこのちまちました国民にしては、まあまあ陰影を持つに至った。今でも広大な土地と、底力を持つアメリカが、向かうところ敵なしの順調な発展を遂げ続けているとしたら、それは多分人間的に不気味なものになって行くだろう。

ラ・ホーヤでの最後の朝、会合に出ていたアメリカ人が一人で食事をしていたので、

「ごいっしょしてよろしいですか？」と礼儀上、同じテーブルに坐《すわ》ることになった。アメリカン・ブレクファーストと呼ばれる卵もベーコンもついた重い朝食もあるのに、この世界的に知られた大会社の社長さんだったという人は、バターと蜂蜜《はちみつ》をつけたふすま入りのパン少量を置いた小さなお皿の前に、ちんと坐っている。他にあるのはミルクのグラスだけである。人は人で、私はふわふわのブルーベリー・パンケーキを取ってメープル・シロップを溢れるほどかけることにする。

アメリカはかつて一度も民主主義的であったことなどない、と彼は言う。どれかのパワーが君臨していて、それが民衆を支配して来た。だから、アメリカが民主主義国家だというのは、そうでありたいという希望を表しているにすぎない、と言う。

どこの国にも、純粋ということはない。社会主義も、資本主義と比べものにならないほど、人民を殺戮《さつりく》し、特権階級を作って栄華をむさぼり、ネポティズムを煽《あお》り、嫉妬《しっと》と報復を社会的なエネルギーとし、官吏は公然と堕落することを証明した。しかし自由主義側にも、完全な民主主義国家などというものも現存しないし、将来もまた出現しないだろう。なぜなら、人間は、自分が落ちぶれた時にだけは平等を望み、少し人よりいい生活ができるようになると、人と同じでないことを望む、という幼い欲求を持つのが普通だからである。

最近の特徴は、ブラックの人たちが、白人を嫌い出し、自分の方から分離政策を望むようになっていることだとその人は言う。テレビは黒人大学で、ユダヤ人を公然と攻撃するリーダーが現れたことを報じていたが、差別というものは、されている側が、している側に向かって、心の底からそのような感情を追放せよ、と言ってみても全く無駄なものなのだと私は思っている。一番いいのは、感情的に差別されても一向に困らない、というシチュエーションを作ることで、そういう場を作り守ることが法治国家の任務であり、そう思える心理状況に到達することを、個人的な実力というのである。

未婚の母の増加も、大きな問題だ、という。アメリカ合衆国だけではない。これは、キリスト教圏であった国々の一般的な特徴だ。南米でも、多くの娘たちは十三か十四で初めての子供を生むが、もちろんそれは、正式な結婚によってではない。

このことは明らかに、宗教が人間の心を規制する力を失ったことを示している。ルワンダで殺し合っているフツ族とツチ族は共にカトリックなのだ。

紀元前十八世紀中頃に出来たハンムラビ法典によって、「同害復讐《ふくしゅう》法」と呼ばれるものができた、と私は教わった。つまり復讐が限りなくエスカレートをするのを防ぐために「目には目を」というのは、目をやられたら復讐も目だけにしなさいよ、ついでに手も切り落とすのはいけないよ、と限定復讐に留めることを教えたはずであった。キリスト教は、それに対して「右の頰を打たれたら、左も差し出せ」とその復讐の情熱を根絶しようとしたのだが、ルワンダで行われていることは、ハンムラビ法典以前、つまり紀元前十八世紀以前に戻ってしまったのである。

しかしアメリカはやはり偉大な底力を持っている。いろいろな人がいて景色は雄大である。それを思ったのは、掏摸《すり》に対する警告が、各国語でひっきりなしに繰り返される殺風景なロスの空港のキャフェテリアに入った時であった。レジに並んだ時、私の前には、子供を連れた女性がいた。

そこまでは、彼女はどうやら、お盆をカウンターの上で滑らせながら来たのである。しかしそこから、テーブルまでお盆を持って移動するとなると、もうどうしていいかわからない。その時、レジのおばさんは私に陽気な声をかけた。

「ちょっと待っててね。私、今この人をテーブルの所まで連れて行ってあげて来るから」

一国を偉大かどうか思わせるのは、庶民の小さな徳の力なのかもしれない。

（一九九四・一一・六）

Ⅲ「ほほほ」

「ほほほ」

十一月十日付の朝日新聞に出た一つの記事を私はやはり記録すべきだろう。「週刊文春が今年(一九九四年)六月から七月にかけて連載したJR東日本の労使癒着《ゆちゃく》の経営体質を批判した記事を巡り、発行元の文芸春秋とJR東日本との間で続いていた紛争が(十一月)九日、一応、決着した。文春側は十日発売の週刊文春十一月十七日号に破格の大きさの『おわび』を掲載し、JR東日本も東京地裁に起こした損害賠償請求などの訴訟について和解する。しかし、両社の対立は、JR東日本による週刊文春の販売拒否に発展し、今も同誌はJR東日本管内のキヨスクで販売サボタージュを受けており、『言論出版の自由』を流通段階で侵害する、という側面を強く持っていた」

同じ日の読売新聞には立花隆さんの話として「あまりにも屈辱的な謝罪内容にびっくりした。JRの販売妨害に文春が耐えられなかったためと聞くが、このような独占的流通業者による言論妨害は許されてはならないことだ」という談話が載っている。そしてこのような「良識ある冷静な判断」が、論評の主流を占めたことも、私はよく知っている。

日にちの上で前後が厳密ではないのだが、私が所属している日本文芸家協会からも、その問題についての通知が来た。それでヒマ人の私は、早速その数日後に東京駅を通りかかった時、キヨスクに寄ってみたのである。果たして「週刊文春」はない！　やっぱり！　と思いかけて気をつけてみると、「週刊新潮」も一冊もなかった。この二誌は確か同じ曜日に売り出すはずだから、どっちもないということは答えにならない。

そこで私はもう一軒別のキヨスクに行ってみることにした。こちらにはあったあった！　両方共どっさり、同じくらいの高さ（部数）だけあった。ただしイジワルに観察すると、かなり奥の方に積んであった「週刊新潮」のさらに一列奥に「週刊文春」があった。これは悪意だろうか、と考えつつ私はその場を離れた。キヨスクのオバサンに「あのう、どうして『週刊文春』を後に置いたんですか？」と聞いてみたい気もしたが、世間は私ほど下らないことに時間を潰《つぶ》すことに意義を感じないものなのである。ただキヨスクでは客が手の届かない場所に置いてある雑誌は買わない、ということもないだろうから売行きにはさして違いはなさそうに思われた。

文芸家協会の方々は（私も理事の一人なのだけれど）手紙を出す前に、独自の調査をされたのか、それともＪＲ東日本が、事情を嗅《か》ぎつけて素早くおいたのか、どちらなのだろう。

私は時々、自分を冷静な性格だと思うこともあるのだが、こういうことになると、ほんとうに悪い意味で「女性的に感情的」だと思う。私は或《あ》る会社で、嫌な目に会うと、もうコンリンザイその会社のものを買わないのである。私は決してわずかばかり知られているかも知れない自分の名前を振りかざして、相手の態度が悪い、と怒ることはない。私は普通の買い物をする時には、ほとんど本名を使っているから、相手は私がどういうおばさんか、全く知るわけがないのである。

相手が信じられないほど態度が悪かったのがきっかけで、私はN社のワープロを買わないことになった。以後かなりの台数を買ったが、すべてF社の製品である。

自動車も同じであった。私は小さなNGO(非政府間組織)の組織で長年働いているので、時々、車を買って途上国に送る必要があった。アフリカのチャドに向けて、足に障害を持つ子供たちが坐《すわ》り易《やす》いように、内部の椅子《いす》の構造を特殊仕様にしたミニバスを買いたいと言ったら、その日本一の自動車会社の車を売っている商社の男は「うちではそんなことをしても儲《もう》からないから」とわざわざケンカを売りに来た。人のうちにケンカを売るために訪ねて来る人が商社にいるというだけで、私はびっくりして相手の顔を眺めていた。こういう事件はたまには退屈しなくていいのである。しかし以後その会社の車は決して買わない。その後買った四台の車は、いずれも別の会社のもので、そちらはカトリックの大学を出た青年が、実に細やかに面倒を見てくれたのである。

こういう自分本位の感情的な反応が、つまり庶民のものなのである。こういう単細胞的な情熱が、自然に小説の種でもある。しかし私は別に、友達や知人に、あそこの自動車会社のものは買わないようになさい、などとは言わない。

私がもし小さな書店の持主で、何かのことで自分のことを全く間違って悪く書かれたら、その週刊誌を公正に自分の店においたりはしないと思う。私は以後、その週刊誌を全く扱わないか、契約を楯《たて》に扱わなくてはいけないのなら、毎週一冊ずつ自分が買って、それをすぐ捨ててしまう。それでも売ったことにはなるだろう。

ＪＲ東日本も、今は国鉄ではない。私企業なら、自分をやっつける記事の出ているものは、売らなくて当然だと思う。文藝春秋も販売拒否という形で、記事に圧力を掛けられたと感じるかもしれないが、売らない方も損をするのだ。損を承知で、自分の不利益になることはしない。こんなことは世界中の、理性的ではない、感情的な庶民の、当然の戦いの方法だ。それもできない、ということは、別の形で表現の自由を奪うことになる、と私は思い、そう書いたこともある。自分のことを間違って書かれた記事まで「言論表現の自由を守る」原則で売り広めなければならないなどという、不自然でゴ立派な人間性が通るとは、私は感情的な人間だからとても思えないのである。

たとえどんなにＪＲ東日本のキヨスクが巨大な売上高を誇っていて、それが「週刊文春」の販売を拒否することで圧力を加えようと、そんなことは出版事業の経験の長い文藝春秋であれば、充分予測のついたことだったのではないのか。予測がつかなかったということは編集責任者に目がなかったということだ。

そこで次なる戦いの段階が始まる。

ほんとうは、私の言いたかったことは、長い歴史を持った文藝春秋が、どうしてそんなに簡単に謝ったのだということなのだ。充分な裏付けを持っていたなら、どんな圧迫にも耐えて戦うべきだったろう。それこそが、「週刊文春」の新たな戦いのテーマであり、それによって充分な読者を引きつけることはできる筈《はず》だ。その捨身の戦いをしている様子を見れば、また私のようなヤジ馬が「JR東日本ってほんとにひどいとこなの。できたらJRに乗らないで、私鉄に乗りましょう。そして『週刊文春』を必ず買ってあげて」などと幼稚なエールを送ることにもなるのである。

私はこの事件をかなり悲しく感じている。かつて朝日や毎日や読売が、人民を殺し、その自由を奪った中国やソ連に対して尻尾《しっぽ》を振っておべっか記事しか書かなかった時代にも、文藝春秋は他の雑誌社系の週刊誌と共闘して来たのであった。ベルリンの壁が開かれる前後、私は何度かニュースを見ながら泣いて、身近な人に「鬼の眼の涙じゃないの?」と笑われた。一九六〇年代、七〇年代には、朝日新聞を頂点とする「進歩的」なマスコミ・言論界は中国を恐れ、私のような者は原稿の文面にさえ干渉された。時には削ることを命じられ、「上の人」から注意が出れば輪転機を止めて途中で原稿を引きずり下ろされ、結果としては「干された」時代が続いたのである。その長い言論圧迫の時代の後に、あのベルリンの壁が落ちたのだから、私は感動して当然だろう。そして文藝春秋は、その中国万歳の時代に抗して来た自由主義の拠点の一つであった。

自信があるなら何故《なぜ》戦わないのだ。自信がないなら、良心にかけて書くべきではなかったし、その程度の取材しかしなかった編集の責任は、誰かがしっかり取るべきだろう。そうでなければ、まもなく文藝春秋は、出版界の良心の一つであった過去の歴史に終止符をうつことになる。

売上を確保するため、妥協せざるを得なかったなどというのは、言い訳にならない。そういう行為は三つのことを明白にするだけだ。第一は、押されれば引かざるを得ない程度のやっつけ仕事だったということ。それは、どこかの「赤新聞」ならぬ「赤週刊誌」、あるいは「イエロー・ペーパー」ならぬ「イエロー・マガジン」だということだ。第二に、押されたらどうなるかすらも見抜けなかったということは出版界の素人《しろうと》のすることであり、第三に、文藝春秋はかつて真理と自由のためには体を張っても闘ったというあの勇気を全くなくした、ということだ。

去年の秋、私は皇后バッシングの問題で「週刊文春」に楯突くような記事を書いた。皇后陛下がどういうお人柄かなどということは、我々遠くにある者は証明のしようもなく、かつ善悪の判断の基準さえない。そういう要素に対しては、私は触れなかった。ただ「週刊文春」が明らかに皇后陛下に対して非難の材料にした幾つかの事柄に対して、私は宮内庁に質問書を提出し、それに事務的な答えを得たのである。

「週刊文春」は新御所の完成に近い段階で、「八十畳の大広間」と「来客用の寝室、浴室などの宿泊施設も作られている」と書き、迎賓館があるのに、今また御所の中にそういう部分を作るのは無駄、という論調を展開した。

数字は簡単でいい。新御所の一番大きい大広間は六十五畳であり、また国賓を泊めるような宿泊設備は初めから全く計画になかった。

また「昭和天皇がこよなく愛しておられた自然林が（新御所のために）丸坊主《まるぼうず》にされた」と「週刊文春」は非難した。その張本人は新御所の建設に熱心だといわれた皇后のせいだというのであった。宮内庁の回答によると、この自然林が最初に切られたのは、昭和天皇用のゴルフ場を作るためであったという。しかし昭和天皇は盧溝橋《ろこうきょう》事件あたりから、国民と苦楽を共にされるということで、ゴルフ場は使われなくなった。そこで同じ場所はいつのまにか二次林か三次林かの雑木林になっていた。新御所はそこに造られた。しかし、江戸城の歴史から数えると、何次林というべきか、誰にも正確にはわからない、と侍従は答えに慎重になった。

「週刊文春」はまもなく皇后バッシングをとりやめた。しかも言い訳になっていない言い訳を掲載して路線を変更した。その時も私は今と同じように感じたのを思い出した。

もし、文藝春秋が日本の未来を憂《うれ》う気持ちから、信念をもって皇后バッシングをしたのなら、それは続けるべきだったのだ。社長の家にピストルが撃ちこまれようが何しようが、である。危険があるから引っ込む程度なら、つまりそれは「弱きをくじきて強きを助ける」程度の姿勢だったのだ。それならその右顧左眄《うこさべん》路線をはっきりすることだ。私たちは皆卑怯者《ひきょうもの》なのだから、私はそうとわかればそのつもりになる。二度にわたるお詫《わ》びの姿勢からみると、文藝春秋は昔と違って、まず取材にも厳密さを欠き、お利口さんになって危険と損には一切かかわらないことにしたのだろう。社員にとっては慶賀すべきことだろう、という気持ちがないでもない。

それに——まあ、いいや、と私は急に無関係に明るくなる。最近の「週刊文春」がどんないい加減な週刊誌になっていたって、私はもう間もなく死ぬ世代なのだから、ほとんど何の関係もない。年を取るということは、何と爽《さわ》やかなものか。

考えてみれば、すべてのことは移り変わる。私をも含めて、誰もが老い、死ぬ。或る一時期その時代の良心を支えていたかに見えた雑誌も衰退する。それは自然の理というものであって、何ら特異なことでもなければ、悲しむことではないはずでもある。

十一月二十日付の産経新聞の読書という欄に、司馬遼太郎氏の「街道をゆく　四十台湾紀行」の書評が出た。筆者は同新聞社の論説委員長という方である。

司馬氏と李登輝総統は深い友情と尊敬を持ち合い、李総統が「司馬さん、あんたはボクより台湾のこと、詳しいね」と言われたという逸話なども紹介されている。そして論説委員長は書いておられる。

「二十二年前の一九七二年に、『中国か台湾か』の二者択一を迫られて、日本が中国を選択して以来、台湾は日本の視野から消えかかったも同然であった。大物とされる政治家であっても台湾に接近すれば中国から排除されるのではないかと恐れて、敬して遠ざける風潮が今なお強い。敢《あ》えて火中の台湾を温かく拾い上げた司馬氏の勇気をなんと称《たた》えればいいのだろうか」

しかも産経新聞の見出しは「タブーに挑戦…勇気ある探訪」である。

これはどういうことなのだろう。この本は朝日新聞から出ているので、この論説委員長という方は、朝日新聞の論説委員長かと、一瞬思ったくらいである。それなら中国に迎合し、文化大革命によって南京虐殺《ぎゃくさつ》どころではない多くの人の人命を奪い自由を剥奪《はくだつ》した中国に対して、一切の批判をしなかった朝日らしい言い方ということはできる。

産経の論説委員長にまさかお教えしなければならないわけでもないだろう。しかし今は亡《な》き柴田穂《しばたみのる》・元北京特派員のもとに、産経は北京から追放されながらも、ずっと二つの中国の認識の上で台湾に支局を置き、それ故《ゆえ》にこそ、北京に追従した他の全国紙にはできなかった真正な中国報道を続けて来られたのである。その当時に、司馬氏が台湾に接近したのなら、「勇気ある行動」と言えたかもしれない。しかし今中国が変質して来た時に、台湾と近づくことが別に「何と称えればいいかわからない勇気」でも何でもないだろう。ましてや司馬氏は政治家でもないのである。

こういう見当違いな贔屓《ひいき》というのは却《かえ》って司馬氏のお仕事を引き倒すものだろうと思うし、それは産経の光栄ある歴史に対して全くの時代錯誤の表現であり、その時代を闘って来た社員や記者諸氏に対しても失礼というものであろう。

そういえば最近でもまだ時々奇妙な論理が見える。それは天皇制や政府の権威を認めなかったり、アメリカに楯突くようなことを言うことが、勇気ある行為だとほめそやす、この論説委員長とよく似た論理である。

今の日本の言論には、勇気がなければ言えないことなど普通にはあまりない。ただし、どんな場合にも相手を文字の上で殺したりする非礼は避けることだろう。政府の悪口など、日本中が投書したり書いたりしている。ただ損をしたくないと思うと少し行動が不自由になることはあると思う。しかしこれはその人が自由意志によって計算して選んだ功利なのだから、仕方がないのである。

過去に深沢七郎氏の作品が皇室を侮辱しているというので、その作品の出版元である中央公論の社長の家に押し入ってお手伝いさんを刺殺し、夫人に重傷を負わせた事件があった。しかし進歩的言動だけが、そのような極限の暴力に曝《さら》されて来たわけでもない。

私の知る範囲でも、元警視総監だった土田國保氏は、氏が警視庁警務部長時代に自宅に送られて来た小包が爆発して夫人を亡くされた。右も左も時々こういうことをやる。右翼が浅沼さんを襲ったり朝日新聞を襲撃したりすれば、左翼は企業爆破やハイジャックをやる。どちらかというと右翼が一人一殺風であり、左翼は集団抹殺《まっさつ》が好みのように見える。

天皇制を拒否することがいかにも勇気あることのように悲壮がってみせるポーズがおかしいのは、それが時の権力に反抗することだけではなかったからだ。むしろそれは、朝日新聞と岩波書店のお気に入りになることであり、それは進歩的文化人として人気を集める効果もあった。そして権威主義という毒は、天皇制や政府の付近にも発生するのだろうが、同じようにマスコミの世界では、たとえばの話だが、朝日新聞や岩波書店の付近にも常にモヤモヤと発生するのである。

くだらないことだが、村山総理という方はほんとうに始終「なんとかじゃ」とか「何とかだのう」というテレビの水戸黄門みたいな口を実際にきいておられるのだろうか。今、生きている人で、そういう語り口をする人に私はここのところあんまり会ったことがないので、興味を持っている。

昔、上品ぶった人は「ほほほ」と笑うと決めてかかっていた才能のない女性記者がいた。私の記事まで、私がほほほ、と笑ったと書いてあったので、私はその人も一度実際に鏡の前で笑ってみればいいのに、と思ったことがある。

ほほほ、と笑うのは大変なのだ。頰が引きつってしまうほど下らない力が要り、笑う気力を失う。殊《こと》に私は出っ歯気味なので、ほほほと笑おうとすると、唇をヒョットコになるまで寄せて持ってこないとできない。しかし或《あ》る種の女はほほほと笑うと決めてかかると、もう実際に相手がどういう笑い方をしているか、目にも耳にも入らなくなる。

もし村山総理が「なんとかじゃ」とは実際には言っておられないのなら、そう書いた記者はすべて耳が悪くて談話を取る資格がないということで現場を引かせた方がいいし、もしほんとうに今どき珍しいそういう古い言葉を乱発されているのなら、テレビで「総理の昔語り」をじっくり聞かせて頂くのも、冬の夜長には心温まっていいかもしれない。

（一九九四・一一・二八）

近ごろ好きな言葉

平成五年の十一月に、私は一つの民間の研究会に来ないかと言われた。「遺伝子問題研究会」という。そこには医師、研究者、法律学者、哲学者、ジャーナリストなどさまざまな分野の方たちが集まっていたが、最近ではそういう時、小説家などという何が専門かわからない者も入れようという機運になって来たのである。

私は学校にいる時、自然科学系の科目はすべてだめであった。しかし私は法律雑誌を読んだり、医学の一分野を齧《かじ》ったり、哲学の本を読み散らしたり、心理学の本を半信半疑で読むのもおもしろいと感じていた。遺伝子の問題は今世紀最大の人間の挑戦であろう。自分の中で答えなどでっこないが、問題を知ることは避けては通れないだろう、と重苦しく感じていたのである。

私は専門家たちの間に坐《すわ》って話を聞いていた。そして、今までの、人工受精とか、臓器移植とかの問題とは比較にならないほどの大きな重いテーマを、この問題は含んでいることを感じていた。

ちょうどその一年の間に、私にとって小さな事件があった。或る日私は突然一通の手紙を受け取ったのである。それは東京のローマ法王庁大使館から出されたもので、中には私が「ヴァチカンのアカデミー・オブ・ライフの会員に推挙されておめでとう」という意味の手紙が入っていた。しかし私は全くの初耳であった。人違いではないか、という気がしたが、「お間違いですか?」とわざわざ聞くほどのことでもないので、数日が流れた。

やがて、ヴァチカンからもう一通の書類が送られて来た。そこには、アカデミー・オブ・ライフの会員として、一切の遺伝子操作に反対します、という意味を含んだ書類にサインするように、という手紙が入っていた。

私はその手紙には誠実に答えなければならないと考えた。むずかしい文章になる。私は英語が母国語の知人の女性に手伝ってもらって、ヴァチカンへの正式の返事を書いた。

私は、心情としては遺伝子を軽々しくいじらないことに賛成である。しかしその場合には、私たちは、もし遺伝子を操作すれば救うことのできる病気の人をも見捨てたということを自覚しなければならない。そうでなく、ただきれいごとで遺伝子をいじらない、ということは言えない。

大使館を通じて通知をもらったので、返事も大使館を通じてするような形式になっていた。しばらくすると、私の留守にヴァチカンから電話があり、午後、再度、大司教が電話をするから、ということであった。その時間になると、ローマからは正確に電話があり、私は大司教と、柔らかなくだけた会話でその点を話し合った。しかし私たちの間に妥協点は見出《みいだ》せなかった。

「あなたは、その点に同意のサインをしなければ、アカデミー・オブ・ライフの会員になる資格を失うのですが……」

大司教はまだ、私を何とか救いたいと思ってくださっているようだった。

「はい、承知しております、大司教さま」

「それでもできませんか？」

「できません。お許しください」

それで私は会員の資格を失ったのだった。会議ぎらいで、人中に出るのも好きではない私を、神さまがちょうどいい口実を見つけて救ってくださったような気がしないでもなかった。

遺伝子問題研究会では、会員が、順番に、自分の自由な意見を述べなければならない。当然だろう。学士会館の一室で、世界的レベルのいい話をただで聞けて、学士会館らしい感じのいいお昼ご飯を頂いて、お車代の封筒をもらい（私は地下鉄で行くから、中身は確かに余る）、「どうも、でした」（私の息子の口癖の言葉。感謝のつもりらしい）だけでは、話がうますぎる。

およそ私くらい、専門分野がないのに、専門家の前で発表をしなければならないほど、みじめなことはない。しかし一人の素人《しろうと》が、一九九〇年代には、この問題をどの程度理解せずにこういうことを言っていたか、ということは、それなりに一つの時代を表した記録として、タイム・カプセルに入れておいてもいいものなのだろう。私たち小説家などというものは、まさにそういう時のために存在するのだ。

十二月十七日に私はついに発表をすることになった。前日に、作文をした。私は講演の時は、原稿など書かないのだが、この頃、こういう短めのスピーチをきちんと原稿に用意するのが好きになった。だからと言って内容が濃くなるわけではないが、薄いなりに順序を立てられ、余計な時間を使わないで済む。

発表の後の雑談の時、座長の加藤一郎先生が、私が発表したペーパーをどこかに載せるといい、と言ってくださった。「こんなものを」と瞬間私が思ったのは決して嘘《うそ》ではない。しかし家に帰ってスケジュールを見ると、普段は月初めに渡せばいい「新潮45」の締切も迫っている。加藤先生の「天使の優しさ」を持ったお言葉は、私の中で「悪魔の誘惑」に変化した。この原稿を使ってしまおうか、と。

以下は私がその日読み上げたペーパーである。

「この研究会にお呼び頂いて、ひたすら得をしているのは、私だけであろうという認識をいつも持っております。そのような素人を寛大に会の一隅にお置き頂きましたことにいつも感謝しておりますことから始めなければなりません。そして今日の発表は、一種の時間つぶし、基礎の分かっていない空想エッセイという気もいたしますが、勉強会への出席を許可されたお礼に、できるだけ短く申し述べたいと思います。

実は、勉強はさせて頂いても、この問題についてはただの一度も本気で考えることなく、勿論《もちろん》書くこともなく、この世を去るのが、私の理想でした。あまりにも恐ろしい重大な問題なので、まじめに考えようとする度に、私は草臥《くたび》れ、辛《つら》くなり、恐怖に捉《とら》えられました。そして幸いにも私は若くないので、この問題とまともにぶつかる機会を避けて死んでしまえれば、利己主義の私にとってはそれが解決、というふうに考えていたのです。

私がまだ少女時代には、文学の世界においても長寿は一つの疑うことのない人間の希望でありえました。今はもうほとんど読む人もないそうですが、徳冨蘆花の『不如帰』の浪子は結核に犯されながら『千年も万年も生き』ることを希《ねが》うのです。当時の人間の寿命が人生五十年であったことを思えば、この希望は人間の最も自然な本質を衝《つ》いたものであったということもできるかもしれません。

しかしそれが簡単にくずされたのは、私が五十歳近くなって視力を失いかけた時です。生きるということは私にとって本を読み、人に出会い、光景を見るということでしたから、盲目の人生というものの中では、どうして私らしい時を過ごしたらいいかわかりませんでした。もちろん人間はしぶとく生に向かって狂奔するものですから、私が盲人になっても、最終的には人並みに嬉々《きき》として生きるような生活の技術を覚えたとは思います。

しかしその頃、知り合った一人の眼科医（主治医ではない方です）がその時、私との雑談の中で、もし人間の寿命が三百年になったら、それは視力なしで生きる人にとっては長すぎると思うことがある、と言われたことを今でも忘れられません。私自身、当時視力を失って生きるより、ごく自然に事故に遇《あ》って死ぬ機会を望んだことがありました。自殺の想念が頭を掠《かす》めない視力障害者はごく少ないので、眼科医の診察室で、生きるより死んだ方がいいと希望する患者がしばしばいたとしても、私は当然だと思います。

もちろん私たちは、それはあくまで個人の性格と感受性の問題であり、盲目で聾唖《ろうあ》で、手足の不自由があるというような何重にも重なった苦労を背負った人でさえ、なお永遠に死ななくて済むことを望む人はもちろんいるだろう、という可能性を、充分に考えた上での会話でありました。

生きるに価《あたい》する人生、というものは、人一人一人によって違うことは当然の前提条件ですが、それを図る尺度には、必ず『幸福』というものが存在することはまちがいないでしょう。その幸福というものも、定義はまちまちですから、他人の幸福を推《お》し測って判断することほど、失礼なことはありません。死なないことを幸福の最低必要条件にする人もあり、死の危険をおかしても冒険を続けたいと願うたくさんの人々の存在がその反対の希望を表しています。しかしいずれにせよ、そのキィワードは幸福なのです。そして幸福は、冷静な客観的認識と、時には麻薬的だとさえいえる主観的錯覚（或《ある》いは思い込み）との、二つの相反する要素によって支えられているという矛盾もまた真実であろうと思われます。

私は小説家というアイマイモコとして相対的な人間観察の仕事に就きました。そしてその結果、人間性の半分に希望を見出し、残りの半分に深い絶望を感じました。もっとも絶望と言っても、それは、人間の『分際』からみれば、当然のことであって爽《さわ》やかな快感を持つ絶望とでも言うべきものです。つまり、それは人間の浅知恵の限度を知ることであり、人間の将来が常に予測とは違う方向に向かうという現実でありました。

このような問題について実証するのはいとも簡単なことです。たとえば私たちは、飢餓社会からみれば夢のように幸福な飽食の結果として（いつでもではありませんが）しばしば、不服だらけの人間を生みます。子供は好き嫌いの激しい我儘《わがまま》な性格になり、自分の嫌いな食物を出されただけで、もう不愉快になって、一切のことに好意とか満足感を持てない心理に陥ります。時間がたっぷりある人が、また退屈という死ぬほどの苦痛を味わっているのだということを知ったのは、私の十代の終り、一人のお金持ちの夫人の生活を身近に見た時でした。その結果私は、不倫などということにもほとんど罪悪感を持たなくなりました。不倫によって退屈という苦痛を紛らわす癒《いや》しが、実際にあることを知ったからです。

さまざまの悪が、現代ほど糾弾されている時代はありません。貧困、人種差別、病気はもちろんですが、民主主義的でないということさえ一種の非難の対象です。しかし私が見た多くの電気の供給のない土地では、おもしろいことには民主主義などというものは初めから成り立たないのです。なぜなら、一人の人間の意見を数百キロも離れた土地の人が知るということも、投票した民意を比較的短い期間に集計するということも、共に電気の供給が可能という前提の上に成り立っているのです。

電気のない土地では、昔ながらの族長制を採り、一人の指導者の頭脳に頼って運命を決めるということが今でも当然のこととして行われています。それこそが、その人たちの考える唯一《ゆいいつ》の民族の歴史を踏まえた実生活なのですから、その人たちを封建的な制度の元に不幸だと見ることとは、これまた民族の自決を重んじる道徳からみれば、我々が犯してはならないことでありましょう。

この夏私は、ブラジル、チリ、ボリビア、ペルーの四カ国の、極貧の村を訪ねました。ジョアン・ペソアというのは、ブラジルの最東端の町であって、そこに一人の日本人のイエズス会士の神父が、バードレ・ゼーという名の貧しいコミュニティーの中で暮らしておられました。

そこで私は初めてアフリカ型とは違う貧困の実態を見ました。彼らの多くは、日干し煉瓦《れんが》で作った片屋根の家に住んでいます。ですからこのような素朴な壁は年々少しずつ融《と》けて行き、或る日突然『メルト・アウェイ』という形で消えてしまいます。

彼らは貧しいがゆえに、衣服もたくさん持っています。恐らく恵んでもらったものだろうと思われますが、シャツやズボンなど、数十枚から時には百数十枚も持っているのがいます。しかし彼らは、そのような衣服を畳みも洗いもしないのです。それらは、もらった時のまま洗うこともなく整理されることもなく、土間やテーブルの上などのあちこちに、家畜の糞《ふん》が落ちるように散らばっていて、彼らはその日眼についた着たい衣服をただ拾い上げて身につけ、再びまたどこかに脱ぎ捨てるという生活をしているようでした。

飢餓のアフリカでは、人たちは家畜のように野原に坐って、自分の身の廻りに生えている草を摘《つま》んで口に入れていました。それも、すさまじい貧困でしたが、このブラジルの貧困は、物質を管理できない貧困でした。

彼らの家の特徴は間仕切りがないか、あってもドアはないかのどちらかです。ですから子供たちが、もう三、四歳になれば、親たちの生活を見ていて、セックスというものを全《すべ》てわかっています。そういう子供たちを預かる施設などでは、子供たちを監督者なしにおいておけば、サド侯爵《こうしゃく》が書いたｏｒｇｉｅｓに近いようならんちき騒ぎ、性的な遊びの真似事《まねごと》が行われることを覚悟しています。

女の子は、十三、四歳で最初の子供を生みます。その子の父は、社会的に父としての責任を取れない年齢と立場の男性が多く、時とするとその後に生む数人の子供たちの父親も一人一人違うという母子家庭は決して珍しくはありません。

無知なまま、みじめな家に不潔に住み、常に失業していて、強いてお父さんの職業を言うとすれば『泥棒』という家族にも会いましたが、そのような家庭の子供たちは、むしろ生きることに一切の疑念を持たず、周囲の人もその子たちが家に入り込んで来ても別に排除するでもなく、自然に暮らしていました。そしてその人たちの暮しの中では、私からみると耐えられないようなことも快楽の種であり、貧しい中でも人を助けることを知っており、『生む生まないは女の自由よ』という我が国と比べて、『子供は宝よ』という人間的な実感を失ってはいませんでした。もっとも宝だという言葉の背後には『労働力』という計算もありますが……

私が申し上げたかったことは、つまり、人間の幸・不幸と、肉体的・社会的・経済的・知的状況とは必ずしも相関関係にないということなのです。もちろんだからと言って、病気や貧困や社会的・経済的不公平を放っておいていい、というわけではありません。政治というものは、平凡に平坦《へいたん》であることが望ましいので、プラスの面でもマイナスの点でも突出したものはならすように働くべきであろうと思われます。

ただ人間の幸不幸は状況とは別、などという一面の真実は、政治家が口にしても、官僚が発言しても、教師が感想として述べてもたちどころに反撥《はんぱつ》されます。この頃は、小説家まで、人道主義者でないと叩《たた》かれるという不思議な時代になったので、私のような札付きしか申しあげる適任者はいないのかもしれません。

病気と健康とどちらがいいかということにでもなれば、健康がいいことは言うまでもありません。既に時々書いたり言ったりしていますように、平凡ということは偉大なことだと私は感じています。非常に特殊な人以外、誰も選んでむずかしい道を歩きたくはないものです。

ですから病気を排除し、治療して、誰もが健康な生活をすることが望ましいのですが……もっともこの点でさえフランス人は、『健全な魂は決して健全なだけでどうにもならない鈍感な肉体には宿らない』と思っていることも、私は学生時代にフランス人の神父から教わりました。さらに、私たちがしばしば周囲の人たちの現実に見るように、病んで初めて自己完成を遂げる人も決して多くはないのです。

今まで私たちは、よくも悪くも、生まれた時の素質にいささかの手を加えて開発した状態を、それが自分のアイデンティティーであると承認して生きてきました。然《しか》し自分がどういう人間かは、死ぬまでわからない、ということで、人間は最低の謙虚さを保っていたと思われます。

昔ユダヤ教の勉強を始めた頃、有名なラビ・トケイヤーの講演を聞きに行きました。講演の後に、一人の学生が立ち上がって質問しました。ユダヤ人には学問のできる人が多く、アインシュタインやフロイトなど、多くの優秀な科学的な功績をなし遂げた人物もいるのに、豚肉を食べてはいけないとか、安息日に一字は書いていいが二字はいけないとか、どうしてそんな迷信のようなことを言うのか、というのがその質問でした。

するとラビは、今から二百年前を考えてみよう。その頃、私たちが生きていたら、我々は自動車も、電話も、飛行機も、潜水艦も、コンピューターも、テレビも知らなかった。今の私たちは何もかも知っていると思っているが、それは錯覚だ。私たちは決して二百年後を、正確に思い描くことはできない。私たちは常に永遠の未知なる世界の手前にいる。だから神が禁じたもうたことは、その理由がわからなくても、一応その命令を守っておくのだ、と答えたのです。

もし人間が、自分の体の不備や人と比べて劣った点をすべてなおすことができ、飢えや貧困に悩まされることがない、ということになったら、その時の不幸は、どのような学問や医師の力をもってしても治癒できないほど深いものになるでしょう。その場合、人間は素早く、そのような自己改変を要求する『権利』が自分たちにはある、と思うようになるでしょう。しかし現実には、それらをすべて叶《かな》えることは不可能ということが眼に見えているからです。

その時、社会は不満の塊となり、自殺や発狂する人がどれだけ増えるだろうかと思われます。その不幸感はどこから来るかと言うと、その時人間は、それまで創造主と呼ばれていた神のみの仕事の結果と思われていた『先天性』という概念を認めなくなるからです。つまり、人間の肉体は限りなくデザイン変更の利《き》く物質になりますから、もはやそれなりに完成したかけがえのない個人という発想は持ち得なくなります。不備な肉体から、私たちはその存在の意義を認めるという崇高な作業を行い、不備故《ゆえ》に二つとない崇高な個人の存在を自然に承認できるのですが、それは科学の敗北、医師たちの怠慢の結果だとしてただ攻撃の目標になるだけになりましょう。今までは一人の存在をそのまま、まるごとトータリイに大切だとしたものを、これからは改変されたもののヴァリューで計るということになると、そこで人間の分際そのものが変わってきます。不備は人間の権利として取り除き、あらゆる人間を『完成品』にした時が、人間の勝利という発想になると、それはとりもなおさず人間が神と同じ高みにまで成り上がろうとすることですから、それは必ず失敗するだろう、と私は思うのです。（もっとも、自慢ではありませんが、今まで私の立てた予測というものはほとんど当たっていません。社会主義が長続きしないだろうという予感だけは、辛うじて当たりましたが、その他の予測は百パーセント当たらないと言ってもいいくらいです。ですからこういう予測をすること自体、多分全くの無駄だろうという気はしています。）

ユダヤ人たちが、ヘブライ語で言うところの『シャローム』という言葉は普通『平和』などと訳されているようですが、実は『欠けていることのない状態』を示すと言われます。日本人は『平和』はスーパーでミルクやお醬油《しょうゆ》と並んでおいておけるもの、くらいに考えていますが、ユダヤ人たちは『平和』というものはこの世でほとんど永遠に有り得ないすばらしいものという認識を持っているようです。つまり普通『理想郷』などと訳されているユートピアという言葉と似ていますが、この言葉を創《つく》ったトマス・モアも、それを『ウ・トポス』（どこにもない場所）から引き出したようです。それほどにすばらしい『欠けていることのない状態』を、ユダヤ人たちは人と会った時の挨拶《あいさつ》の言葉として贈る習慣にしたのです。

つまりこの世にはありえない、そのような概念は、当然この世で到達できるものではないのです。まず人間は何をもって欠けたことのない人間たりうるか、ということも判明していませんし、仮にあったとしても、それはしばしば設計変更を要求されるものであろうと思われます。そしてまたさきほどの理論に戻ってしまいますが、人間は希望に到達できそうだと思う時と同時に、何かを手にいれられない、と断念する時にも同じように人間になるのです。

私をも含めて、私の周囲の人たちは、遺伝子組替えに関して『悪い病気を直すことだけに限定して使えばいいじゃない』と簡単に考えます。私も毎年、障害者の方たちと、イスラエルなどの土地へ旅行をしていますが、その中には、ついに覚えられなかったような難しい名前の幼児の内分泌《ないぶんぴつ》異常症や、いつか失明することがわかっていて真綿でじりじりと首を締められるほど辛《つら》いと言われる網膜色素変性症などの患者さんたちが何人もおられました。ですから、もし遺伝子組替えによって治るものなら、そのような病気を救いたいと思う気持ちはごく自然に湧《わ》いて来るのですが、それ以上に遺伝子をいじることは、人間性の大量破壊に至る道であろうと思われます。

悪い病気だけ直す、というわけにはいかないものです。安全な治療法を開発するまでには、その背後にある膨大な事実の分野にたち入り、その操作を可能にしなければなりません。そのためには危険な実験の分野が必ず行われるようになります。『嘘八百《うそ》』を書くと言われる小説でさえ、一つの作品を書くためには、やはり膨大な量の知識を背後で身につけることを多くの作家は怠ってはおりません。

遺伝子組替えを、『悪い病気を直すだけに使う』という考えは、これまたユートピアと同じように、どこにも有り得ない理想論であろうと思われます。

と申しましても、私は怠惰故の一種の運命論者です。流行歌にもそういうのがありましたが、走り出したら止まらないというのがこの世の成り行きというものでしょう。遺伝子組替えはもう走り出しているのでしょうから。ですから、そのような経過を辿《たど》って、人類が思いもかけなかった形で破滅に至るのもまたよろしいかという気もいたします。どうせその頃、私は生きていないのだから、という利己主義ででも、こういう結論は引き出せるのです」

「どうせその頃、私は生きていないのだから」というのは、私の「近頃好きな言葉」なのである。

（一九九四・一二・二五）

オノレの青春

アフリカのブルキナファソという国へ行って来た。

その国がどこにあるかぱっとわかる人は、受験生か、アフリカと何らかの形で係わって来た人たちだけであろう。もちろん私も同様であった。前々から欲しいと思っていた地球儀を買って来て眺めると、ブルキナファソは、人間の横顔のような形のアフリカ大陸のちょうど舌《べろ》の下あたりにあることになる。海に面していない内陸の国であった。

東京にはブルキナファソの大使館もないから（その後間もなく開設された）、旧宗主国であるフランスの大使館が、東京でヴィザの発行業務を代行している。ブルキナファソにも当然日本大使館はない。しかし第二の都市と言われる南西部のボボ・デュラッソという町には、もしかすると日本大使以上に活躍している人物がいる。マリアの宣教者フランシスコ修道会の修道女である黒田小夜子さんで、この人に私は会いに行ったのである。シスター・黒田は、働き盛りの中年であった。小柄できりっと痩《や》せていて、心身共に無駄のないみごとな広島女で、看護婦であり、ボボの国立病院の栄養失調児センターを一人で切り回している。

シスター・黒田のことを日本で私たちは深い尊敬と愛情を込めて「あの強欲なシスター」と呼ぶことがあった。とにかくいくらでもほしいものがあるのである。もちろん、自分のものは何一つない。すべてブルキナファソで直面している貧困と病気に関して援助をしてほしいということばかりである。

シスター・黒田との最初の繋《つな》がりは、私たちがやっている海外邦人宣教者活動援助後援会というNGOの組織に、ボボの国立病院内に栄養失調児センターを作りたいから、その建設の費用を出すように、とシスターが要請して来た時だった。私たちがその時、かなり熱心に討議したのは、センターが国立病院の中に建てられるという点だったと記憶している。つまり私たちはブルキナファソという国をよく知らなかったから、国立の病院に建物を建てることは、「現政権」に肩入れすることになるし、もし政権が変われればその建物が接収されて他の目的に使われるようなことにでもなりはしないか、という恐れを感じたからである。

しかし用心ばかりしていては何もできない。私たちは結局初めての実験的なケースとしてセンターの建設費用の二百万円あまりを出すことになった。

しかしシスター・黒田の要求はそれだけではなかった。ミルク、薬、買おうとしている車の不足分、笑い出したくなるほど際限がない。今でも毎月、森永乳業から二十キロずつのミルクを送っている。それらの品物が着いたか着かないか、そのまた報告・管理の厳密さもシスター・黒田の独壇場であった。

今度シスターを訪ねるというと、シスターからは私が持って行くべきもののリストが送られて来た。シスターのために弁護すれば、私が「何をおみやげにお持ちしたらいいですか？」と尋ねたからこういう返事が返って来たのである。私は自分の通俗性の上に立って、多分シスターからは、羊羹《ようかん》とか、センベイとか、カステラとか言う答えが返って来るのだろう、と思いこんでいたのである。ところが、送られて来たのは、十種類ほどの薬のリストだった。数量は「できるだけたくさん」と書いてある。

海外援助用の薬を集めて送る業務をいつも引き受けてくれている日本製薬工業協会にリストを送ると、「どれだけずつ集めましょう」と当然のように聞いてくる。「できるだけたくさん」では答えにならないが、私には薬効を判断する能力がないから、それこそ「いいかげん」に数量を決めると、百万を少し切る金額になった。もっともこれらの薬を私が持参することは、土壇場《どたんば》でやめになった。ブルキナファソの前に入る象牙《ぞうげ》海岸の税関が、いくらこの薬はブルキナファソ行きだと言っても、そうそう甘く通してはくれなさそうだ、ということがわかったからである。象牙海岸は国家の収入の七十パーセントを関税に頼っているというから、百万円に近い、個人用とは思えない「商品」を黙って見逃すわけもないだろう。そこで私は高額の課税と没収を恐れて、急遽《きゅうきょ》、いつもの航空便で送ることに変更してしまったのである。

シスターの上司は、小児科の医長のドクターであった。その医長先生の弟が、これまた大変な篤農家《とくのうか》で、今をはやりの酵素を使った土壌改良法に熱心になっている。その農場も一晩泊まりで見てほしい、とシスターの手紙には書いてある。

私はいつも言うように、人と人生を悪意に解釈することにかけては非凡な才能を有しているので、瞬間ヒソカに、この医長先生もその篤農家の弟さんも何か下心のある人なのかな、と考えたのである。日本からの薬は現地では貴重品だから、ドクターが横流ししようと思えばどこの国にでもいる「金に糸目をつけない上流階級」から、ごっそり礼金を取ることもできる。シスターを信用させて、薬を引き出させ、今度は弟も売り込んで、もしかしたら、日本への留学のチャンスでも見つけようとする気かしらん、と私の瞬間的妄想《もうそう》は際限なかった。

しかし農村を見られるということは私にとって得難い機会なので、一泊するのは止《や》めて、日帰りでおじゃまさせてください、ということになった。

ドクターの弟はオノレと言う。ボボから五十数キロ離れたジュラの村のイエゲレという所で、実験的に男たちと住んで、ボボ版「新しき村」をやっている。この二人の兄弟はモシ族の出である。兄は外国でも勉強して医学博士になり、弟のオノレは三十歳で、高校出という高い教育を受けた。兄弟揃《そろ》って秀才の誉れ高く、村でも傑出した人物なのである。オノレはフランス語だけでなく、英語も話す、ということは、珍しい向学心の結果である。最近婚約が決まったが、目下のところは独身であった。

幹線道路を離れると、典型的なサバンナ風荒れ地が際限なく続く。この奥に村あり、と信じるのが大変だ。シスター・黒田の運転はアフリカ風で、スズキの「サムライ」という車は、穴ボコの度に身を捩《よじ》って跳び上がる。道理でアフリカの車には、ハイルーフが多い。普通の高さの屋根だったら、人間の頭が始終天井にぶつかるので、天井がでこぼこになるに決まっている。

オノレの村に入ると、まず何よりも先に村長さんの所に行って、挨拶をしなければならない。村長さんと村の三役風のお偉いさんたちは、たいてい村の中心の大きな木の下の優雅な民芸的椅子《いす》に坐《すわ》っている。木陰を吹く涼風は、天国のような心地よさである。しかしちょっと挨拶をしてすぐでかける、というわけにはいかない。アフリカの時間はゆっくり流れる。そこで二十回くらいは握手をして、日本人という奇妙な人種が来たことの観察に耐えるというのが、私たちの任務である。

どこの家でも村でも、訪れた人には必ず真先に飲み水が供される。この水を飲むことは友好の表れなのだが――そこで私たちは最初の疫学《えきがく》上の危険にさらされるのである。水は井戸から汲《く》んで来ただけのもので、もちろん煮沸《しゃふつ》もしてない。一滴も飲んではいけない水である。私は仕事の時には、普段以上に厳密な食べ物の「管制」を敷いて、同行者にもそれを守ってもらう。一人が病気になると、調査が続行できなくなるからである。だからこの水は飲む真似《まね》をするだけにする。

アフリカ人は決して粗野ではない。私たち外来者は、婦人たちにも迎えられたのだが、目上の人に対しては右膝《ひざ》を引き、両手を左膝の上に乗せて身を屈《かが》める、という優雅な挨拶を受けることになった。英語でコーテシィと言われる会釈《えしやく》も、決して握手などという馴《な》れ馴れしいことはせず、右足を引くのだが、その時でも、上体はきっちりと上げて顔を俯《うつむ》けない。しかしアフリカの挨拶は日本式に頭も下げる謙虚なものである。

その際、会話の上でも一種の儀式が行われる。そのやり方は、ベナンという国で教わったのだが、どこでもそれほど大きな違いはないであろう。「今日は」の挨拶が済むと、迎えた方が、訪ねて来た者に立て続けに尋ねる。

「お子さんは元気ですか？」「家族は元気ですか？」それに対して訪問者はごく短く「うんうん」とも「ふむふむ」とも「はーんはーん」とも聞こえるような答えをする。それが終わると、今度は祝福である。相手に神のご加護がありますように、ということを幾つか言う。ベナンの場合だと、祝福に対しては「アミン、アミン」と答える。アミンというのは「アーメン（そうでありますように）」と全く同じ意味だと言う。「グズノ・シアラ（神に感謝）」ということもある。

多分、こういう村長さんに対する挨拶の時には、贈り物の交換をするのが礼儀なのだと思う。贈り物は大したものでなくていい。Tシャツでも、村長夫人へのお手軽な耳飾りでも、お菓子でも、多分何でもいいのである。何しろ工業生産品というものが極端に手に入りにくい土地だから、日本人が持っているようなものは、何でも珍しがられ喜ばれる。

私たちは手ぶらで行ったのに、驚いたことに鶏を三羽ももらってしまった。初めは命令を受けた村人が一羽だけ持って来たのに、村長が私たちの一行が三人だと気がついて、もう二羽捕まえに行かせたのである。

オノレの家は、日本人からみると、廃墟《はいきょ》に近い。中庭の周囲に、外壁だけという感じの室《むろ》が、作業場やオノレの居室を含めて幾つかある。内部も見せてくれたが、もちろん電気もなく、アルミ・サッシなどというものもないから、中も外も一様に土埃《つちぼこり》に塗《まみ》れている。寝台はなく、しかし一隅に木製の棚があって、数十冊の本と雑誌と古新聞が並んでいる。他にはロシア製だというイコン、工具、浄水器、ロザリオなど……

「オノレは凄《すご》いですよ。日本のことは何でも知っている。イロイトの死んだ後は、どうか、とか」

オノレと同じ車に乗って来た同行者が言った。

「イロイトって誰です？」

「昭和天皇のことですよ。それから、オザワセイジは今アメリカに住んでいるのか、それとも日本に帰って来たのか、って聞いていました。そんなことまで知っているんです」

誰もが圧倒されていた。

私たちはまず、小さなさしかけの下で、ローストチキンの昼ご飯をごちそうになった。さっきの鶏ではない。ローストは既に焼けていた。私は梅干しのお握りを用意して来ていた。私の旅行はいつでも、二百ボルトの電気釜《でんきがま》持参なのである。それですぐコシヒカリを炊く。鰻飯《うなぎめし》でも鮭《さけ》ご飯でもラーメンでも何でも作ってしまう。自炊することで、肝炎にうつることと、油の取りすぎを防げる。

あたりは鶏の雛《ひな》だらけだった。もうヒヨコとは言えないほど、脚が伸びて来て、はしかくなっている若鶏もいる。それが、掏摸《すり》に近い素早さで、私たちの隙《すき》を狙《ねら》ってローストチキンの食べ残しに近づき、肉をついばむ。まさに完全な共食いである。

食事が終わると、私たちはオノレの農場を見学することになった。直径四、五メートルはありそうな深い井戸を二本、一人で掘った、と言う。彼は何とかして、痩せた村の土地を改良しようとしているのだった。私の知っているユーカリは、土地が湿って困る場合に水を吸い上げて乾かす働きをするものだったが、ここでは、土地の保水に有効な種類のユーカリを植えていると言う。バナナ、マンゴー、水稲……オノレは、何とかして金になるものを作ろうとしている。

「水稲は、一ヘクタールでどれだけ採れます？」

私は尋ねた。

「四トンです」

「それならいい方ですね」

チャドでは二・五トンしか採れないところもあった。もっとも日本なら、六トンくらいはいくのだろうか。私はさらに小声で、シスター・黒田に尋ねた。

「シスター、ボボの町中はマンゴーの並木だらけでしたけど、あれはシーズンになるといっせいに熟するんでしょう？」

「ええ、そうですよ」

「そのころ、町ではマンゴー一個、いくらくらいになります？」

「一個、五から十セーファーくらいかしら」

「というと、日本円で一円か二円……」

私は無残な思いで呟《つぶや》いた。オノレがボボまでマンゴーを運ぶには、一時間半はゆうにかかる。小売で一個二円としても、卸は一円五十銭になってしまうだろう。それで儲《もう》けることはほとんど夢に近い。そしてたとえ町まで農産物を出せたとしても、あまりにも貧しい、購買力のない人々の間で、それらがどれほど売れるというのか。

シスターが、オノレを日本に送りたいと考えているのではないか、などというのは、全く私のはやとちりの推測というものであった。オノレには、日本から学ぶものはほとんどなさそうに見えた。私は自分がよく行く三浦半島の農村を思っていた。そこでは時々ショベルが大根畑を深耕し、大根は機械で洗われるのであった。キャベツは六個を一つの箱に納めるので、その大きさに合わない大きすぎるキャベツは捨てられるのである。日本の大根一本は（値崩れする年もないではないが）ブルキナファソの男の二日か三日分の給料と同額だった。

すべての農家が耕運機を持ち、畑では無線電話を使い、家には冷暖房があり、車を一戸で数台持ち、外国旅行はしない人の方が少ない、という日本に、もしオノレが来たら、そしてもし私がオノレだったら、私は発狂しそうになるだろう。日本の水稲がどれほど厳しい品質管理のもとに人工的に作られるか、そしてまたそれだけの手をかけることで高くなった米でも、買う人がたくさんいる市場《マーケット》の大きさを知ったら、完全に我を失うだろう。農家も町方の人と全く同じような文化を享受《きょうじゅ》していると知ったら、篤農家であればあるほど、私は自暴自棄になるだろう。

そしてそれほどの深い失望の後には、人格の破壊がやって来る。私は麻薬中毒になるか、犯罪者になるか、精々で怠惰な繰り返しで金を稼ぐ単純サービス業に就いて、完全に向上心を失い、それでいてもう二度とあの輝かしい発展の夢に燃えていた祖国の、素朴な生活には戻らないだろう。

オノレを決して日本に来させてはならない、と私は彼に深い好意を持ったが故《ゆえ》に思わずにはいられなかった。もちろんそれは確固とした自信があって言うことではなかった。それこそが差別だ。アフリカの優秀な青年にも、どんどん先進国の農業を見せるべきだ、という論理があれば、即座に私は自分の意見を撤回するだろう、と思う程度の感想であった。

町が近付いた時、もう一台の車に載せられている三羽の鶏のことを思い出してくれたのは、シスター・黒田だった。

「あの鶏、どうにかしなければ……」

「シスターが修道院に持って帰ってくだされぱいいんじゃないですか？」

私は安易に考えていた。

「私のところでは殺すのも嫌だから……それにドクターたちも、あの鶏は、ソノさんたちがもらったんだから、当然持って帰ると思ってますよ」

「日本までですか……」

私は一瞬、成田までもらった鶏を運ぶ自分を想像した。私はどこのホテルに入ってもすぐ部屋に鶏を放すのであった。鶏は部屋中を駆け回り、あたり一面に抜けた羽を撒《ま》き散らし、所構わず絨毯《じゅうたん》の上にウンコをした。しかし私は平気で餌《えさ》をやり続けて成田に着くのである。

鶏は結局、ボボの町に住む両親の家に行くというドクター兄弟に改めてもらうことにした。

（一九九五・三・七）

００７風

月刊誌の締切りは週刊誌のようにはいかないので、私がこの原稿を書き終えた四月五日現在、宗教法人「オウム真理教」が松本や地下鉄のサリン事件と関係あったかどうかは結論が出ていない。警察は、あちこちの「オウム真理教」の施設を強制捜査中で、証拠品と考えられているものを押収している段階である。

この宗教団体と事件とのつながりは、明らかな証拠が出るまで、部外者が何か言う立場にない。正確なデータも与えられていない人間が、判断を下すことは意味がないのである。

日本の知識人ほど、どうして今度の事件のようなことが起きるのかわからないらしいが、私のように非アカデミックな教養?をしっかり身につけている者としては、事件は「００７」シリーズとそっくりなので、ほとんど驚く余地がないのである。

「００７」にはよく、現在の国家体制をひっくり返そうとする、無政府主義的なグループが出て来て、あらゆる破壊的な計画をする。その首領というのは、映画では顔の出て来ない人で、ただ、大変高級な種類の猫を膝《ひざ》に抱いている。我が家で飼っている駄猫と大違いなものだから、その度に強く印象に残るのである。

今度の松本と地下鉄の二つの事件は、「００７」の筋書きとそっくりなのである。サリンだか、タブンだかを合成し、地球上の人類を絶滅できるほどの細菌兵器を作り、青酸カリのようなものもその実行に必要とあらば併用し、秘密組織のメンバーは皆拳銃《けんじゅう》も用意し、ヘリコプターの上から、自家製のダイナマイトと一緒に水爆や毒ガスや細菌兵器を宮城の真上あたり（つまり東京のド真中）に投下すれば、首都で数万、数十万或いは数百万を殺すことができる、ということになる。そして「００７」風に言えば、悪の首領はそのヘリコプターで社会主義国へ脱出を試みるのである。

私はまたさいとう　たかを氏の「ゴルゴ13」も愛読したから、警察庁長官の狙撃《そげき》者の、銃の種類や射撃の姿勢を新聞で読んだだけで、これは、特別の訓練を受けた外国人の殺し屋の仕業に違いない、とすぐ思ってしまった。どちらも、映画と劇画の見すぎの結果なのである。

しかし「オウム真理教」という宗教団体が存在したことは事実だし、その修行の方法などが信者たちの談話やテレビの記録で語られることもあったから、それは多分ほんとうなのだろう。それを見ると、事件の本質は別として、「オウム真理教」が生まれた一種の必然は感じられるのである。

戦後の日本には、たくさんの正しいこともあったし、またそうでない、幼稚な判断も見過ごされて来た。

たとえば、人は皆平等である、という考え方が、生物学的真実としてだけではなく、それ以上の重さで信じられて来た、というようなことである。平等は、誰もが好きな状態である。一方で誰かが飽食しているのに、他方では誰かが飢えて、生命を脅《おびや》かされていたら誰だって腹が立つ。こちらの人を救うには、皆が夢中で奔走するのに、別の人の命はなおざりにされていたら、やはり義憤を感じるだろう。

しかし私の実感でも自分より偉い人というのは確かにいるのである。それは学問、その他の能力に優れていたり、明らかに徳の力を有していたりする人に対して、人間が持つ自然の尊敬の気持ちである。そのような気持ちは、戦後の日本では居場所がなかったのである。先生も友達扱い、上司がむしろ部下に気を使い、天皇に対しても新聞は敬語を使わないことをもって民主主義の証《あかし》とし、父親は子供を殴ったこともなく、年寄りは大切にしろと教える人もないから、高齢者は「ジジイ、ババア」扱いである。

人間は平等を絶対必要な条件と感じているが、それだけでは満足していない面がある。時と場合によっては、強力な指導者の一方的な命令に従う楽しさや、或《あ》る種の階級制度もスターに憧《あこが》れる気分も好きなのである。

教団の修行の方法は、脱出した信者によっても語られた。共同生活をして修行している道場では、誰もが沈黙を守ることを強いられ、仲間うちで挨拶《あいさつ》しても、返事もされなかったと言う。

これは明らかに人間的でないが、しかし戦後の日本は、何とすべての物音が大きく喧《やかま》しくなったことか。私は先日、何十年かぶりで宝塚を見せてもらったが、昔の記憶と明らかに違うように思える点があった。その第一は、舞台の音が、私の耳には辛《つら》いほど大きくなったことである。私は時々、指で軽く耳に栓をして聞いていた。舞台が終わってから、ちょっとそういう批評をしたら、今のでもまだ音が小さいという文句があるのだと言う。

戦後の日本では、静寂はもはや偏屈な老人の愛好するものになった。波の音の爽《さわ》やかな浜辺でも、近くの「海の家」が鳴らしている音楽で、自然の音はかき消されている。自分の所有する敷地や建物の外に聞こえる音は違法だという簡単な規則一つ作れないのである。

そこには最早《もはや》、人間の小さな声を大切にして耳を傾ける、という姿勢はない。誰かが心して聞くのではなく、聞かない人の耳にも、むりやり音響が押し入るという暴力だらけである。選挙の宣伝カーや街頭演説は、音が大きければいいというやり方であった。若者を熱狂させる音楽のステージはすべて圧倒的な音の量で自我がつぶれるのを快感としていた。私たちは確かに一方ではそのような圧倒的な音に浸ることを愛した。しかし一方では、人間はやはり沈黙と静寂にも惹《ひ》かれた。しかし喋《しゃべ》るなという教育を強いる大人はほとんど皆無だったし、若者は沈黙していることなどできない、という姿勢を取って平気だった。だから、「オウム真理教」のご領地の中の静寂を、神秘的なものと感じる人も出ただろう。

戦前の「おしん的」日本では、多く食べることは、一種の罪であった。「居候《いそうろう》、三ばい目にはそっと出し」というのも「ばかの大食い」もすべて、あまり食べないで、節約することが美徳という考えから発している。

しかし戦後の日本では、ダイエットをする人でもない限り、人間は飽食することが権利であり、幸福の尺度と見なした。子供が食べないと、母親は「○○ちゃん、お願いだから食べてちょうだい」などと哀願した。子供は、食べたくなければ食べるな、と言えば食べるようになるのに、である。

しかし私の感覚でも、飽食すると気分が悪くなる時がある。いささかの飢餓に近い状態だと、感覚がすっきりしている。神経症の一部は、断食や飢餓で治ることもあるだろう。「オウム真理教」が、飽食を禁じたとすれば、その忘れられていた健康さを暗示したことになる。それは、世間に逆行した一種の快感として受けいれられたように見える。存分に食べたという実感が快感とすれば、その反対の飢餓に近い感覚も——矛盾しているようだが——やはり一種の快感なのである。

戦後の日本は少子家庭がほとんどであった。子供が少なければ、おやつもたくさん貰《もら》えるし、うっかりしていると、兄弟におかずを食べられてしまうこともない。一人や二人の子供なら、大学へ送ることも経済的に可能になるし、第一、子供は一人なら一間《ひとま》を貰えるから、生活程度も上がったような気分になれるのである。

しかし一方で、子供は、大勢でも暮らしたいのである。犬の子のように、同じくらいの年頃同士で、ごろごろまつわりつき合って暮らすのも楽しい。「オウム真理教」の内部では、子供を親から離して暮らさせたという。もちろん親から引き離されれば、中には精神に異常を来《きた》すような子供も出たろうし、或る年まで親子が一緒に暮らすということは、動物的に見ても自然だから、「オウム真理教」のやり方は異常だということは言える。しかし、子供たちの中には、今まで知らなかった楽しさを大家族的共同生活の中で味わった子もいたかもしれないのである。

子供の教育に、体罰はいけない、というのが、最近の教育の信仰になった。しかし昔は親も先生もよく、子供を殴って躾《しつ》け、それが温かい記憶となったものであった。かわいがっている子供には、まだ言葉で説明できない年齢の時には、体罰くらい与えてもいい、と私は思っている。

「オウム真理教」が子供を監禁したかどうかは、まだよくわからないのだが、一般論としてどこの誰であろうと、幼児を監禁などしたら、精神障害が残る子も必ず出るであろう。しかし今のように野放図な子供の甘やかし方に対して、日本人の多くが、内心これは正しくない、と感じている面もあるだろう。

霞《かすみ》が関が狙《ねら》われた地下鉄事件では、標的になったのは、警察庁或いは警視庁だけで、他の官庁ではなかった、という説も巷間《こうかん》に流れているが、ここにはもっと長い間燻《くすぶ》っていた問題も含まれているかもしれない。そこには日本の官僚の「有能で愚かな」一面に対する挑戦があっても不思議ではない。霞が関の官僚が、有能でありながら、人間的には魅力がなく、浅薄で、単純で、しかも見え透いて権力に弱い人が多いのは、紛れもない事実である。おもしろいことにこう書いても、「自分だけは別だ」と殆《ほと》んどの人が思うのが霞が関の官僚の救いがたい精神構造の特徴なのである。

彼らは僻《ひが》んだり、自分の才能に不安を抱いたりする能力を欠き、かつ他人はすべて自分より劣ると信じ切っているETなのだが――この官僚たちの盲信は、その点で「オウム真理教」の信者たちの信仰と、うりふたつに見える時がある。霞が関を狙うということの背後には、こういう人種がのうのうとして来た日本の官僚機構への挑戦があるかもしれない。

毒ガスの攻撃を受けている、と「オウム真理教」の信者たちが言うと、それが根拠がないだけに、皆が黙るのがおもしろかった。子供と××には、誰もが逆らわないだけのことである。私はまた、アメリカの通商代表が、日本はまだ規制を解かず、アメリカの産品を買っていないという時の顔も連想した。日本の一般大衆が外国のものを買わないとすれば、その理由はたった一つ、品物が値段の割に悪いからである。日本人はエゴイストだから、国家が禁じても、それがよければヤミでも買おうとする強欲さを持っている。それはもう、終戦の時に証明済みだ。日本人は争ってアメリカのものを買った。ほとんどがヤミのものだった。アメリカの通商代表の表情は、毒ガスを撒かれたという時の「オウム真理教」の信者たちの顔つきと不思議なほど似ている。

締め切った空間の中で空気清浄器に頼って暮らすなどという不健康なことを、私たちはできない。もっとも、自分たちが毒物を作っているという事実を知っていれば別だろう。「オウム真理教」の集団を狙って毒ガス攻撃が行われるなら、信徒は一人一人、村や町に散って暮らせばいい。「オウム真理教」をやっつけようとする敵も、手が出しにくくなる。そんな簡単な論理を避けて通っても、人は納得しないものである。第一、神聖だと言っていたご神体が、発泡スチロールのハリボテで、その裏に実験室が隠されていたなどということは、本当の宗教なら考えられない。必要なことなら、堂々とやればいいことだ。それに農業の研究は種や肥料、土壌から行うのが、自然食を信奉する人たちの手順なのに、いきなり殺虫剤の研究をやるなどというのも、全く理屈が通らない。

しかし、ここのところ日本を席巻していた児戯に類した平和論にも、一部の人はうんざりしていたかもしれない。

平和は、皆が望めばそうなる、などという甘い投書が始終新聞の投書欄に出るし、自衛隊不要論も長い間にいやというほど読まされたものであった。しかし今度地下鉄の事件で、あの時自衛隊の化学科部隊が出る必要はなかったとは誰も言わなかったのである。常時には警察と消防と民間団体の活動の余地がある。しかし非常時には、軍隊しかほんとうの仕事はできない。そんな簡単なことも多くの日本人にはわからなかったのである。だからと言って、「オウム真理教」のしていたことが当然だと言うわけではない。少なくともあれだけの量の薬品を使い、多角的な商売をしている団体を、宗教法人として認める必要はないだろう。この際、宗教法人に関する規則は、てっていして洗う必要がある。しかし「オウム真理教」は、「外敵」に襲われることに対しても「それに対抗する戦術」を用意していた。平和ぼけの日本人の虚を衝《つ》いた面がないとは言えない。

そして戦後の日本人は、個人としてはほとんどの人が被害者意識文化の中で生きて来た。子供がいじめで自殺したのも、スモンやエイズにかかったのも、家が洪水《こうずい》で流されたのも、バスが道から落ちたのも、地震で水が止まったのも、すべてが、誰かの責任だという被害者意識型文化でやって来た。しかしその他のこと――自分に責任のない社会通念――としては加害者意識型文化を持つことをしいられて来た。つまり、あらゆることで私は被害者なのだが、自分の関係ない他人は加害者という図式を描いて来たのである。もう戦争中の生き残りはほんの少ししかいないのに、南京その他であったと言われる虐殺《ぎゃくさつ》も、慰安婦問題も、すべて私たち日本人は加害者でしたと言うのが当たり前だ、という矛盾を誰もが本気になって整理しなかったのである。そういう場合、口では加害者ぶったことを言う人でも、実際にはなんら(肉体的、金銭的)贖罪《しょくざい》の行為をしない例が多い。むしろ他人を責めれば、それはタダで贖罪になり、自分を人道主義者として示すことにもなる、というまい話であった。

「オウム真理教」では、被害者意識はすなわち闘うことを意味していた。そういうまっとうな?反応は他の社会では見られなかったのかもしれないのである。

そんな時に三月三十日TBSテレビで、上岡龍太郎氏が司会する「ミスターレディー」という番組を見た。オカマ美女たちの大集合である。番組の初めに、カルーセル麻紀さんが「年に一度の化け物大会」と紹介した。

しかしすばらしい番組であった。皆ゲイ達者で(当たり前か!)、人間的な弱さを隠すこともなく、ことに当たると、たんゲイすべからざる男性的能力を惜しみなく披露する。自分の人生を客観的に再構成できることは一種のゲイ術なのである。自分の過去も現在も、当惑も不安も悲しみも、少しも包み隠さず、それをユーモアの種にできる。それができれば至ゲイである。

テレビの企画というものは、どういうふうに作って行くのか、私は実際を知らないのだが、上岡氏の手がける番組は最近光っている。それは、やはり司会者の姿勢と料理の腕にかかっているのだろうと思う。世界中のホラ吹きを紹介する番組にしても、世間が不道徳、非道徳と決めつけている要素の中に、人間性や、それによる救いの効用を見いだしている。

私たちの心は分裂し、矛盾している。その裏表、両極を温かく容認した番組は、世紀末の不安を表しているどころか、すべて比類なく健全になる。

（一九九五・四・五）

荒野から帰って

シリア、ヨルダン、イスラエルの旅から帰って来たら、指先がすっかり荒れていた。夫もこのごろ年のせいか指紋がほとんど消えて来た、と恐ろしいことを言う。

「それじゃ、殺し屋に雇われると、ゲンバに指紋が残らなくていい訳ね」と言うと、

「でも指紋のない人っていうのがまた数が少ないから、すぐ身《み》許《もと》が割れるの」と心許ない。私の指の荒れは土埃《つちぼこり》と関係がある。砂埃で汚れたスラックスなどをいじると、すぐざらざらになる。面の皮は厚くて、どんな乾燥地帯に行ったって荒れたとも思えないのに、指先や足の皮膚は毎日油を塗っていてもざらざらになる。

その最良の薬は日本の水であった。家に帰って洗濯ものを片づけ、ゆっくりお風呂《ふろ》に入っただけで、もう指先はつるつるして来る。脛《すね》も粉を吹いてひび割れたような乾燥からすぐ回復する。柔らかな水の土地、これが日本なのだろう。

しかし色ピーマンや他の野菜は、イスラエルの方が形は悪くても、ずっと豊富で美味《おい》しかった。私の知人が、赤やオレンジのピーマンをイスラエルから日本に輸入しようと

してどうしてもうまくいかなかった、と言っていた。だから日本では、色ピーマンは高くてほとんど買ったことがない。どうしてそんなに面倒なことを言うのだろう、と私はまだ自分の好物に固執している。

旅から帰ってしばしの楽しさは、日本をまだ「よそもの」の眼で眺められることだ。一月《ひとつき》もすれば私はたちまち純粋に日本的な精神構造に還《かえ》ってしまう。だからこの中途半《はん》端《ぱ》な期間がこの上なくおもしろいのである。

今度の旅では、三度目の、ヨルダンとイスラエルの間に流れる田舎の小川ほどのヨルダン川にかかるアレンビー橋を、足で渡ってイスラエル領に入った。ほんとうは「歩いて渡ることは外交官にしか許していない」とイスラエル側では言ったのだが、私たちのグループには、三台の車椅子《くるまいす》と三人の視力障害者が参加している。「そういう方たちは何度もここを訪れるというわけにもいかないのです」と説明すると、「じゃ早く渡っちゃいなさい」と言ってくれたとかで、私はこういうことがあると、どこの国でも好きになるのである。それは、慈悲の心を持つということの表れだ。

日本にはそういう心がない、と書きそうになって、はっとした。そうでない話を最近聞いたばかりだったからである。この二月にアフリカのブルキナファソのボボ・デュラッソという町へ行った時、たった一人、そこで看護婦として働いている日本人のシスター・黒田小夜子から聞いた話だ。シスターはもう長い間アフリカで働いているので日本の事情もよくわからなくなりかけていた。休暇で一時帰国した時、送って来てくれた修道院の「姉妹（修道院内部の言葉＝仲間の修道女のこと）」に成田で別れを告げ、一人で出国手続きをしようとして、空港使用料として二千円が必要なのに気がついた。

「でも私は払いませんでしたよ。お金がなかったから」

シスター・黒田はこともなげである。

「へえ。お金がない、とおっしゃったんですか」

「ええ、そう言ったら、向こうは『じゃ、いいです』って言いましたよ」

どなただか知らないが、私は心からこの時の成田の係官にお礼を申し上げたい。私には内部の事情はわからないが、この方は少なくとも、よくものの見えた方だ。この方はまずシスターがほんとうにお金など持たずに生きていることを見抜いた。もしかすると、身内に修道女のいる方だったかもしれない。それで自分が立て替えた、というあたりが日本的常識であろう。しかし人道や信仰のために働いている人に対しては、こうやって眼をつぶるのが、むしろ世界的なやり方だということを日本人はあまりにも知らない。

「慈悲よりも規則」などという理論は、世界的にあまり通用していない。

修道女にお金を持たさないのは、修道院がけちだからではない。聖書の記述に由来しているのである。

「マタイによる福音書」の10章という個所は、イエスが初めてガリラヤ湖のほとりで生活していた素朴な十二使徒たちを福音宣教に遣わすに当たって、その心得を諭した場面である。入社して初めてセールスに赴く若い社員にも、参考になる要素がたくさん含まれている。

「(旅に出る時)帯の中に金貨も銀貨も銅貨も入れて行ってはならない。旅には袋も二枚の下着も、履物も杖《つえ》も持って行ってはならない。」(10・9〜10)

つまりその仕事がほんとうに必要なものなら、自然に与えられる、ということだ。もちろん現実にはシスターの所属する修道院が、全く小遣いを持たせずに旅行させたとは思えないのだが、シスターにすれば、予算として親元の修道院に申請してもらって行ったぎりぎりのお金の中には空港使用料などという項目はなかったので、そう言ったのであろう。シスターの機内での食事は保証されているのだし、パリにでもブルキナファソにでも着けば、必ずまた向こうの修道院の姉妹が車で迎えに来ている筈《はず》だから、お金を持たなくても旅行できるというのはほんとうなのである。

イスラエルとヨルダンは、最近までもう長い間国交がなかった。しかしその間にも、表向きは「ないない」と言いながら、実は袋の綻《ほころ》びみたいにちゃんと穴は開いていたのである。アレンビー橋もそうだったし、少し北のアダマフ橋というところからは、毎日イスラエルからヨルダンへ向けて、野菜を積んだトラックが出ていたという。ボンネットの部分のカバーを外して、エンジン以外のテロ活動に与《くみ》するような危険物は何も積んでいないということが見えるようにした「骸骨《がいこつ》トラック」に、ヨルダンが必要な野菜を積み、国境を越えて運んでいたのである。建前と現実の差である。かくしてヨルダンは野菜を手に入れ、イスラエルは金を稼ぐ。これこそが大人の選択というものだ。どちらにもいいということが、双方に大人気があれば実現可能なのである。だから、殺し合いをするのが一番バカだということになるのだろう。

イスラエルでは私たちは最も上等なガイドさんについてもらっていた。旧約も新約も、いい加減な牧師さんや神父さんより詳しい人だ。独特の口調もなく、大学か大学院で静かに講義を受けている感じである。私たちの方にいくらか基本的な知識があるからでもあるが、それがガイドの誇りというものだろう。

私の知る限り、ガイドのもっとも質の悪いのはパリである。イスラエルの後でパリに着くと、私はいつもガイドとケンカをする。「私たちはもっとずっと知的な講義を聞いて来たんですから、エッフェル塔が何メートルかなんてことを言えば、役目が済むなんて思わないでください」というわけだ。総じてやたらに数字を言うガイドほど、能無しである。そして自分がパリに住んでいるということしか優越感のなさそうな女ガイドが、「さあ、皆さんいっしょに言ってみましょうね。ボン・ジュール！」などと言い出すと、私はもう烈火の如くになる。

中近東のホテルはどうですか、とよく聞かれる。円高のおかげで、私たちは、五つ星や四つ星クラスのホテルに泊まることができるので、中には日本よりりっぱな建物のホテルもある。これも私の思いこみなのだが、一国のインフラの度合いを計るには、風呂場の排水能力で計測するのが一番よさそうである。掃除の悪いのも含めて排水が素早くできる国は、世界で意外と数少ない。

しかし大方の日本人の旅行愛好者に叱《しか》られることを覚悟で言うのだが、最近では私は日本座敷に坐《すわ》るということがもうどうにも辛《つら》くなってしまった。やっぱり畳は落着きますね、などと言われると、どう返事をしていいかわからない。日本座敷では、足が痛くて、どんなに景色がよくても、おいしいものを食べさせてくれても、ほんとうには楽しくない。早く自分のうちに帰りたいと思う。だから或《あ》る程度の設備さえあれば、外国であろうと日本であろうと、ホテルの方がずっと休まる。

さらに日本旅館ばかりに数日続けて泊まると、野菜不足で気持ちが悪くなって来る。魚が（時にはそれに加えて肉が）ごちそうという発想も、不思議な習慣である。昔の貧しい日本では、まず米が腹いっぱい食べられればそれだけでお祭り気分だった。その次の贅沢《ぜいたく》の段階は、旅館で肉や魚を食べ切れないほどの皿数だけ出してもらうことだった。しかし今私たちはもう魚や肉を、それも多量に供されることが、ごちそうだとは思わなくなった。栄養に関する知識も深まり、肥満を避け、バランスのとれた食事がいいと思っているから、食べ切れないほどの皿数も、松茸《まつたけ》づくしなどという献立にも、私は全く魅力を感じなくなっている。

イスラエルでもアラブ諸国でも、食事のバランスは日本の旅館と比べものにならないほどいい。食事には新鮮な野菜が少なくとも十種類以上、それもお皿に一箸《はし》か二箸ではなく、好きなものをたっぷり食べることができる。ミルクも、しぼりたてのオレンジ・ジュースも、コーヒーも、好きなだけ飲める。そういう基本を叶《かな》えないで、やっぱり日本旅館と日本料理は最高だ、とひたすら自信過剰に陥っている日本の観光旅館業が衰退するのは当然だと思う。どんなに向こうにもそれなりにおいしいごちそうがある、と言っても「でも外国のご飯は不味《まず》いでしょう」と信じないとしたら救い難い。

もっともあちらびいきだけしているのではない証拠にもう少し正確に言えば、ユダヤ教の戒律に従って完全に血抜きをしたぱさぱさの肉を使うイスラエルの料理は、これこそ世界一？のまずさだと私は思っている。しかしこれも戒律によって肉類を出さず、卵、魚、乳製品、果物、野菜だけを取り揃《そろ》えたイスラエルの朝食は、これまた世界一？の美味しさなのである。

旅に出てもワープロを持参していて、少しずつ仕事をするはめになる。流行作家でもないのに恥ずかしいのだが、今年《や》は夫婦でローマ教皇の書かれた『希望の扉を開く』という本の翻訳をしているので止むを得ない。他の人に下訳をしてもらうわけではないので、とにかく毎日毎日少しずつやらなければ、出版の予定がいっそう遅れることになる。

ホテルの部屋に入ると、私はまず何よりもすぐコンセントが使えるかどうかを調べる。できの悪いスパイのような気がする。成田空港や秋葉原の電気屋街には、「これだけあれば、世界中のコンセントにつながります」という歌い文句で、何個かのプラグをセットにして売っているが、あんなもの、私が行くような土地では、全然カバーしてくれない。シンガポールでも、南アのヨハネスブルグでも、ローマでもだめであった。その度に私は「ご当地」プラグを買うことになる。南アでも専用のタイプを買い、シンガポールでも一個で十六種類の組み合わせができるプラグを手に入れた。○《まる》型脚二本は二種類あって、デブとヤセと呼んで区別している。今度の旅では、○型脚三本並列というのにも出くわした。そのうち一本はアースだから無視してもいいとわかったが、二本の脚の距離がデブよりもヤセよりももっと広いからどうにもならない。下駄《げた》の歯と呼んでいるのが日本式。太い乱杭《らんぐい》歯みたいなのが三本というタイプにも二種類の型がある。さらにそれの大判が一種類。

国連やサミットは、世界中の重大なことを話し合うところなのだろうが、世界中のささやかな庶民生活のためにコンセントの形を統一する相談もしてもらえないものか、としみじみ思う。思想や宗教の問題とは違うのだから、ことは簡単そうに思えるが、コンセント一つでも話は決してまとまらないだろう。皆それぞれのお国に「事情」があって決して譲る気がないからだ。

しかし私の気持ちもちょっと複雑だ。不便だ、不便だ、と言いながら、反面、何とか手持ちのプラグを繋《つな》いで行って携帯用ワープロのディスプレイにぱっと明りがつく瞬間、何とも言えない楽しさを味うのである。これはもう半分マゾヒスティックな道楽だと思う。しかしそれまでしてワープロを使いたがるのは、ワープロの謙虚な推敲《すいこう》機能に、原稿用紙の比ではないものがあるからである。

こんな土地を旅行していると、日本のニュースはほんの少ししか入らない。ことにオクラホマ市の爆破事件があったので、CNNでも日本のサリン事件など、触れても時々ほんの三十秒か一分という程度である。しかしオクラホマに関しては、「こういう犯人には、決して安住の地はない」という意味の大統領声明が出た。それに比べて日本は明らかに違う。サリンのような残忍な無差別殺人は、自分の使命にかけても許さない、というような政治家は一人もいなかったと記憶する。日本には、正義の観念と、正義に関した怒りがない。

シリアのガイドはかなりいい加減な男だったが「シリアは力強くあることを望んでいる。力がなければ、平和を保てないから」とはっきり言う。ヨルダンのペトラの遺跡でロバを引いていた子供は十二歳だと言い、約束の金額をごまかしてもっと金をせしめようとしたし、約束した距離のはるか手前で降りろ、と言ったりする。こういう連中がいる限り、これらアラブ諸国の観光はほんとうには伸びないだろう。契約がきちんと遂行されない社会とは、楽しみが目当ての観光客は付き合いたくないのである。普通の保守的な日本人の団体旅行だったら、まず敬遠するだろう。このような子供まで「イスラエル・ノー・グッド」という英語だけは知っている。誰もが健康に闘争的なのである。

闘うのは愚かなことなのだが、闘って自分の身を守るという原初的な気分がないと、精神的エヤコンの中で自律神経失調症になっている人のようになる。或いは、生活に困ったことのない金持ちの坊ちゃん息子のようになる。そしてそういう人たちが、明日の生活に困るという健全な危機感さえも忘れて、地球は間もなく破滅しそうだ、などという病的な気分になるのである。

子供の日の民放のアナウンサーが、子供に「今、何が欲しいですか？」「どうしてどこへも行かなかったの？」と聞いていた。こういう精神的に貧しい質問しかできないアナウンサーは、ほんとうは人間ではなくて機械である。子供の日は、別に何かを買ってもらう日でもなく、どこかへ連れて行ってもらう日でもない。

「大きくなったら、何になりたいの？」

「お父さん（お兄さん）と今日はどんなお話をした？」

「駆けっこ早い？」

「兎《うさぎ》を抱いたことある？」

「ロバに触ったことある？」

「凧《たこ》、上げられるかな？　竹馬、知ってる？」

「泳げるのか！　その年で？　偉いなあ」

「筍《たけのこ》ってこうして掘るんだよ」

　子供について知りたいと思えば、会話はいくらでもある。しかし、ありがたいことだ。このアナウンサーの質問のおかげで、私は一月《ひとつき》もかからずに、完全に日本の生活感覚を取り戻したのである。


（一九九五・五・八）

「一隅」の整理

過日私は、読売新聞の「日本の危機を直視する」というシリーズのために原稿を書いた。その一部をここにお目にかけるのは、日本の代表的な新聞が、どのように作家の書くものに対して、圧力を加えているかについて読者の判断を仰ぎたいからである。

私の原稿に対して、読売新聞がこのままでは掲載できない、と言った部分をそっくりそのまま、掲載拒否の理由と共にお見せすることにする。拒否の理由は編集局次長・老川祥一氏からのものだが、これは社の意見を代表したものだと言えるだろう。

最初の個所は、私が次のように書いた部分に対してである。

「関西大震災と地下鉄サリン事件が世紀末意識と結びついて、日本の安全は俄《にわか》に崩れたかのように危機をあおりたてる気配があるが、私は少しもそう思わない。終戦後は食べ物もなく、もっともっとみじめだった。連合赤軍の一連の犯罪も、当時は想像もできない無法と残忍さで私たちを驚かせた。

決して人の死を数で考えるわけではないが、人々の意識を変えてしまったような関西大震災の死者の数でも、毎年毎年繰り返される自動車事故の死者の数、約一万人の半分である。ましてや合法的な人工妊娠中絶の数となったら、近年届けられている数は、関西大震災の死者の七十八倍に当たる三十九万人に達している。私たちはずっと死に不感症になっているだけだ」

ここがいけないという理由が、読売新聞から通達されている。

「……阪神大震災の死者数と交通事故および人工妊娠中絶による死者数を比較した部分です。文中にもございますように、原稿の主意は『死に不感症になっている』現状への警告にあるものと理解しておりますが、その点は震災の死者数との比較なしにも十分読者に伝わるものと考えられます一方、震災の死者数と比較することにより、かえって被災者をはじめ一般読者に、先生がその前段でおことわりになっておられるような『人の死を数で考える』かのような誤解を生じはしないかと案じられます」

初めにはっきりしておかなくてはならないのは、これは署名原稿なのである。もし文章や内容が悪ければ――はっきりした間違いでも、そうでない感情的なものでも――その反応はすべて筆者に返って来る。だから署名原稿についての責任は社が負うべきものではないのである。

阪神大震災の死者の数を、自動車事故や人工妊娠中絶と比較しなくてもいい、とおっしゃるが――どうしたらこういうことを説明できるのだろう――私はこの場合ははっきり数の比較もしたかったのである。私は数というものが、時には余計な感情なしに、事実の恐ろしさを物語るものとして、一番いいように思うからよく使うことにしている。さらに私の書きたかった意図は、むしろ大震災の犠牲者ではない死者の多さにあったかもしれないではないか。むしろ、被災者でない、話題にならない死者の数にも、日本の危機は表れているのだから。

それに死者は、どのような死でも、悼《いた》むべき死者ではないのか。交通事故の死者一万人にも、大震災の死者と同じ悲しみがあることを、この編集局次長こそ認めないということだろう。こういう扱いこそは人の死を、トピック度によって、軽く見たり重く見たりしている非礼なものだと私は思う。

地震による悲劇の第一の要素は、天災である。しかし交通事故は(悪意のない過失による事故がほとんどだということにも悲しみを覚えるが)、その理由のほとんどが人災である。とすれば、一万人の遺族の方が無念かもしれない。ましてや中絶は、最も弱い、反対の署名も、デモも、抵抗もできない命を一方的に奪うという点で、殺人だと私は思っている。しかし、私たちは誰もが、時にはこういう形の殺人もやって、自己の生存を優先するものなのだ。私はカトリックなのだが、中絶という行為を非難しようとか、中絶した人が非常に残酷だ、とか思ったことがない。人間は誰でも同じように弱い。ただ、命を絶たなければならないような立場になってしまった場合、悲しむ心が必要だ。それが私たちを人間にする。その気持ちがないと、「オウム真理教」の殺人と同じになる、と思う。

中絶では、四年に渡る大東亜戦争の戦死者の十分の一以上の命が、毎年一年間に殺され続けている。昔はこの二倍近い数字の年もあった。大東亜戦争による死者を三百万人としよう。戦後今までに一億の中絶があったという医師もいるくらいだから、その摘みとられた命は、大東亜戦争を更に二十五回から三十回くらいくり返した場合の死者の数に匹敵することになる。戦後不戦を誓い、折ある毎《ごと》に生命の大切さを口にする日本人が、この点になると頬かぶりをする。その事実を示さなくてもいい、と新聞社は私に命令するのだろうか。

二番目の個所は、以下のようなところである。私は次のように書いた。

『オウム真理教』の信者たちがマインド・コントロールされて来たということにも私は別に驚かない。マインド・コントロールされて来たのは、必ずしもオウムだけではなかったのだから。中国報道の圧迫を受けた長い年月、日本の一流の全国紙はほとんどすべてそのマインド・コントロールを受けて、人民の思想も言論も信仰も圧迫し続けた中国を、まるで地上で最も成功した国のような絶賛記事を書き続けた。当時北京にいた新聞記者たちは、皆『ジョウユーさん』であった。

過去のことだけではない。現在でも、差別語について同じことが言える。世の中には、悪い言葉も悪い考えもれっきとして存在するのだから、それらを表す言葉はすべて使用可能にしておかなくてはならない。しかしそのようなものは一切使わないという自己規制で世論を締め上げ、今もそのマインド・コントロール下に自他を置こうとしているのがマスコミである」

いけない、と言われたのは、この後段の部分である。

老川編集局次長は、次のように書いて来た。

「その二は、後段の『差別語』に関する部分です。本紙と致しましては、社内に用語委員会を設け、極端に非礼、あるいは人に不快感を与えるような用語につきましては使用を禁止または制限する方針をとっております。他方、過剰な『言葉狩り』が好ましくないことは当然で、この点も考慮して……」

私は実はアタマが痛くなったのである。読売は確かに大きな会社である。日本一で、世界一の発行部数も持っているだろう。だから読売は偉いので、人も皆、自分と同じ考えをすべきだと思うのかもしれない。しかし、私は読売に属してはいない。読売の社員でもなく、読売と同じ哲学や美学を持つ必要もない。そこで署名原稿の意味が出て来る。

しかもさらにおかしいのは、私はここで、一言の差別語らしきものも文中に使ってはいないのである。私は自分の作品に関する姿勢を述べただけであった。それを書くことまでいけない、というのは、「過剰な『言葉狩り』が好ましくない」どころか「過剰な思想狩り」が現実に行われている、ことの証拠以外のなにものでもないであろう。

こういう新聞社は何をそう恐れるのか。誰に対してそんなにびくびくしているのか。「新聞は言論の自由のために戦って来た」などということが、どれだけ嘘《うそ》だったかを、私はよく言って来たが、若い人たちの中には信じない人もいた。その証拠がまた一つここに出て来た。この程度の署名のある文章でも、新聞は拒否し、原稿を載せなかったのである。これ以上の「言論統制」の証拠はないだろう。

私はこれで読売新聞社と、一切、関係をもたないことに決心してさっぱりした気持ちになった。と言うと、時々、同じようなことを言う作家がいるから、私は自分の立場が少し違うことを説明しておかなければならない。私は自分が書かなくなると、読売新聞が困るだろう、などと、一瞬でも思ったことがないから、そうしたのである。人生は、誰がいなくても全く困らない。アメリカの大統領が死んだって、次の瞬間には代わりができている。ましてや一作家においてをや。相手が全くコマラナイから、私は気楽に関係を持つのを止《や》めることにしたのである。

その目的はたった一つである。近い日に私は死ぬことになる。その直前、私は作家として仕事をして来た日々を思い返すことになるだろう。その時、自分が占めて来たこの世の「一隅」が、それなりに整えられ、筋が通り、自由で爽《さわ》やかだったかどうかが、多分私にとってかなり大切なことなのである。

戦後、私は多くの面で、日本人としての幸福の分配に与《あず》かって来た。私が子供時代を過ごした日本にあった悲惨さの多くは影をひそめ、庶民生活は大きく変わった。例外はもちろんいくらでもあるが、総じていえば、普通の市民が、戦前とは違って、もっと栄養のあるおいしいものを食べ、もっと清潔に、もっと便利に、もっと暑さ寒さから守られ、もっと健康に、もっと階級の差別がなく、もっと広い世界を見せてもらえるようになったのであった。しかしマスコミの世界、特に新聞は、そうではなかった。私が仕事の上での思い出を書くとすれば、日本のマスコミ、特に多くの場合、新聞には勇気がなく、権力に負け、流行を追った。一時期は左翼であることが人道の証《あかし》のように狂奔し（それが中国礼讃《らいさん》になったのだが）、その路線にも間違いがあったことを冷戦の終結後も決して謝らなかった。「その路線にも」と言ったのは、その対極にあると言われた自由主義・資本主義の世界も決して正しくなどあり得ない、と私は思い続けて来たからである。つまり人間の世界はどちらを見ても不備だらけだ、という当然の大人の思考さえ、多くの新聞は持てなかったのである。彼らは、多くの場合、外圧とも内圧とも戦わなかった。

できれば、しばしば間違いもしたけれど、神以外の存在には屈せず、恐れのために生きはしなかったという自覚で、私は小心者らしく納得した死を迎えたいのだが……それは一冊の詩集を残せたということで、わずかに自分の死を肯定している青年の感傷のようなものだろうと思う。

しかもそれさえも条件づきだ。もし私が自分の考えを変えないことで身の危険を感じたり、痛い目に遇わされそうになったりしたら、私は卑怯者《ひきょうもの》だから、その日のうちに態度を変えて身の安全を計るつもりでいる。しかし今ていどの社会状況だったら、私は悪いことも言い、たまにはいいこともする人間として平凡に生きていくつもりだし、またそれは許されているはずだ。

ありがたいことに戦後から今まで続いたマスコミの状況は、新聞が言論を弾圧すると、出版社系の週刊誌その他が救いに出る気配があった。だから、私もどこかで書いて行けるだろうし、私自身、断筆など決して考えない。幸いにも先が見えて来た私には、一生分の書くものも予定がついているから、私が病気か死以外で書かなくなったら、それはマスコミの弾圧が命の危険を感じるほどになった時である――何だか、「オウム真理教」に拉致《らち》されるかもしれない危険を予告した仮谷さんの書置きメモふうになってしまった。

勇気といえば、「オウム真理教」関係の被告の弁護を担当する弁護人が「みんなしり込み」（東京新聞六月七日付）という見出しを新聞が掲げている。

「首謀者と目される麻原被告には三人の弁護士が接見しながら、いずれも弁護を引き受けなかった。オウム関連というだけで、敬遠する弁護士がほとんど」

信者たちを接見したベテラン弁護士たちも「自分は接見だけという約束」と言っているという。

「麻原被告にはこのほか、帝銀事件の故平沢貞通元死刑囚の再審請求に携わる遠藤誠弁護士と、東京弁護士会の当番弁護士が接見したが、いずれも受任していない」

「遠藤弁護士は、麻原被告の弁護を断った理由として『犯行を認めていない』ことを挙げた。否認主張を援護すれば、教団の戦略に加担することになる。また、裁判の長期化による負担も大きい。一生懸命、被告の立場を擁護しても冷たい目で見られ、他の仕事に影響が出かねない。私選でつけば『オウムから金をもらうのか』と指摘され、国選でつけば弁護活動の困難さに見合うだけの報酬はとても得られない――」

多分おっしゃる通りなのだろう。その外にも、マスコミの攻勢が煩《うるさ》くて、仕事ができなくなるので誰も引き受けない、と実情を教えてくれた人もいたが、どう説明されても、私は対処方法があると思う。

私が弁護士だったら、誰も引き受け手がないなら多分迷うことなく引き受けるだろう、と思う。もちろん相手が依頼すればの話だが……。私はカトリックで、「オウム真理教」とは立場も全く違う。上九一色村の教団の建物にほんとうの心をこめた大切な神像だか仏像だかが一体も出てこなかったらしいことにも、私は驚いている。イスラムのように、偶像を拒否していて、ご神体に当たる目に見える姿形は一切禁じる、というなら話は別だ。しかしお金が何十億、何百億、の単位で集まるなら、教団が用意するのは、まず信仰の対象になるできるだけ純正で立派な像であるのが普通だろうと思われる。

シバ神は発泡スチロールでしかも化学プラント隠しだったという。そんなばかな宗教組織、教団がどこにあるだろう。隠すなら、信仰の対象以外のもので隠すのが当然だ。宗教教団の癖に、神や仏を「だし」に使うようなバチ当たりなことをしてはいけない。信仰を持つ者なら、たとえ他宗教の像に対しても、敬意を払い、不敬な真似《まね》はしないのが普通である。

今回の破壊工作全体が本当なら、規模は小さくても強制収容所でナチが行ったことと、全く同じ意図を持つものだろう。人を殺すのに、かっとしてやった場合も、特定の人に個人的な恨みを持って敵討ちをする場合も、過失で人を殺してしまう場合も、私はどれにも十分理解と同情ができる。状況によっては、自分がそういう犯罪を犯す可能性もありそうな実感さえ持てる。しかし、冷静に計画した無差別の殺人なら、それは人類に対する敵対行為として、地獄で裁かれるべきことなのである。

それでもなお、私は、或《あ》る情熱が、人間の属性として今までにもあったものなら、相手が嘘をつき通していても弁護できると思うし、また正当な裁判のためには、しなければならないと思う。またそれは、カトリック教徒として、非常に自然だと思うし、それが神のご意志だということは、聖書の中の次のような言葉が説明する。

「わたしが来たのは、正しい人を招くためではなく、罪人を招くためである。」（マルコ2・17）

弁護をすることで冷たい目で見られるのがそんなに嫌なのか。そういう役目を引き受けることこそ、「男の（女の）本懐」ではないのか。お金の問題については私は次のように考える。もし私が「富豪弁護士」なら全くただで引き受ける。人生の一時期、人間は計算を離れて、愚かなことをすればいいのだ。（私は偶然、既に、連続殺人犯人の弁護費用に、自分の貯金をはたいた女の話を書いたことがある。）弁護士でそういうための蓄えのある人がないとは思えない。

もし蓄財がないようなら、私はできるだけたくさん教団から取ることを考える。そして自分の弁護士事務所の経営がやっとできるだけの必要額だけを取って、残りは好きなところに全額寄付してしまう。すべてこれらのことは、公認会計士に厳正に監督してもらい、その結果を絶えず世間に発表する。金のことで、思い悩む必要はない。そういう意図がわかれば、いつかまた支援してくれる人も必ず出るのが、人生というものだと思う。

西部劇で、悪漢が村へ入って来た時どうするか、というのは、大きな問題である。私は一人銃を取って立ち向かう、と言い切れれば体裁がいいのだが、私は昔から相手を見てものを考えることにしているのだ。

もし悪漢がすばらしい銃の遣い手でこちらが撃たれること必定だったら、私は抵抗を諦《あきら》めて、酒場の裏口に繋《つな》いであった馬に飛び乗って、一目散に逃げることにする。しかしまだ悪漢が村へ入って来ないうちから逃げ出すことばかり考える風潮は――戦後の日本が、人間の魂の香気を支える一つの力としての「勇気」を悪いものとして全く教えなかったからなのだろうが――やはり人間として恥ずかしいと考えることにしている。

（一九九五・六・七）

知られない権利

今年も国会議員の所得が公開された。

最近では、これは半ば道徳的な要素まで含んだ当然の行事となっているが、私はいつも心の片隅に釈然としない思いを残している。

私は今日までのところまだ泥棒をしたり、詐欺《さぎ》をしたりして「所得」や「財産」を得たという記憶もないのだけれど、なぜか所得や財産などを公開する、というのは嫌な趣味だと思う。私は、お金のことだけでなく、どんなお茶碗《ちゃわん》で何ばいご飯を食べているか、だって詮索《せんさく》されるのはまっぴらである。お金の出入りの公開というような非人間的なことを義務づけられるなら、そのことのためだけにでも、国会議員などになりたくない、と思うのだが、議員さんというのは、私と全く違った感覚の持主で、そういうことには平気らしい。

資産を公開すれば、政治家が不当な蓄財をしたかどうかわかる、ということは、ほんとうだろうか、と思う。隠す方法なんていくらでもあるだろう。昔からけちなジイさんバアさんは、甕《かめ》にお金を入れて、庭の隅に埋めることになっていたものだった。もし私が政治家で、誰かが円山応挙のニワトリの掛軸なんぞを持って来てくれて、「センセイ、これはお預けして行きますが、ご必要な時には、どうぞご自由に」などと言われたとしても、(こういう時に、誰がどんなものを持って来るのか、私にはてんで想像がつかないので、こういう幼稚な場面しか思い描けないのである。しかし応挙のニワトリだったらまずニセモノだろうが、私は本物と思いこみたがり)決してそんなものを正直に申告したりはしないで何とかしてこの掛軸だけは私物化し隠しておけないか、画策しそうな気がするのだ。中告の網にかかるのは、どうしてもわかってしまう、所有者の名義のはっきりでるものだけだと思う。議員という人たちが、給料やそれに近いものだけを申告しているのだったら、所得公開の意味は全くない。

そもそも金は不正な手段で得られることが多い、と聖書の中にも書いてある。だから、いいことに使え、とも書いてあるが、それを実行する人はほとんどいない。

私がこういう法律が嫌なのは、今の社会では、財産を持っている人というのは、すべて社会の「敵」のような反応を示す風潮を、こういう制度が助長するからである。金も健康も、ないよりある方がいいに決っている。ただ金は、使い方を誤ると持っていることが不幸の種になる。病気は悪いものだが、しばしば病気を体験することで輝くようになった人がいることも事実だ。

国会議員など特に、経済面だけから言えば資産がない人よりある人の方がいいに決っている。すべて好きなものには、損得を離れ、自分の財産をはたいてもやる、という姿勢がほんものなのだから、政治家は、政界に出るに当たって財産をすってしまうくらいがほんとうの生き方だろう。金がないからパーティー券を買ってもらったり、財界のどこかと癒着《ゆちゃく》するのである。しかし申告くらいで、資産の実態が出る筈《はず》はないと思う。

それにここからが、私のほんとうに言いたいところなのだが、今はすぐに「知る権利」ばかりが言われるが、個人にも組織にも「知られない権利」と「知りたくない権利」とは依然として残っているだろうと思うのだ。その点については、誰もほとんど言わないのが不思議なのである。

人には、理由がなくても、他人には見せたくないというものがある。日記などはその最たるものだろうか。別にその中に夫に隠してよその男と逢《あ》っていたとか、誰かに対する殺意や妬《ねた》みを書いてあるわけではない、としても、日記などというものは、普通の神経なら（小説家は知らないが）他人には見られたくないものである。

外にもまだその手のものはいくらでもある。

どの会社にも、社外には秘密にしなければならない技術的な部分がある。

あらゆる警察や軍隊は「知らせない権利」の元に成り立っている。戦力というものは、ある場合はないように見せ掛け、ない場合にはあるように見せ掛けるのが、当然の戦略なのだから、ここでも「知る権利」など当然拒否される。日本に寄港するアメリカの軍艦に核が装備されているかいないかをはっきりさせようとする人が時々いるが、アメリカは核を持っていても「ない」と言うだろうし、持っていない時は「持っている」ような風評を立てられたいだろう。そういう力関係の場において「知る権利」など持ち出しても、話はどうも嚙《か》み合わないのである。

「知る権利」は民主主義社会において有効な納得できる約束ごとだが、非常事態は、民主主義では解決できない状況である。緊急・非常事態では、民主主義社会では有効であった開かれた合議制のようなものは「一時的」に後退する。地下鉄の駅で毒ガスが撒《ま》かれるような時には、民主主義の合議制では人は救えないし、「知る権利」に一々ていねいに応《こた》えていては、捜査はまずできない。そこで「知らせない権利」が当然発生する。

国会議員は、誰かが自然になってしまうものではない。自分がなりたくてなりたくてたまらないという人がなるものだから、資産の公開くらいさせても構わない、という論理もあるが、政治家というものの評価は、どれだけ効果的な政治をしたかであって、ただ悪いことをしないだけなら、私にもできるかもしれない。資産の公開で、そのクリヤー度を計ろうというのは、児戯に類することだろう。

新聞の番組欄も見ずにあてずっぽうにテレビをつけたら、民放の女性アナウンサーが、

「オウム真理教」の施設の一つらしいところを訪ねて、信者たちを改心させようとしている場面に出会った。その場に筆記用具を持っていなかったので、正確を期すことはとてもできないのだが、一人、また一人と、扉の奥へ消えてしまった信者に対して、この女性は扉の外から、興奮して言うのである。

「どうしてあなたたちはわからないの？」

つまり、麻原教祖や他の幹部がけた外れの殺人者であることを、どうして理解できないのか。自分はそのことを教えてあげようと思ってやって来たのに、ということを情熱をこめて言っていたのである。

この女性が、善意の人であることは間違いないであろう。しかしそんなことを言われて「ああ、そうでした」というような相手でないことは、もうとっくに分かり切っていることだろうとも思う。

世の中には、私と違ってほんとうに親切な人が多いと思う。麻原教祖の子供たちの養育を、教団に任せるのはいけない、というような判断である。

子供たちもそれを望んでおり、実の親たちもそれがいいと言うなら、たとえどんなところだろうと、外部の者が口を出すことはない、と私は思ってしまう。それは、ユダヤ教的な発想を受けているらしい「エホバの証人」の子供たちが、宗教上の理由から輸血を受けられずに死ぬこともあるというのを認めるのと同じことだ。（ちなみにキリスト教には輸血を拒否する教義の根底になるものは全くない。）人は皆、運命を受諾して生きる他はない。親もその運命の一部である。もちろん他の道がありますよ、と選択の余地があることを示すのはいいことだ。しかしその後は、はたから見てどんなに悪い環境であろうとも、それもその子供たちの運命だ、と私は思うのである。それが人間の生きる道にはずれていたら、いずれは、どこかの時点で自滅するか、運命に逆らって自分で立ち上がるかするだろう。

こういう判断の形を取る第一の理由は、もちろん、私の性格が冷たいからなのだが、その性格や判断の形成にいささかの影響を与えた拠所《よりどころ》もなくはない。その一つは、聖書の聖パウロの手紙の中にある有名な愛の定義である。

「コリント人への第一の手紙」の13章で、聖パウロは、愛をたった数行で示した。「愛は忍耐強い。愛は情け深い。ねたまない。愛は自慢せず、高ぶらない。礼を失せず、自分の利益を求めず、いらだたず、恨みを抱かない。不義を喜ばず、真実を喜ぶ。すべてを忍び、すべてを信じ、すべてを望み、すべてに耐える。」

これは思考し、表現しなければならない作家としても、驚嘆すべき個所である。愛などというものを数行で書けと言われても、私なら途方にくれるばかりだ。

ここで述べられていることの特徴は、第一に愛というものは、観念ではなく、行為と働きにかかっているということである。私たちは愛というものを観念の所産だと思う。

しかし心で思うだけでなく、それは行為として出て来なければならない、というわけだ。

第二に、そこには、現代では全く見られない自己の否定、自己満足の否定が肯定されている。それはエゴイズムの否定であり、他人のために、自分の当然の権利さえも否定することである。自己の権利を主張することが、人権の基礎だという考え方が、戦後の日本人の考え方の主流であり、それは未《いま》だに同じように続いている。しかしここで愛の定義とされる姿勢では、自分の当然の権利まで放棄する美学が示されている。

第三に、強烈に他者の存在を認める姿勢がある。つまり、他者を無視してはいけない、配慮せよ。そして最後には許せ、という命令が含まれている。愛は「礼を失せず」というところでは、私は本当にイヤな気分になったものである。聖書をまともに勉強するまで、私は愛があれば、少々の礼など失してもいいと考えていたのである。しかしそうではなかった。家族の間でも礼儀正しくあるべきだ、と考えるようになったのは、その時からである。

しかしさらに複雑な意味を静かに内包しているのは、その最後の部分である。

愛はすべてを「忍び」と言う時、そこには、ステゲイという原語が使われている。ステゲイというのは「カバーする」「家を覆《おお》う」というような意味である。「家を覆う」というのは、別の言葉で言うとギリシア語においてもまさに鞘堂《さやどう》を作ることだという。

古い建築物を壊さないように保存することは非常に難しいものだが、そういう場合、私たちは、守るべき建物をすっぽり包むような鞘堂を作ることを考える。平泉の金色堂がまさにそれに当たる。そこには、相手を改変させることなく、自分がその上に覆い被《かぶ》さって、相手を守る姿勢がある。地震や自動車事故の時、母親が幼い子供の上に覆い被さることで、子供の命を救ったという話はよく聞くが、聖書も自分が傷つき、時には命を失っても大切なものの命を守ろうとする、それが愛だと言うのである。

また「すべてを信じ、すべてを望」んだ後に、「すべてに耐える」のが愛だと、筆者のパウロは定義する。

この「耐える」という言葉がまた深い意味を持つ。その原文は「ヒュポメネイ」という表現で、それは「(下に)留まる」というような意味である。つまり愛は、身を挺《てい》して傷つけてはならない相手の上に自ら覆い被さって守るだけでなく、愛する者が落ちてしまわないように、自分は下にいてずっと支えていることなのだという。ちょうどアトラスが、永遠にその肩で天を支えているように、である。

その二つの行為の中に内包されているのは、どちらも、無理に相手を改変させない、という大前提なのだろう。無理をすれば、相手が壊れる。だから、黙って上からも下からも、相手が自然に理解し納得するまで守り続けることなのだ、というのである。

私の古くからの知人に、「オウム真理教」と関係があるだろうと言われている犯罪を非常に怒っている人がいる。そして日本では今世紀最大の殺人テロを組織した人としての教祖や幹部に騙《だま》されて、結果的にはテロ行為のために全財産を寄付したり、教祖の髪の毛や血だと称する飲み物や、教祖の「高貴な脳波」を受けるあの子供だましのヘッドギヤーなるものにばかばかしいお金を払った信者たちの愚かさは、彼ら自身も間接的に殺人に加担したのだから、その結果の責任は全《すべ》て負うべきだ、と突き放した考えをしている人がいる。

それも一種の個人主義的に筋の通ったものの考え方なのかもしれないが、私がいつも身に染《し》みて思うのは、人を改変させるということは、実に難しい、（相手とのではなく）自分との戦いだ、ということだけである。

（一九九五・七・六）

暗がりの夫族

もう何十年も昔に、母が知人の子供のいない老夫婦のことを話したことがあった。

「Oさんのとこじゃ、この頃、ご夫婦がわざと別々に遊ぶようにしていらっしゃるんだって」

夫妻は母がよく尊敬の調子をこめて語っていた人たちであった。数年前に持ち家を処分して、鎌倉の方の老人ホームに入ったが、二人とも元気だったので、温泉旅行から梅見まで始終仲良く歩いているのが、自分は不幸な結婚をしたと信じこんでいた母には羨《うらやま》しいようであった。

その夫婦がこの頃、外出はできるだけ別々にしているという。

「あそこは、今まで何をするにも夫婦いっしょだったけど、どうせどちらかが一人残るんだから、それぞれが一人遊びができなきゃいけない、ってご主人がおっしゃるんだって」

つまり意識的に夫婦が一人で遊ぶ練習を始めたというのである。初めは一人で喫茶店に入ることもぎこちなかったが、次第に馴《な》れて、知らない人とも口をきくようになった。ホームに帰ると、それぞれがその日に体験したことをお互いに報告する。それが人生を倍に生きていることだと思えるようにさえなった。

私はその時黙っていたが、実はそんなことができるものかしら、と恐ろしさに震えていたのである。私は小学生の頃から、何でもやらされていた。薪《まき》でご飯を炊《た》くことから、腐敗臭がしてウジの湧《わ》いている台所の塵《ごみ》を処理することから、戦争中は、重い買い出しのお薯《いも》を担《かつ》いで来ることから、旧式トイレの汲《く》み取りまで、なんでもできた。母が資産株というのだろうか、貯金代わりの、ほとんど売買というものをしない製鉄や電力会社の株を少し持っていたので、株の買い方から、増資の払込の方法まで、高校生の頃から知っていた。

どんなに辛《つら》くても生きて行く他ないのだ、と私は思っていたから、このO夫妻のことも当然とは思ったが、何でも自分でできるように訓練されている割りには、私は心理的に依存したい性格で、一人では生きていけないように思っていた。山を見ても、海を眺めていても、もし一人っきりだったら、死んだ方がいいように思う。一人で映画を見たっておもしろくないから行かない方がいい。その点、後年息子が高校生くらいの年になると、全く違う感覚を持っているのを知って驚かされた。彼は父親と同じやくざ映画を見に行くのに（別にその朝父親と喧嘩《けんか》したというのでもないのに）一電車遅れて行き、別の席に座るのである。帰りだけは、父親とべちゃべちゃ喋《しゃべ》りながら帰って来るというのもおかしなものであった。

数十年が経《た》って、私たちの同級生の配偶者たちが、もうほとんど定年になる年になった。私は毎年恒例になっているイスラエル旅行にでかけたが、その年は大学の同級生の一人がボランティアに来てくれた。

旅の途中で、彼女は、今、真剣に夫に家事をしこもうと思っている、と言った。もうこの年になると、どちらが先にどうなるかわからない。死なないまでも、長期入院ということになったら、家に残った方が、一人で生活しなければならない。

彼女の家ではまず子供たちが、お父さんにエプロンを贈った。長いこと社長業をしていたような人が、台所に入ったらどういうことになるか想像がつかない。優しい子供たちは、何とかそれをユーモラスな出発として励ますことができないかと考えたようだった。

私は彼女の賢明さに打たれた。もういいの悪いのという選択をしている時間はない。明日にも、夫婦が一人で生きて行く必要が生じるかもしれない。配偶者が入院したらその日から、或《あ》るいは死亡したらその夜から、誰がご飯を作るのだ。息子や娘たちは皆忙しい年齢である。離れて住んでいるケースの方が多いだろう。嫁にご飯を作りに来いなどと呼びつけられると思っていたら、それは大変な時代錯誤というものだ。

今自分が健康でも、それがいつまでも続くだろう、と自信を持っていい年でもなかった。私はよく病院に見舞いに行ったり、仕事で出入りしたりすると、「ああ、ここは懐《なつ》かしい所だなあ」と思うことがあった。しかし考えてみると、私は自分が入院したことはほとんどないのである。地方の病院で眼の手術を受けた時、家が近所なら帰れる人もいるというのに、私は近視の度が強いのと、家が東京で通えなかったので、数日入院した方が便利だということになった。その時以外、若い時の盲腸の手術を除いては、入院するほどの重病をしたことがなかったのである。私はいつも付添いであった。だから病人よりもむしろ、病棟の機能をよく知っていた。そして私は、自分が長く入院することなど考えていなかったのである。

私たちの世代の夫族の中で、どれほど生活者として無能な人がいるか、長い間、私たちはそれこそ笑いの種にして来たのである。妻がでかけようとすると「何時に帰る？」と聞く。愛しているから、妻が誰と会うのか、どこへ行くのかが心配なのではない。心配の種は「俺の夕飯はどうなるのだ」ということだけだ。大学を出ている癖に（私たちは決して学歴主義者ではなかったが、こういう場合にだけは、その点を強調せずにはいられなかった）、夕飯を作る能力も、出前を取る才覚もないから、奥さんが少し遅れて帰ってみると、電気もつけない薄暗がりの中にじっと座っている。

と言って皆笑うのである。これはどうしても侮蔑《ぶべつ》の笑いでしかない。暗がりの夫族の中には、東京大学の出身者、ことに法学部の卒業生も多かったので、私たちは自分たちの出身校が秀才校でもないのを棚に挙げて、改めて幼稚な優越感を覚えることにした。あんな生活無能力者に、東京大学はよく卒業証書を出したもんだ!? というわけである。それにつけても、東京大学なんて大したことないね、と私たちは笑い転げる。一人で生きていくとなったら「うちの学校」の方が上よ、という絶対の優越感である。

どうして秀才の夫たちは、ああも能がないのか。今どきは、炊いたご飯そのものだって「大盛りですか、普通ですか」という感じでマーケットで売っているではないか。デパートや商店街のおかず売り場で、適当に焼魚と野菜の煮ものでも買えば、それほど栄養が偏《かたよ》るということもなくて済むのに、それができないのである。

昭和初年代の夫族の中に、おかずも自分の靴下も買ったことのない人が結構いるのは、彼の母の責任だろうかそれとも妻の責任だろうか。台所に入っても、お湯の沸かし方一つ手順がわからないからうろうろしている。薬罐《やかん》がどこにあるかも知らないのだ。洗濯機のボタンを押したこともないし、炊飯器の目盛りの読み方など、わかるわけもないから、ご飯くらい炊けるでしょう、などと言われると、恐怖で不機嫌になる。味噌汁《みそしる》を作れと言われれば、水に真先に味噌を入れる。そういう無能な「秀才」を笑いの種にすることほど、気楽でおかしいものはなかった。たとえ聞こえても、相手は絶対の自信を持っているから、傷つきようがないという点では、霞《かすみ》が関のキャリアーたちの悪口を言うくらい安全なことなのである。

しかし彼らが、人間としたら、生存の資格に欠けていることには間違いないのである。つまり自分でご飯の心配もしなくて生きることが当然と思うのは、実はとんでもない不遜《ふそん》な男かもしれない。それは「お前作る人、俺は食べる立場」(ほんとうの有名なコマーシャルは少し別の表現だったが)みたいな男女の性差別を容認し、自分はそういう仕事をしなくて当然の、もっと高級な人間だと思い上がっている証拠なのだ、と私もこのごろ悪意に解釈することにした。

クラス会で出たそういう「無能秀才」夫族の話を聞くと、我が家の夫はこの上なく嬉《うれ》しそうに笑うのである。「ボクは昔から何でもできるの」と言うのである。こういう時が習い事始めの好機とばかり、早速お手並み拝見することにしてみると、手順は時折めちゃめちゃ、やたらにあたりを汚すという荒っぽさはあるが、作る料理はまあ食べられないわけではない。生きるには実はそれで十分なのであった。

夫は戦争中、軍隊で、ベッドを整える方法を習った。無器用で、シャツさえまともに畳めない人なのだが、軍隊とはありがたいところだ。(こういう台詞《せりふ》を聞いただけで、大真面目《おおまじめ》にかっとなる人は、早くも精神の柔軟度が失《う》せている恐れがある。)その時仕込まれたベッド作りだけは信じられないほどきっちりしている。しかし軍隊には、ベッド・カバーなどという高級なものはなかった。だから、彼は毎朝自分のベッドを作る時、カバーだけはどうも美的にかけられない、と感じていた。

ところが或る時、旅先のホテルで朝ご飯から帰って見ると、メイドさんがベッドを作ってくれているところだった。どうしてあんなにきっちりカバーがかけられるのか聞いてみると、その親切なおばさんは、実演つきでカバーをかけるこつを教えてくれた。それ以来、夫のベッドは私の家で玄人《くろうと》並みのきれいな整えられ方をしている（私のはぐちゃぐちゃだ）。比べて見ると、夫のには微《かす》かな軍隊の匂《にお》いを残して、学生生活の爽《さわ》やかさがある。朝起きてまず、ベッド作りをするのは一仕事ではあるが、身体《からだ》の柔軟体操にはなる、と夫は言う。老年になると、こういうことも、たかが三、四分間のことだから、おもしろがろうと思えば、遊び心で処理できるのである。

私の方はその頃から急に料理に熱心になった。前から食べ物を作るのは嫌いでなかったのだが、夜、眠くなるまでのほんの数分しかなさそうな時は、漢方薬の本を読んだり、料理の本を開いたりしている。「私は料理が早いんです。そのこつを知ってます？ 心をこめなきゃいいんです」などと言っていたのだが、それでも料理を作ることをいい女房ぶることだ、と勘違いする人もいた。

私はただおもしろいからやっているのである。母が亡《な》くなって以来、つぶれていた糠《ぬか》味噌《みそ》の桶《おけ》も復活させた。糠床を作るのはもっと大変かと思っていたら、ビールを使ったら、一週間で昆布《こんぶ》とトウガラシの味が、まあまあの線まで馴染《なじ》んでくれた。マーケットで既製の糠床などというものを買う必要もなかったのである。

私は庭で茄子《なす》とミョウガも作っている。こちらは夫は全く手伝わない。たまに見ている時には、彼は突っ立ったままだから、私は這《は》いつくばって働く奴隷《どれい》で、彼は監督に立っている奴隷頭という位置関係である。しかし私が原料から採った糠漬けだけは、実によく食べる。自分がこれほど食べるなら、少しは良心のカシャクを覚えて手伝ってもよさそうなのに、自分では何もしない。

私は、糠味噌を作る時には朝四時に起きて、朝採りの野菜を漬け込まなければならない、などという名料理人の言葉には、金輪際乗せられないことにした。私は今のところまだ、料理人が第一の仕事ではなく、小説を書くことを本職としているらしいから、料理にうちこむ必要はないのである。漬物が少々古漬けになったら、塩出しして、ミョウガとショウガを刻みこむ程度の、ごまかしの手口さえ知っていればいいことにしている。

夫は私がいつでかけても「ボクは平気だよ。食べたいものを作って食べるから」と言うようになった。初めは気にして、通いの家政婦さんに、「庭の茄子を採って、おかかで煮つけてから帰ってください」などと頼んでおいたのだが、夫は後で「ボクは今日は自分で畑からもいだ茄子で鴫《しぎ》焼《や》きを作りたかったんだ」と文句を言うこともあった。

昼間手助けの人手を全く頼まずに私の仕事はできないのだが、夜になると家で夫婦が二人だけで暮らすことは、三人の親たちを見送ってから初めての体験であった。静かで気楽であった。私は生活を便利にするために、もともと捨て魔みたいなところもあったのだが、ますます物を整理するようになった。時には必要なものまで捨ててしまう。一番先に捨てたのは手書きの原稿である。床はものを置くところではありません。テーブルは、箱の仮置場ではありません、と一日中いやらしいことを言っている。その癖、自分が一日に何回も探しものをする。

夫はゴミの分別のベテランになった。私が時々、「これは燃えないゴミ？　燃えるゴミ？」と聞くのである。昔から私は自然科学に弱かったから、ゴミの成分がわからないのである。たとえば、竹の皮のニセモノは燃えるゴミなのか燃えないゴミなのか。夫がそれに答えてくれるのは便利でよかった。昔から、「ボクの脳細胞を、気安く字引代わりに使うな」と言っていたが、ゴミの成分を聞く時だけは、妙に機嫌よく教えてくれた。

人間は、老年になったら、いかに自分のことを自分でできるか、ということに情熱を燃やさねばならない、と私は思う。それは、その人のかつての社会的地位、資産のあるなし、最終学歴、子供の数などとは、全く無関係の、基本的人間としての義務だと思う。つまりドロボーをしないとか、立ち小便をしないとか、いうのと同じくらいの、社会に対する義務である。

老年になったら、人の助けを借りずに、自分で今日一日生きてやって来れた、ということは、それだけで大事業だと評価していい。できれば、少しでも他人の役に立つ方がいいけれど、役に立たなくても、自分で自分のことさえできれば、それだけでも社会に貢献していることになる。

よく世間では、勲章の是非、それを受ける人の資格、などに大変熱心な人がいるが、長生きして自分のことは自分でして、健康で医療機関にもあまりかからなかった人は、是非一定の時期に叙勲するのがいいと思う。そういう人は慎ましく、確実に、無言のうちに国家に利益を与えたのだから。

人間は、たぶん最低二つの顔を持つべきだろう。第一の顔は、動物に毛が生えた程度の道具を駆使して、動物より少し程度の高い生活を自分で維持するという基本的能力である。つまり、金槌《かなづち》でクギが打てるとか、ガス台に火がつけられるとか、仕様書を読んで簡単な機械を動かせるとかいう程度のことである。

第二は、生命維持のラインをはるか離れて、もっと抽象的で組織的な知能上の生活をなすことである。学問でも、経済でも、政治でも、何でもいい。しかし、第一の段階を離れて、第二の段階はない。それなのに、自分の仕事だけが重大で、第一段階などにかかわっちゃいられない、という気分に生涯しがみつく男たちができてしまう。

これは理由のない自信というべきだろう。すべての人がその年に合った生活の方法を要求される。寿命という言葉は、ギリシア語で「ヘリキア」と言うが、これは寿命と共に「その年齢に合った職業」という知恵が隠されている。つまり青年は運動選手に向くが、中年はもはやスポーツで記録を出すことはできない。しかし中年以後にいい仕事ができる医師のような職業もある。そして老年には、青年時代、中年にはない、深い観照の能力が生まれる。その時々の精神の寿命を私たちは十分に使い切ることがみごとなのである。

もちろんいかなる人も、事が夫婦や家庭内で納まる程度なら、かなり特殊なことでもやって構わないだろう。しかし万が一、その体制が壊れた時のことを考えないということは、やはり怠慢と言われても仕方がない。言うまでもなく、私は病気で身体を動かすことのできない人にまで、そういう生活をしてください、と言っているのではない。健康なら、老年こそ、自分のことは自分で、という原則を全うすることが、人間として深い完成に繋《つな》がるという、謙虚な発見に回帰すべき時だろう、と言っているだけなのである。

老年になったら、何ごとも、おもしろがればいいのである。そのためには主体性を持たなければならない。女房が出掛けたので、飯を作らされる、というような受け身の姿勢ではダメだ。

よし、女房なんかいなくても、ハヤシライスを作って一人で食べよう。あんなもの、オレがやったら、出来合いのルーなんか使わずに元から作って、もっと個性的な、魂も蕩《とろ》けるような味を出してやる。女房なんか何十年も料理をしている癖に、野菜を煮て同じルーを入れるだけだから、十年一日のようにあの味だ。見ていろ、オレの方がずっと才能があるに決まっている。

そう思って作って見ても、失敗することもあるだろう。その時は女房に気取られないように、失敗作をゴミ箱にぶちこんで、「何作らぬ顔」をすればいい。そして密《ひそ》かに次回の作戦に取りかかる。

失敗しても、へたくそでも、何でもおもしろいという、すばらしい自由な時代に入ったのである。これこそが究極のしゃれた「大人気」だ。このたった一つの地点に到達できないと、いい老年になりそこなう。

（一九九五・八・六）

バリの新月

今年は、日本人がバリ島へ押し寄せたそうで、コレラにかかったのも日本人だけだった、という評判の中で、私も夏休みの最後を、バリ島に住む親友のA夫妻を訪ねて過ごすことになった。

初めに、どうして日本人だけがコレラにかかるかというと、それは刺身を食べるからだろう、と私は思っている。それとウィスキーを飲む時の氷が悪いという説もある。汚い水で氷を作るから、氷も雑菌の塊になる道理である。

かねがね私は不潔に強く、手を洗わないでサンドイッチを食べる習慣をつけている、などとくだらないことを得意がっていたが、外でお腹《なか》を壊さないのは、私の小心さがそれなりに節制をしていたからだ、と気がついた。取材でアフリカや南米の僻地《へきち》に行くような時には、ほとんどの場合、電気《でんき》釜《がま》を持って行って自炊している。サハラ砂漠のような所では、電気はないのだが、そういうところでは小型の発電機を持っていたから、やはり六人前のご飯が炊《た》けた。どこでも食事を自分で作って火の通ったものだけ口にしていれば、簡単でおいしいし、ほとんど肝炎になどかからないでいられる。生物《なまもの》は小さなサラダ菜の一片も、旅行中は食べないことを自然に覚えた。アフリカのブルキナファソの田舎では、農家のお父さんに会った。この人は栄養失調になった子供を、日本人のシスターが働いている国立病院に連れて行ったおかげで、日本のミルクといい薬を投与して貰《もら》えた。彼は子供が一命をとりとめたことについて礼を言い、見事なレタスを大籠《おおかご》にいっぱいくれた。その薬もミルクも、私が世話役の一人をしている海外邦人宣教者活動援助後援会というグループが送ったもので、こうしてほんとうに命を救うことに役立っていたのである。「それならこのレタスを食べる権利もあるか」と私は理屈をつけたが、実は見た時からどうしても食べたかったのである。私はシスターが責任者になっている栄養失調児センターの調理場で、フライパンを借りてお湯を沸かし、一片一片レタスを湯通ししてから食べた。雑菌を釜茹《かまゆ》でにして殺したのである。シスターが庭で栽培している見事なパセリも食べたかったので、それはジャガイモのフライの最後にさっと炒《いた》めてポテト・フライに振り掛けた。取材中には、病気にならないための節制がいる。

さて、バリ島の私の友人のA夫妻は、サヌールという海岸の、純粋にバリ風の家に住んでいた。海風はべとつかず、暑くもなく寒くもない天国のような気候とは、こういうことなのかと思うほどの涼風である。

家は一間一間がコテージ風に独立家屋になっており、椰子《やし》の葉葺《はぶ》きで、高い天井裏は竹と籐《とう》を編んだ手細工である。家の中の家具調度に使われている木質の部分の彫刻もいずれも精巧な職人芸であった。

家族の団欒《だんらん》には、散らばって独立したコテージの中央に位置している堂々たる高殿が使われる。これは、村々にある集会所と多分に同じ機能を意識して造られたもので、広さは長さ二十五メートル、幅十五メートルくらいの、四方に壁も戸もない、従って戸締りなどということも考えられない建物である。昔のバリは泥棒などというものもいない土地だから、こういう建築様式も可能だったのであろう。そこは居間でもあり、客間でもあり、食堂でもあり、昼寝や読書の場所でもあり、海の息遣いを聴く場所でもあった。前には睡蓮《すいれん》を浮かべた池、周囲にはシンメトリーに置かれた鉢植えのブーゲンビリアが燃え盛る花を見せている。

この広大な屋敷を保って行くには、少なくとも、二人のメイドと二人の庭師がいる。そして夜には、夜警がやって来る。そうしないと、戸締りのない部屋に置かれた壺《つぼ》や戸棚も、たちどころに消えてしまうことになる。

そんな贅沢《ぜいたく》な生活など、日本では望むべくもないが、そういう暮しにはまた別の苦労があることがわかって、私は溜《た》め息がでそうになった。

A夫妻は、私たち夫婦と違って、潔癖できれい好きである。ところが、今は臨時の人も混ぜて三人いるメイドさんたちは、平気で床を拭《ふ》いた布でお皿も拭いてしまうので、眼が離せないのだと言う。私は床に落としたものも始終平気で食べてしまっているけれど、確かに床拭きの雑巾《ぞうきん》でお皿を拭くと考えたら、少し気分が悪いだろうと思う。

たとえばこの豪華な家には、台所に鋏《はさみ》がないのだった。台所に鋏がないと、私は不自由で仕方がない。ジュースの箱一つ開けられないではないか、ということになる。聞いてみると、A夫人は初めのうち、もちろん鋏を備えていたのであった。しかしどうしても数日でなくなってしまう。ことに日本製の鋏はいいということになると、なくなり方も早い。

彼女は決して「盗まれた」などという言い方をしなかった。ただ台所にせよ、どこにせよ、いろいろな道具があるところでは、その一つも失わないで必要な時に機能させようと思ったら、かなり綿密な管理がいる。私自身、口では整理整頓《せいとん》を小喧《こやかま》しく言う癖に、いつもだらしなくものをなくして自分に腹を立てている。それを思うと、バリの台所でも、鋏は悪気でなくなったのではなく、多分管理能力がないせいで消えるのである。

その台所には、私たちが羨《うらや》ましがったほど大きな三段棚があった。(こんな豪邸に来ておいて、私たちは台所の棚を羨ましがっていたのである。)それは洗い上げた皿や鍋《なべ》を置くための棚で、A夫人にすれば、当然、一番上の棚を陶器、二段目と三段目を鍋類、というふうに教えていたようである。しかし三人の優しいメイドさんたちは、そんなことにはいくら言っても無頓着で、重い鍋を平気で皿やコップの上に置くので、私たちがいた間にも、揃《そろ》いの食器のうちの幾つかが割れてしまうありさまであった。

私は初め、和食が好きで骨董《こっとう》の目利《めき》きでもあるこの家の女主人が、どうしてご飯茶碗《ぢゃわん》くらい、安物でいいから備えておかないのかと不思議に思っていたのである。しかし聞いてみるとそれもつまり以上のような経過を経て、たくさんのお茶碗が割れ、もうそのことをいちいち気にするくらいなら(それはこの風景とは似つかわしくない感情の波立ち方でもあろうし)いっそのこと日本風のデリケートな食器など、一個も置かない方がいい、という境地に達したのだ、ということであった。

しかし三人のメイドさんたちは、毎朝早く、必ず邸内の神々の像の耳のところに新しいハイビスカスの花をさすのを日課にしていた。テーブルの上の花も新しく取り替えた。それがバリであった。神々に対するお供物《そなえもの》を作ったりお参りをしたりする時、バリでは時間が止まり、人びとは永遠の時の流れの中に優しく漂うのであった。

A氏は、インドネシアを祖先の土地とし、オランダで育ち、アメリカで大学教育を受けた。妻が日本人だから、日本を愛しつつ、日本の批判者でもある。その人とこのすばらしい高殿で話をしていると、私の心にあることと不思議なくらい、意見が一致することが多かった。

「この高殿の床は、落ちたら大変ですね」

と私はA氏に言った。高殿は地上二メートル半くらいの高さがあって、涼風が足元を吹き抜けている。

「お宅が一族再会をなさる時、小さいお孫さんが落ちないように用心していらっしゃらなきゃなりませんね」

「それはそうなんです。或《あ》る時、この家を使わせてほしい、と言って来たドイツ人にも、私は言ったんです。この高さで手すりだけしかないのですから、あなた方ご自身で、気をつけてお使いになると言うのなら、どうぞ、とね」

「それがほんとうでしょう。落ちそうで危ないと思うなら、使わなきゃいいんです。使っておいて、自分の過失で落ちて、設備が悪いからそちらに責任がある、という言い方はいやですね」

私たちの会話は自然に、「アジアをつなぐもの」、或いは『アジアは一つ』ではないもの」、或いは「不思議に日本的なもの」を探るような話題を探していた。A氏が言うには、その一つに、日本人は外国人の講演などを聴きに来て、最後の質問の時間になると、必ず「日本(或いは日本人)は、外国からどう思われていますか?」と聞くというのであった。そしてそれは、実に日本人独特の質問だと彼は言った。

人間にとって大切なのは、自分が或ることをどう把握して、どう行動するかであり、他人がそのことについてどう思うか、などということは、実に瑣末《さまつ》なことである筈《はず》である。どう思われても、やるべきだと思ったらやるのが人生なのだし、それで悪意を持たれるなら、それは悪意を受けているより仕方がないことなのであった。

「人は相手を憎もうと思ったら、こちらがどうしても憎みますよ。だから謝っても仕方がない」

という言葉は、村山首相が戦争を謝罪した、という「ヘラルド・トリビューン」紙の記事とつながりがあったのかどうか私は確かめなかった。ただ氏が言うには、日本人には、腰を据えて自分自身の選択をするのが当然、その結果を受けるのも当然、という意識がひどく欠けていて、何かにつけて自己決定ができない。人の批判を避けようとし、血が出ることを恐れて叩《たた》かれるとすぐ前言を取り消す。やるべきことは人からいかなる非難を浴びてもやるという教育ができていない過保護民族なのだ、というのである。

私はそれを時々ボランティア活動に関して感じることがあった。ボランティアなどというものは、つまり「もの好きで」することなのである。しかし官界、政界、財界の中には、ボランティア活動でもしなければ、日本企業や日本人が、海外で受け入れられないから、とはっきり言う人がいて——もちろん人はどう思うのも自由なのだが——ボランティア活動までを、商売や取引に利用するという精神をあまりあからさまに出されると、その度に私は余計なお世話だが、心の中で赤面していたのである。そして私だけは、昔からそうであったように、これからも、こういう点でだけは見栄《みえ》っぱりを続けねばならない、などと自分に言い聞かせてもいたのである。

私は七月末に日本を出てしまったので結果をよく知らないのだが、日本の二つの信用組合の不正融資の結果の赤字に対して、政府が補塡《ほてん》するかもしれないなどということも、A氏に言わせれば、日本人を大きくだめにするやり方だというのであった。

「そうでしょう。彼らは大人なんですよ。自分で自由にその道を選び、自分で利益があると思ったから決定した。自分で選んだ以上、その結果はどうなっても自分で負わなければならない。それが世界中の常識です。もし補塡すれば、これでまた日本人は、『ああ、何か起きても、どうせまた政府が後始末か肩代わりをしてくれるだろう』と甘く見るようになります。教育上、よくないですね」

私は中国に対する企業進出はどう考えるべきかを尋ねた。A氏の一族はホテルの経営をあちこちでしていて、そういう意味で最も鋭い触角を持っているからだった。

「中国は大きな可能性をもっています。しかし今出るべきではない。ゆっくり様子を見ればいい。大きな市場なら、ゆっくり出て行っても、市場はまだ残っている理論ですから」

先を争って中国に進出すると、中国人は、日本人よりずっとずっと「偉い」から、必ず日本人は煮え湯を飲まされることになるだろう、とA氏は言う。

台湾の李登輝総統が青春時代を過ごした日本に来たいという。李総統が、日本に政治的な働きかけをしないように牽制《けんせい》するのなら、力関係でわかるとしても、センチメンタル・ジャーニーも許さない中国というのは、人の心のわからない恐ろしい国だ、と私は思っていた。人の心がわからないと、学問も経済も成功するわけがない、ということなのだろうか、と私は考えていた。とにかく、中国投資は、ゆっくりゆっくり焦《あせ》らずに、でいい。

バリが民芸の宝庫であることは、間違いなかった。ここ数年の間にも、彼らは、新しい特産品として「キルティング」を編み出した、と言う。織りも縫いも、素朴ではあっても稚拙ではない。石や木の彫刻に関する造形能力はすばらしいものがある。こういう技術がないと、半導体を作るような工業も伸びないのである。おりしも初めてのインドネシア製の飛行機の試験飛行が行われた、と新聞は報じていた。二十一世紀がアジアの時代と言われるのは、このようにして、アジアにはあくことなく精巧への欲求を持つ国が多いからである。

かつてフィリピンで会った一人の修道女が言った。

「フィリピンに精巧な民芸がないのは、過去に、圧政を行った強力な王朝や政府がないからなんですね。富が偏在したり、暴君が出たりすると、職人は悲惨な状態で技術を強制されたり、パトロンが生まれてすばらしい職人芸が育ったりするんです。でもフィリピンには幸か不幸かそういう体験がなかったから、お金を稼げるような技術が定着しないんですね。もっときれいなものを作りなさい、と言うと、どうして今のままでいけないんですか、と聞かれますものね」

それでフィリピンでは、一村一品運動がうまくいかないのだ、というのである。封建時代を経過しないと、本当の近代性は生まれない。苦い思いをしないと、抜きんでた境地に到達できない。バリの八人の王は一村一品運動を興《おこ》す原動力になり得た人たちだったのだろうか。この矛盾に満ちた事実をさらりと見分ける若い修道女の言葉を思い出していると、バリの海には新月が昇って来た。

（一九九五・九・六）

プレスリーの聖歌

もう数年も前のことになるが、或る午後、私は昼寝をした。

「今日は昼寝ができる」と思う時ほど、私は幸せになることはないのだが、その日、目覚めた瞬間に、私はあたりが死に絶えたような静寂に包まれていると感じた。

私は耳を澄ました。偶然だったのだろうが、その日は日曜日で、何の物音もしなかった。私の家は二本の私鉄が合流した地点にある上、電車の線路に近いからけっこう騒音の聞える場所である。「煩《うるさ》くて寝にくいですね」と言った泊まり客もいたくらいだった。私自身はもう子供の時からずっとこの音を聞いているので、慣れっこにはなっているが、それでもその時は電車まで、走るのを止めたように音がなかった。その上、家の中にも人の気配が全くしなかった。

そうだった！　と私は思い当たった。私はもう九十二歳になるんじゃないか。だから、家族も知人も、皆死んでしまっている。それをどうしてすぐ思い出さなかったのか。周りには自分しかいない。だからこんなに物音がしないのだ。

数十秒すると、しかし、私は、それが妄想《もうそう》であったことを確認した。私は若くはないけれど、まだ家族は生きていた。年取ったネコも決してもう早足では歩かなくなったけれど、生きている。太り返って鯉《こい》みたいに大きくなった金魚も生きている。友人もまだ皆元気だ。私はその幸せを、今度は夢のように思った。

こういうはっきりした「悪夢」は今までにたった一回だが、昼寝をすれば必ず気分的にこれに近い落ち込み方をする。医師が言ったわけではないが、もともと低い血圧がさらに下がるのだろう、と私は思っている。だから昼寝は嬉《うれ》しいのだが、この起き抜けの嫌な気分を思うと、昼寝を恐れる心理もある。

しかし作家とはおかしなもので、私はその時、一人生き残った自分を「実感」したのである。自分が今よりもっと盛大に華々しくなった夢などは見たことがないが、不幸が現実になった夢は、時々見る。だから、私は書けると思うことがある。

友達があちこちで死ぬようになったら、私は深く悲しまないことにしようと、今から心に決めている。もちろんこちらが先かもしれないのだから、むしろ心配はこっけいでもある。ただもしこちらが後に残ってしまったら、友については、あまり語らず、ただ自分の思い出の中だけにその人のことを留めておくことにするだろう。反対の場合も、私は同じことを相手に望むからである。

まだ先輩の場合が多いけれど、どなたかが亡《な》くなると、このごろは追悼集を作ることが多くなった。人はどんな希望でも、堂々と叶《かな》えるようにすべきである。しかし私は、このごろもう誰のことも書きたくなくなったので、その度に断るのに疲れている。どうしてそうなったかと言うと、人の一生は他人が到底わからないものだ、という思いばかりが深くなって来たからなのである。

最初は当惑から始まった。もうずっと昔のことである。どうして自分の話したことが、こういうふうに百八十度逆の意味に伝わるのだろうか、という煩悶《はんもん》であった。もちろん喋《しゃべ》り方が悪いというのが第一の理由であろう。世の中には理路整然と、ものごとの筋道を明らかにして、しかも誰でもが分かりやすいように整理して話せる人もいる。しかし私はそうではない。座談会の速記録などを読みなおしていても、いかに私の感情が、くどくどと寄り道をしているかがよくわかる。

しかし考えてみれば、理路整然としないからこそ、小説も書けるのである。小説は本来その「彷徨《さまよ》う心」の部分を書くものだから。

私はまず、新聞などのコメントを恐れるようになった。自分で書くならいいけれど、まるっきりさかさまの意味の発言をしている自分と会うのは、やはりあまり気分のいいものではない。こういう時、若い時は烈火のように怒った。しかし最近では、怒る代わりにコメントもせず、人のことも書かない、という姿勢を守ることにした。こういう怠惰な守りの姿勢を取ることが「老化」の現れなのだろう。

オウム真理教のために影が薄くなってしまったが、ロス疑惑で有名になった三浦和義さんという人は、あちこちの新聞を名誉毀損《きそん》で訴えて、その勝訴の打率は六割近くになるという。ロス疑惑そのものは、部外者にはわからないが、新聞がろくろく調べもしないで気楽に書いた推測記事に対して、三浦さんが戦うことには、私は秘《ひそ》かに声援を送っていた。留置されているような人のことなら、いい加減に書いても手出しができないだろう、とたかを括《くく》っているような新聞社の態度が嫌だったからである。恐らくオウム真理教の関係者に対しても、マスコミはずいぶんでたらめを書いただろう。殺人を正当化する宗教団体などというものが、この世で認められるわけはないが、反論できない人に対しては、見て来たような話を書く趣味も嫌なものである。

今の世間は、オウムをいささかでも弁護するような姿勢を見せるだけで、すなわちオウムのシンパだという言い方をされる。私はカトリックだからほんとうによかった、とすぐご都合主義が頭をもたげるのは恥ずかしいが、信仰を明確にしない限り、誰もが恐ろしくてオウムのことなど、一言だって非難以外のことは言えない、という空気になっている。

もう大分前から、実は私は歴史小説というものもほとんど受けつけなくなってしまった。男性は、歴史小説が好きらしいが、どうしてそう簡単に、作家の書いた人物像を信じられるのかわからない。歴史小説に出て来る会話や挿話の背景は、ほぼ間違いなくその人の真実ではないだろう。誰でもいい。歴史上の人物で小説に出て来る人に、「あなたはこの時、ほんとうにこの小説に書かれているように、こう言った(思った)のですか?」と聞いてみれば、百人のうち百人までが「いやこんなことは言わなかった(思わなかった)よ」と答えるだろう。それでも世間が歴史小説を平気で愛読するのは、書かれた当人がもうそれに対して反論できない、という立場におり、そこに反論がでないことに筆者も読者も安易な安心を見つけているからである。

作家の伝記などというものも、私にとっては実に不思議な物である。死んだ後になって「あの時、先生はこうおっしゃったのです」などとまちがったことを書かれたら、当事者はほんとうに迷惑だろう。それを読まされる読者や、それを真実と見なしてその上に立って作家論を展開する評論家も、おかしな存在である。自分にしか書けない心の襞《ひだ》の「それも一部」を書いているのが作家というものだろう、と私は思う。作家は作品になる手前の段階で、多くの「心理的処理」を行っている。別に隠すとか、体裁を作っているとか、嘘《うそ》を書いているとか言うことではない。作家は「真実を書いて事実を書かず」という。真実と現実との間をどう埋めるのか、は、説明できないほど複雑な心の問題である。また喋る時も、さまざまな羞恥心《しゅうちしん》が表現を屈折させる。それをほぼ正確に理解し、記憶する人はいる筈《はず》がない、と知りつつも、作家はその含羞に耐えられずに、作為的に振る舞うことがある。そのようなぶれを計算せずに、死後になって作家の生活や心情を他人が書き、作品の解明をするなどということは、ほんとうに恐ろしい所業だろう、という気がするのである。

私は決して、時代小説を否定しているのではない。その作家が創作した主人公の登場する時代小説を読むのは実に楽しい。小説として登場する架空の人物はイノセントだ。しかし実在した歴史上の人物を登場させる小説は、すべてがほとんどかなりの部分嘘だろう、ということなのだ。それによって、私たちが歴史上の人物に迫れる、というのは錯覚で、むしろ多くの嘘を教え込まれるだけのことになる。

先年、或《あ》る作家が、実業界の有名な人物をモデルにした伝記を書いたが、私はその方の「子供」に当たる人と昔から友達であった。

「正確に書けてます？」

私は尋ねた。

「いいえ」

私はその作家も友人も好きだったので、連載が終わって本にする時に、もう一度間違いを正して正確にしてもらったらどうですか？　と余計なことを言った。多分、それはそうなったのだろう、と思う。しかしこういう幸せな結末になるのは、父と晩年まで同居した子供や妻が生きていて事実の間違いを訂正でき、作者も書き直すだけの時間的、心理的余裕があった場合に限られている。しかし多くの人物論、作家論、誰それさんの思い出などというものは、まず真実かどうかを正せる当人の死後、ほとんど筆者の思い込みで書かれている場合が多い。

私は当人が書いた自叙伝というものはこのごろ大変おもしろく読むのである。「何々日記」もおもしろい。ただその中に他人が登場すると、書かれた当人は決してそうじゃない、と言うだろうな、と思いながら困惑して読んでいる。当人が書いたものなら、そこに描かれている内容に客観的正確さがあるというのではない。その人がそう思い込み、そう言いたがっているということだけはまちがいのない真実だから、それは安心していられるし、それを知るのは面白いのである。

考えてみると、私はほとんど自分以外誰のこともよくは知らないのである。夫は私のことを少し知っているかもしれないが、それも外面からだけの部分もあるし、息子の家族とはもうずっと離れて暮らしているから、お互いに細かい歴史は知りようがない。そして自分も自分に対して嘘をつくこともあるから……正直なところ正確な記録などは本来この世にあるわけはない、という気がする。

自分の生きて来た証《あかし》をこの世に残したい、という人は最近多くなって来た。「何々さんちのおばあちゃん」というような呼び名でしか知られていなかった人が、或る日亡くなったとする。彼女がいつのまにか書き残していた墨絵や俳句や日記の断片が集められ、子供や孫たちに残される、ということはすばらしいことだと思う。普段は控えめであまり喜怒哀楽を示さなかったようなおばあちゃんが、何を喜び、何を悲しんで生きていたか、それを知ることは家族の歴史の大切な資料になる。

生前に既に「有名」だった人でも、自分の存在を残すことには熱心な人の方が多い。自分の銅像を建てたり、自分の名前を冠した賞や記念館や財団は世間の至るところにある。それが普通の感情なのだろう、とは思う。

しかしそれは、私の好みと少し違う。生きている間だけ、私は少し人より勝手なことをさせてもらった。おかしなことを考え、不思議な土地へ旅をし、しなくてもいいことをたくさんした。私の係の編集者も家族も迷惑したわけである。

しかし死んでまでまだ存在を誇示したい気分は全くない。一人の人間が消えた区切りをできるだけ簡単につけるために、葬式くらいはしなければならないだろう。しかしその場合でも人を二回呼び集めることになりかねない通夜《つや》はせず、祭壇はできるだけ飾らず、すべての著作は私の死の段階で長年お世話になった感謝と共に絶版にするのがいい。生きている間こそ、私は猟犬が獲物《えもの》を追う習性を持つように、書きたいという情熱にかられていた。それは何に似ているかと言って、酒飲みが酒を見ると喉《のど》が鳴るのと、本質的には同じような本能だったのではないか、と自己弁護している。

しかし死んだ後のことを私は何一つ望まない。死んだ後はきれいさっぱり忘れられるのがいいのである。長い間この世で「お騒がせ」して来たので、いい意味でも悪い意味でも「追悼号」などということを考えて下さる出版社が、どこか一社くらいはあるかもしれない。しかし追悼文などというものは、誰も書きたくないものではないか、と思う。第一、忙しい人の労力をそんなことで費すのは私の望みではないし、雑誌のページを追悼のためなどに割くのももったいない。間違った記憶を頼って褒められるのも貶《けな》されるのも、どちらも虚《むな》しいような気がする。

私の住んでいた家は壊して整地し、ビルか駐車場の用地に売ってしまう。そうすればそこには何も経緯を知らない人の、過去とは全く切り離された新しい生活の営みが始まる。私はむしろそれが見たい。初七日も一周忌も、生き残っている人には迷惑なだけだからする必要は全くない。肉体が消えてなくなったのを機に、要するにぱたりと一切の存在が消えてなくなるようにしてほしい。考えてみると、人から忘れ去られる、というのは実に祝福に満ちた爽《さわ》やかな結末である。地球上が銅像や記念館だらけになったら、それはむしろ荒廃を意味するからだ。

そんなふうに思えるのは、多分これでも私の信仰のおかげだったのかな、と思う。よく祈り、神に忠実だったという記憶はほとんどないけれど、神はいないと否定した日もなかった。自分の行為を正確に覚えているのは、もちろん私でもなく、ましてや他人でもなく、神ただ一人ということを真理と思うよりほかない、と考えて来れたのである。神でなければ、人間の心の中は決してほんとうにはわからない。

私の好きなエルビス・プレスリーの聖歌に「神のみに知られた《ノウン・オンリー・トゥ・ヒム》」というのがある。私たちがこの世で愛した人たちもいずれはすべて死ぬ。心を覗《のぞ》いていてくれたのは、神だけでいいのである。

（一九九五・一〇・三）

徳の力

朝日新聞の記事には、よく違和感を感じることがある。朝日を取るのは、その違和感を楽しみ、私はこうじゃないな、と思うためでもある。どういう違和感かというと、わが社は「ヒューマニスト」であるということを宣伝する大合唱にしじゅう加わるからそれがキミ悪いのである。それと、人間を簡単に善悪に分けていたり、一つの立場に矛盾した面があることなどを考慮しない文章が書かれることもあるので、その考え方はゴ立派でも幼稚なものに感じられてしまう。今の日本ではほとんど問題にされないけれど「不純な大人の視線」というものはれっきとしてあり、しかもそれは実に快いものなのである。

その朝日にも、実に胸のすくような記事が載ることがある。十一月七日の「天声人語」は次のように書いている。

「日本時間の昨夜、暗殺されたラビン・イスラエル首相の国葬がおこなわれた。各国の首脳が、こぞって参列した。村山首相の姿はなかった。

その理由を、村山首相は、記者団にこう説明した。『国会があるものだから。行けなくて残念だが、まあラビン首相とはこのあいだ話したばかりだしね』。そのことばを疑い、呆《あき》れ、悲しむ。

とくに、後段だ。『このあいだ話したばかり』だから、行けなくても仕方がない。それが、村山首相の論理のようだ。しかし、『話したばかり』だから、なおさら駆けつけ、哀悼の思いを表するのが、政治家として当然の判断であり、人間としての筋ではないのか。イスラエル国民に対して、これは失礼な発言だった」

この総理の言葉を最大限、善意にとれば、この方は少し惚《ぼ》けて来ているのだろう、ということだ。しかしもし正気なら、これは日本人を代表する総理どころか、町の一人の人としても、相当に鈍感な神経の持ち主だ、ということになる。つまり精神性というものに対して全く人間的な理解もなければ、魂の高貴さに対して何ら希求がない人ということの証明になっている。

総理は、つい先頃、ラビン首相に会った時、「話合いで平和を求めるように」という意味の迂遠《うえん》な意見を述べた。ユダヤの歴史を少しでも学んだことのある人なら、とうてい口にできないような言葉であった。それに対してその時ラビン首相は何も答えなかったというが、その人は命と引換えに今そのことに答えたのである。こんなことは、人間の生涯にほんとうに一度あるかないかの劇的なことだろう。それに対して「この間会ったばかりだから（葬儀に）行かなくていい」というだけの感想しかない総理には、ほんとうに絶句する他はない。やはりこういう総理を、国民の理解も得ずに勝手に据えた自民党の詐欺《さぎ》的なやり方には、絶対に票を入れないように運動をすべきだと思いなおしている。

その日、朝日は、外務省の動きも、よく報道してくれた。

「暗殺の知らせを受けて外務省は、五日早朝から対応を協議。葬儀への出席者についてはは当初、中山太郎元外相を首相特使として派遣する案や、日本からの派遣は見送って駐イスラエル大使を参列させる案を野坂長官に打診した」

世界中からは首脳四十人を初め、四千人を越す要人が参列した。しかし日本からは河野洋平外相が出席しただけだった。G7の中で首脳が出席しなかったのは日本だけであった。外務省はこの読みの甘さに対しては責任を取ってもいいくらいだろう。

総理にせよ、外務省にせよ、いつの時代にも外交に大きく口をきく「徳の力」というものがあることを全く認識していないということである。もちろん外交の要素は単一ではない。打算も駆け引きもなしでは済まない。しかし一面においてリーダーの人間的な徳の力もまた大きな要素となり得るのである。

徳というのは、その人間がどのようなことに心を動かされるか、ということで通常計られる。そしてまた、どのような相手に対しても、どのような誠実さをもって対処するかにかかっている。

　私は全くの偶然からファンファーニ元イタリア首相と、食事の時に話をする席にいたことがある。初めはほんとうにどうなることかと思った。英語を話さない元首相と、イタリア語のわからない一介の無名作家の私との間で会話がなり立つものだろうかと感じたのである。しかし信じがたいことだが、通訳を介した会話であったにもかかわらず、食事の間中人間味に溢《あふ》れる話は途切れることもなく、私たちは近くの人たちと笑い転げていた。固い話ではない。家族のこと、自分の仕事に迷った時のこと、イタリア社会の風習など、話題はウイットと人間味に溢れていたから、私も自然に会話に加わることができた。食事が終わると、私たちはファンファーニ氏が自ら描いた聖母の絵の前でいっしょにラテン語の祈りを唱えた。もっとも私には祈りの言葉全部を言えるわけはなかったが、出だしのところを一部覚えていたので、それだけで私は元首相といっしょに祈るというぜいたくを共有できたのであった。神の前なら、元首相も一人の市民も並んで祈っていいのである。

　外務省には、イスラエルの持つ精神的な資産の大きさを理解する人がいないらしい。イスラエルには偉大な思想があって世界はその力を知っている。

　信仰を科学に反する迷信だと思うようでは、とてもイスラエルの根本思想を理解することはできない。イスラエルには、すべて人間の世界で起きることは、あらかじめ聖書に書かれている、という信念がある。ラビ・モリス・アドラーは『タルムードの世界』の中で次のように書いているのである。

「現に聖書では、宿敵だった二つの帝国をイスラエルの名前とともに並べて、神の普遍的な支配を認め、つぎのように記している。『その日には、イスラエルは、エジプトとアッシリアと共に、世界を祝福する第三のものとなるであろう。万軍の主は彼らを祝福して言われる。《祝福されよ、わが民エジプト、わが手の業《わざ》なるアッシリア、わが嗣業《しぎょう》なるイスラエル》と』(イザヤ書19・24、25)」

彼らは決してこの言葉が古い歴史的事実だとは考えない。聖書の思想は今でも彼らの日常に涙と共に生きている。イスラエルは自分たちを奴隷《どれい》として苦しめたエジプトも、捕囚としての生活を強いたアッシリアもまた、神が祝福される国であることを認めざるを得なかったのである。イスラエルは俗に神の選民を自覚している。しかし「イスラエルは、偏愛を認めない道徳律法に反して『選ばれた』のではなかった。献身と犠牲によってその律法をすすめ、成就《じょうじゅ》するために、選ばれたのだ。支配するために選ばれたのではなく、仕えるために選ばれたのである。ラビたちは『選民』という考え方を、より大きな責任を負うことだと解釈した。選民という考え方から驕《おご》りや名誉の目的を切り捨てることによって、神がすべての人類を支配するという考え方と矛盾するものではないと、ラビたちは見ていた」とアドラーは書いている。

「過去に不法に自分を苦しめた相手をも、神が祝福する」ことを認める、のは容易でないことだ。しかしアドラーは英国のユダヤ系作家、ザングウィル（一八六四〜一九二六）が、「画期的なもの」と評した「全世界を裁くお方は、正義を行なわれるべきではありませんか（創世記18・25）」というアブラハムの言葉を、賢者、ラビ・レヴィが次のように解説したと紹介している。

実はこの時、アブラハムは神に次のように言ったという解釈である。

「あなたがこの世を維持していきたいと望まれるなら、厳格な正義は不可能です。また、あなたが厳格な正義を望まれるならば、世界を維持していくことはできません。一本の綱の両端を同時に摑《つか》むことはできないのです。あなたは世界を望まれ、正義を望んでおられます。どちらか一方だけにしてください。あなたが慈悲深くならない限り、世界は生き残ることができません」

そこで、人間は慈悲という徳に到達するのである。徳はまた、勇気の所産以外のものではない。勇気のないところに徳はない。

「神は恵みにあふれ、慈悲深く、容易に怒りを示されない。また裸の人間に衣を着せ（創世記3・21）、病める人を見舞い（創世記18・1）、死の別離を嘆く人々を慰められる（創世記25・11）。人間も同じようにしなければならない、ということである」

だから、ユダヤ人は葬式を大切にする。ミカ書6・8の中で、人間はへりくだって神と共に歩むことを命じられているが、へりくだることは、すなわち「葬式に参列することだ」と解釈するラビもいたくらいだと言う。実は私も村山総理と同じようなものぐさで、「年寄りになったら、お葬式は全部失礼する方が健康にいいと思うわ」などと言っているのだが、こういう思想の持ち主ではとうてい許されないことになる。

イスラエルやアラブとの外交を、イギリスやフランスとの外交と同じ考え方やり方で処理しようとしても、とうてい手におえない。彼らとの外交はテクニックでもなく、経済でもない。たとえ底辺に経済があろうとも、その上辺は、毎日の生活と対決している信仰の部分で塗りかためられていることも事実だからである。総理の近辺に、常にユダヤ教やイスラム教に対する専門家集団の判断を仰ぐ機関がいるだろう。今の外務省には、到底そうした判断をくだせるとは思えないのである。

関西の震災の復興にはまだお金が足りないから、寄付をしてください、という呼びかけを見ると、私はふと忘れていた腹立たしさを呼びさまされる。一体震災の時、何百億という膨大なお金を集めた日本赤十字社というところで働く人の神経というものは、どうなっているのだろう、と思うのである。

私は小さなNGOのグループの一人として働いていて、その組織からの寄付や個人のものを合わせると、私が払込の手数を取ったものだけでも日赤に三百三十万円のお金を送った。それでも日赤はそれをどういうふうに使いました、という発表をしないのだ。この組織は皇族の方々を名誉総裁や何かに戴《いただ》いているので、一般の社員まで自分たちは「受けて当然」と思い上がっているのだろう。

振込証が受取になるというやり方は簡便でいいし、たくさんの寄付を寄せた人にいちいち受取や報告書を出していたら、それだけで大変な手数だろう。しかしあの時期、人間の心をよく知っていたら、そしてお金に対するまともな神経を持っていたら、せめて主な全国紙と地方紙に、今週はいくら集まって、こういうことに遣いました、というくらいの公告を載せ続けるのが当然だろう。最近、大和銀行を初めとする金融機関のお金を扱う姿勢の杜撰《ずさん》ぶりが話題に上っているが、日赤の責任者という人も誰か知らないが、相当ないい加減な感覚の人である。庶民一人一人がどんな思いで、罹災《りさい》した人のためにささやかなお金をさし出したかということを想像する力がないから、感謝の念もなく、もらったまま、細かい報告をすることも思いつかないのである。

すべてはこの日本に「徳の力」がないからだとしか思えない。

（一九九五・一一・七）

Ⅳ　作家って何だ

おかしな気分

この雑誌でも、私が今度、日本財団（日本船舶振興会）を引き受けた「裏話」を書くことをご希望のようなので、連載をしている者の一つの義務かとも思うようになった。なぜ大それたことを引き受けたのか、という問いに対して答えることは、もしかするとあまり難しくはない。巷間《こうかん》に、「曽野さんは、どうして、あんなとこの会長なんか引き受けたのかしらねえ」という声があるという。そういう声がある所だから引き受けたのである。しかし「あんな」という表現に対しては私は何とも言えない。「あんな」ことがなかったという保証を私がすることはできないが、「あんな」ことが確実にあったという証拠はどこにもないからである。私たちは人生で、多くの場合このような不安定に耐える気力を持たねばならない。

しかしこの不安定な状態に、日本人も、日本のマスコミも恐ろしく弱い。だから人間を善人か悪人かのどちらかに決めてかかる。しかし私は昔から、人間も社会も組織も、本質的には善と悪の要素を兼ね備えたものだろう、ということだけは疑ったことがなかった。ただ確かに人によってその組み合わせのパーセンテージは違う。それにしても、百パーセント純粋の善人も純粋の悪人も、私はまだ現世で見たことがない。

しかし美容院で読む女性週刊誌の知識によると、松田聖子は悪女で、山口百恵は良妻賢母なのである。こんな幼稚な単純な図式が未《いま》だに罷《まか》り通っている。そもそも他人の女房が、善妻か悪妻か、誰が決められるというのだ。それができるのは、彼女の夫だけである。昔私は、妻に親密なボーイ・フレンドがいるのを歓迎していた男を知っていた。妻がデートする先に花を贈ったり、二人が食事をするレストランのテーブルを予約するのは夫だった。私は彼に理由を聞いたことはないが、とにかくそうなのである。また、不倫もせず賢くもある妻を、どうしても好きになれない、という夫が漏らした一言を聞いたこともある。彼は妻の体臭に耐えられない、と言ったのである。

だから、最終的にわからない人や組織のことをわかったふりをして決めつけることを私は止《や》めたのだ。しかし真相追及を放置せよ、というのではない。私はかなりの手数をかけて、何冊かのノン・フィクションを書いたこともあるから、徹底した取材をして書くことは猟犬の本能のように好きである。ただしその場合でも、責任のある、資料を提示しうる実証主義によって、作品は書かねばならないことはマスコミの義務だから、その手順を怠って推測でものを言うマスコミは、暴力ということになる。

ほんとうに人生には、不思議な成り行きになることがある。私は今まで、自分は肉体労働には向いているけれど、お金集めなんて全くできない、と思っていた。しかしこの連載でも何度か触れたことのある海外邦人宣教者活動援助後援会という小さなＮＧＯの組織の、集金・送金係として働いたということは、私にそれができたということになるらしい。

それだって初めから、善意だの、ボランティアだのという意識は全くなかった。全くの偶然も偶然、当時はベルヌ条約に加盟していないから、あなたの小説を勝手に翻訳したが原作料を払う必要はない、と韓国の出版社から一方的な通告を受けたことがきっかけで、韓国のハンセン病の患者さんたちが暮らすカトリックの村と繋《つな》がりができたり、取材のために百ドル分だけ「すろう」と思って入ったマダガスカルのホテルの、カジノのルーレットで、私が一生分の運をすべて使い果たしたかと思われるほどのバカ当たりをしたりしたことがきっかけで、この組織が自然に動き出してしまったのである。意識的な善行などとは全く無縁だったのである。

私は人生でどうしてもやりたい、と思ったことは、今までに二つくらいしかない。小説を書くことと、砂漠に行きたいと思ってサハラを友人たちと縦断したことくらいである。他にできればやりたいと思うことは幾つかあったけれど、それもだめならさっさとあきらめられる程度のものばかりだった。

私は受け身の要素が入ることが好きであった。そうなってしまった羽目や成り行きとかいうものが加わらないと、なぜか微《かす》かな美学も感じられないのである。しかし私は素直ではないから、その結果をいつも不服としてぶつぶつ言って暮らすのを止めもしなかった。そういう不透明な愚かな暮らし方の方が自然な気がした。

海外邦人宣教者活動援助後援会は、いつつぶれるかと思いつつ二十年以上続いた。その間、年間約四千万円にも上るお金を送り続けてくれた人たちを、私はどれほど感謝と共に尊敬を持って見たことだろう。日教組があれほど「受けることが市民の権利」だと教えて来たにもかかわらず、この人たちは「与えること」が人間としての尊厳だということを本能的に知っていた。

今度マスコミと接して、人を見れば尊敬どころか反射的に侮蔑《ぶべつ》し、疑い、自分は正義の人として「天に代わりて不義を討つ」という使命に燃えている人が一人ならずいることがわかった（あなたは「天に代わりて不義を討つ」なんて古い歌、歌えますか？）。そういう反射的に人を見下すという姿勢は、私の今まで生きてきた世界ではあまり馴染《なじ》みのないものだった。私は、まず人に好意を持って礼儀正しく接し、できればどの人の中からも偉大さを発見できることを、自分の能力だと考えて来たのだ。

人間は天ではないし、神に代わって不義を討つということも私にはできない。そして不義ばかり討っていたら、その人は未来に向かって自分の仕事をする暇もなくなる。不義を討つという仕事は重大なヒューマニスティックな行為のように見えながら、実は老人風に過去を振り返る姿勢なのである。少なくとも、私は不義を討つ代わりにやりたいことくらいなら、今までにいくらでもあった。

私たちの海外邦人宣教者活動援助後援会は、素人《しろうと》の集団としてはいい仕事を残せたのであった。学校も何校か建てた。孤児院も買った。結核の薬もずいぶん送った。救急センターの命を支える大型発電機も買えた。乳児用のミルクの国内生産のない国に、ミルクも定期的に送っている。栄養失調児は、いいミルクさえあると、ほんとうに数十日のうちに、適正な体重を回復するものだから、どれだけの命が助かったかしれない。

しかも私たちは決して人を信じなかった。海外で働く神父と修道女がやりたい仕事がある時には、こちらはお金を出す条件として、彼か彼女自身が現場に住み込んでおり、その人自身が材料の量と単価を出来うる限りチェックして自身で支払いをし、かつ申請した事業が継続運営されるのを監視し報告できることを条件にした。そして寄付金の九十パーセントはキリスト教徒でない人から受けるのだから、教会建築や伝道師派遣などの目的には一円も出さなかった。

日本財団から会長にならないかという交渉を受けた時、私は分裂した気分になった。数人の新聞記者が、私に、私が全く日本財団のような組織の仕事には素人だということを言わせるような誘導尋問をした。「ええ、私はほんとに何も知りませんから」と言うのは、私の好きな怠惰な台詞《せりふ》なのである。人間、知っていると言ったら後が大変だ。知らないということほど楽な返答はない。しかも新聞記者が、私がこの世界には全く無知だという答えを期待しているらしい時には、私は彼らの希望に沿おうかという誘惑を何度か感じたこともある。しかしそれも正確な答えではなかった。

もちろん私はベテランとはとうてい言えなかったが、いつのまにかこうした援助の仕事に関してだけは、素人とも言えなくなりかけていた。才能があったのではない。当たり前のことであった。二十三年以上もやれば、場数を踏み、誰だって裏がわかるようになる。最近では、お金を出した先の査察に歩くのが私の「趣味」だという口の悪い人もいるくらいだったから、私たちなら、送電の前に送電線を盗まれるようなプロジェクトには多分お金を出すことなどしないだろう。比較の問題だがつまり私たちは、無責任なODA（政府開発援助）の政府関係者よりは、少なくとも援助の世界の玄人《くろうと》であったとは言える。

もっとも私たちのNGOが扱ったお金の高と、日本財団の予算とはうんと違った。ゼロが三つか時には四つも違う。年間六百六十億という補助金や助成金の額は、世界で最大の財団の仕事の規模なのだという。しかし私は今でもまだ書類に書かれた数字の額を一瞬のうちには正確に読み切れない。密《ひそ》かに急いで「イチ、ジュウ、ヒャク、セン、マン」と数えて行って、会議の間に合わせている。私は位取りをすることにかけては、自慢するわけではないが、人一倍才能に欠けているような気がするのである。

援助のことだけではなかった。これも偶然だが、海事知識についても、私は全くの素人よりは少しましかも知れなかった。と言おうとしたら、私の知識はあまりにも古くなりすぎているのでがっくりしている。私は昔、昔、その昔、船の勉強をしたのだが、その時知識として覚えたことは、二世代くらい前の歴史的知識から始まった。私は今の二等海技士を、一等航海士と呼んでいた時代に勉強したのだが、知識としては一等運転士という呼び方に遡《さかのぼ》って仕込まれたのである。ストーキー（倉庫番）、ドバス（便所掃除）、しちょうじ（司厨長）、ナンバン、ナンブッ（ナンバーワン・オイラー、ナンバーツー・オイラー）などという言い方もあったが、そのうちの幾つが今でも使われているのだろう。当時、私は何点鐘と呼ばれた時間を示す鐘の鳴らし方から教わった。あんなもの、船が三千トンクラスで、鐘をちんちん鳴らすと船中に聞こえる大きさの時にしか役立たない制度である。

当直の時間とそれを担当する士官《オフィサー》が誰かなどということも覚えた。だから今でも、阿川弘之氏が午前四時に起きて午前八時に作業を止め、午後四時に再び仕事をお始めになって夜八時に就寝（ほんとうに眠っておられるかどうかは別として）と聞くと、やっぱり阿川さんは甲板士官だから、一等航海士の当直時間通りに起きて小説を書かれるんだなあとぴんとくる。この時間帯には、日没と払暁《ふつぎょう》が入り、昔は人間の肉眼の視力に頼ってワッチをしていた当直士官が、前方を見極めるもっともむずかしい時だから、先任のチーフ・オフィサーが当直したのである。レーダー時代には、おかしい話ばかりだ。何しろ、私の学んだ頃はピィーッピッと笛を鳴らして天測もしていたのだ。しかるに今はノート型のワープロだと「天測」という単語は漢字変換の機能に入っていないという有り様だ！

船独特の言い方もおもしろかった。「レッコする（捨てる）」とか「ゴーショー着（上陸する時に着る服）」とか、「一人坊主《ぼうず》に一人女（いずれも貨物船の乗客として嫌われる客）」とか、「赤玉ポートワイン（左舷《さげん》に紅い航海灯を、右舷のスターボードに緑の航海灯を掲げる。そのルールを簡単に覚える方法）」とかあった。一般的に「他船を右舷に見る方に回避義務がある」とか「水上は右側交通」などと言った基本的な原則さえ、最近の若い人たちが何も知らないのに驚いたこともある。

当時は国際信号旗のかなりのものが読め、意味も覚えていた。今は、二十四時間以内に外国へ出航することを示すブルー・P《ピーター》旗とか、「検疫《けんえき》官の乗船を要請する」黄色いQ旗くらいしかわからなくなってしまった。国際信号旗の組み合わせも当時とは変わったと聞いた。

近々、このカビの生えた知識を少し改変すべく学ぶことにした。しかし全くの偶然だが、私は船のことについても全く知りません、とも言ってはいけなかったのである。

でもこう書くと「曽野綾子は自分がこの仕事の適役だということをしきりに宣伝して

いる」と書かれるのがオチだから、何も言わない方がいいような気もしたのだが、ヨットもしない私が、知らなくてもいい知識をどうして昔から知っていたのか、変な気持ちになるのである。

さらにここ数年の間、私のおかしな趣味の一つは、他のNGOの決算報告を読むことだった。夜寝る前に数分、こういう決算報告を持ち込んで、眠くなる前のささやかな娯楽にしていた。人の台所を覗《のぞ》く低級な楽しみ、である。だからと言って、私が経理に精通しているわけでは決してない。私はただ、これだけの予算に対して、通信費、会議費、人件費などの必要経費をどれくらい取っているか、どういうところにどういうお金の配分をしているか、を見るのもおもしろかったのである。

ここまで言ったら、ついでにもう少し言ってしまおう。来年、日本財団が力を入れているハンセン病の会議がインドであるから出席するのはどうか、と言われた時、私は会議は嫌いですから現場の調査に出して下さい、といつもの身勝手な口調で言ってから、またおかしな気分になった。以前、私はインドのハンセン病院をモデルに『人間の罠《わな》』という新聞小説を書いたことがあった。

その作品のために、インドのハンセン病を学んだのはアグラという町であった。日本人の皮膚科のドクターの脇《わき》に立って、私は毎日一人一人の病状の解説を受けた。取れかけた関節を庇《かば》って診察を受けに来た婦人の指は、もう膿盆《のうぼん》の上に切り落とす他はなかった。妻からハンセン病をうつされた鉄道員の夫は、真中に幼い子供の手を引いて、夕陽の道に長い温かい家族の影を引きながら帰って行った。愛する妻のものなら、病気さえも彼は、自然に引き受けたのであった。

私は彼らの肌を三千人分見た。そしてそのうちの何十人かを前にして、私は彼らに隠して横を向いて少し泣いた。

こんなこともあったから、私は日本財団の仕事をしてもいいかなと思ったのである。思い過ごしも間違いもあろう。しかし「ご縁」がないとは思えなかったのである。

私が一番気楽だったのは、これが私がやりたくてなった立場ではない、ということだ。私は無給で、これが私にとって経済的に得になる仕事でもなかった。

新聞記者の数人は、私がこういう仕事に就いたことで、読者や友達が悪口を言ったり離れて行ったりしないか、という意味のことを言ったので、私はまた少しびっくりした。でももしそれが本当なら、これはすばらしい機会だったのである。今度、私は私のほんとうの友達とそうでなかった人とがわかることになる。でも、私はまだ棄《す》てられたという結果に直面していない。私の友達は、皆おかしな私の性格を、そのまま受け止めていてくれたのである。

（一九九五・一二・六）

作家って何だ

「新潮45」は、日本財団で私が働くようになった裏話の、公《おおやけ》になっていない、下らない部分をおりにふれて書くことをお望みのようなので、遅すぎる就職のおかしさを、もう一度書くことにする。

「週刊朝日」が林真理子さんとの対談を計画して、その中で、サービス精神の旺盛《おうせい》な林さんが、読者になり代わっていろいろと聞いて下さる、という企画があった時にも、私は「世間の期待」というものを知って大変おもしろかった。

「会長室はどれくらいの大きさですか？」

という質問にも、「なあるほど」と感心したものである。私が与えられた部屋は、二十畳か、もう少し大きいくらいの感じで、一度だけ中を見せていただいたことのある総理官邸の総理の執務室の、一回り小さいくらいのものである。人間の思考は、大きな空間では決してまとまらないという現実があるから、これで充分、これがいい、のである。

しかし狭いという点でなら、総理の執務室の方は、世界の常識の中でも小さいのだぞうで、「あれではいくら何でもお気の毒」という人にも何人か会った。この日本の政治の中枢《ちゅうすう》のまた中枢の空間は、普通公開されないのだということを、私は全く知らなかったのだが、それを、それとなく作家の私に見せてくださったのは、心遣いがきめこまやかだ、という評判の高い当時の竹下総理であった。部屋はきちんと片づいており、そこで竹下総理は、昔池田総理が「竹下君、総理というものは淋《さび》しいもんだよ」と言われたという逸話を話してくださった。

私の会長室は、全く質素である。虎ノ門にあるつまらない外観のビルの建物そのものも古びていて、地震が来ると危ない、と思っている人もいるようだ。家具も調度も無趣味そのもの、何の特徴もない。型通りの応接セットがおいてあったが、そんなものは事務的な仕事をするには何の役にも立たない。笹川陽平理事長の部屋を覗いたら、理事長風の机は使ったことがないという。応接セットの代わりに、子だくさんな家の食堂のテーブルみたいなのがおいてあって、そこで執務もすれば、客にも会い、打合せもする、という様子なので、私はすっかり羨《うらや》ましくなり、ちょうど会長室の模様換えをするという話の時、それだけを頼んだ。ただし予算が廻って来た時、「もう少し安いのはないんですか」と言ったために、かなり平凡なテーブルが置かれることになった。私が贅沢《ぜいたく》な趣味で、イタリア製の家具でも要求すれば、それは将来、骨董《こっとう》家具として財団の財産になったのかもしれないのに、私は人間がケチだから、とてもそういうことが言えないのである。

私が「会長室」に無関心なのは、特別な倫理的な意味があってのことではなく、つまり冷たいからなのである。それが私の所有する部屋ではないから、趣味がよくても悪くても、安っぽくても、どうでもいい、というだけの話である。自分の部屋なら、私はかなり趣味がある方だと思う。しかし自分の家でないならば、安っぽい方が安定し、成金風だったらどうせ趣味が違うのだから神経が疲れる、と感じているだけだ。

一般に、人間は、職場や組織を深く愛したりするととんでもないことになる、と私は昔から思っていた。なまじっか深く愛したりすると、そこを去るのを嫌がったり、自分と意見の合わない人を強力に排除しようとしたり、なんとかしてそこで権勢を張ったりしたくなる。自分がその任にある間、するべきことだけをする、という程度の姿勢が、私は無難だと思うのである。

いささかマンガチックな笹川神話によると、私はぴかぴかの会長室にいて、客が来る時にはフランス料理を供するような食堂があって、客はそこに通される。と、給仕人がおもむろにフランス・ワインつきの料理を持って来る、と思っている人もいるのだという。

ところがここにはビル全体の人が利用できる社員食堂しかない。昼ご飯は定食が四百五十円、ラーメンが三百円である。笹川陽平理事長も、常任理事たちも皆ここで食べる。

ついでに笹川陽平理事長という人はどういう人ですか？　という質問を時々受けるので、私は「よく知りません」とそっけない返事をすることにしていた。嘘《うそ》ではない。私が会長に就任する騒ぎが起きた前後、或《あ》る日曜日に私は陽平理事長に個人的に連絡を取りたいと思った日もあったのだが、理事長の自宅の電話番号を知らないことに気がついて諦《あきら》めたことがある。ほんとに親しければ、必ず相手の自宅の電話番号くらいは知っているものだろう。

私は親しくない人のことはもちろん、かなり親しい人のことでも軽々しく喋《しゃべ》ったり書いたりすることが嫌いなのだが、ただ私は作家だから、人のやることをじっと観察する癖はついている。会議が終わると、普通誰もがほっとしてにこにこしながら立ち上がる。離れた席の人と挨拶《あいさつ》して喋る人もいる。笹川陽平理事長は、そういう時、喋りながら筆記用の紙と鉛筆と消しゴムなどをきちんと整え、必ず椅子《いす》を元の位置に戻して部屋を出る。こういう人は非常に少ない。会議の途中でお茶やコーヒーが配られる時にも、必ず女子職員に「ありがとう」と言う。こういう人もまた稀《まれ》である。しかしそういう人だから、どうなのだ、ということは、私は一切言わない。

私の仕事の一つは、平和島に競艇を見に行くことだった。視察というのだそうだが、つまり、何も知らなくてはいけないから、入門第一日だった。

私は電車で行くことにした。何かを勉強しに行く時は、それを利用する人と同じ方途を使うのが、作家の取材の初歩的な原則である。地下鉄虎ノ門から新橋まで百六十円。新橋からJRで大森まで百六十円。そこから競艇場までは無料の送迎バスが出ている。なぜ無料かというと、十円以下の配当金を切り捨てた分だけ、こういう公共のサービスに使うのである。しかし入場券が五十円というのには驚いた。競馬が二百円というのだから、競艇もせめて百円にはすべきだと思う。金で計るわけではないが、人間でも、ものでも、制度でも、金額は時にその存在の尊厳に係わる。

その日、バス停には数十人の取材陣が待っていた。私なんか撮ったってフィルムの無駄遣いだがなあ、と思ったけれど、他人の仕事に口を出すことはないから黙っていた。多分、今ごろになって皆そう思っているだろう。

その日、私は友人の編集者を誘っていた。彼も競艇場は初めてだという。彼はカメラの放列に恐れをなし、私の後方五メートルほどのところを、私とは関係ないような顔をして歩いていた。しかしその辺にいた客の一人が彼に尋ねたのだという。

「おい、あの女は何だ」

「あれは、ソノアヤコだよ」

「ソノアヤコ、って何だ」

「作家だよ」

「作家って何だ」

「本を書いて、儲《もう》ける人だよ」

「そんなら言ってやれや。もう少しいいカッコして来い、って」

これは私が競艇場で聞いた最も人間的な会話であり、この編集者の取材能力の鋭さを示すものである。そして私は少なくとも、その言葉に、偉大なまっとうさを感じ、徳を教わった。つまり、私はその日、ヤッケを着て、競艇場の寒風にも対応できるようにしてでかけたつもりだったのだが、それは、やはり失礼に当たったのである。

競馬では少なくとも、皆がドレスアップする風習がある。馬主席のご婦人たちは、シャネル・スーツだそうだ。一般にこのごろの日本人は、人中へ出る時汚らしい恰好《かっこう》をしすぎるので、本来はできるだけきれいな服を着るべきだ、という基本的な礼儀を、この素朴な言葉は思い出させてくれたのである。

その日、私は何枚も持っているヤッケの中から、一番気温に合っていそうなのを選んで着て行ったつもりだった。私は寝袋に始まって、ヤッケはもちろん、野外で暮らすためのたいていのものを備えている。今までの取材で、零下二十五度くらいまでのところには、明日にでも発《た》てるようにしておかなければならなかったからである。しかしおしゃれをして行くということに関しては、ここ数年、世界の貧困ばかりを見て歩いて来た私には、悪い惰性がついていたのである。

新任の一月《ひとつき》の間に、私は各部署から、業務上の説明を受けた。すさまじい広範な仕事である。ミャンマーに一億三千万円分の薬を贈ることになっている、と聞くと、私は薬のリストを出してもらった。

「誰が、薬の種類を決めるのですか」

「先方の保健省から、まずリストが出て、それを現地のＷＨＯ（世界保健機構）が、内容が適切かどうかのチェックをします」

「それは何のためですか」

「過去に、数は少ないのですが、その国の閣僚の家族か親戚《しんせき》に、癌《がん》をわずらっている人がいたらしく、リストの中に抗癌剤が含まれているのが発見されました。それでそのような、個人的な利益が先行しないか、チェック機関を通すようになったのです」

けっこうなことだ。しかしほんとうは、貧しい子供の癌だってないわけではないだろう。すべてに公平ということは、必ずまた救える人を救わないという洩《も》れも出るのである。

ここへ勤める前の私もまた、海外邦人宣教者活動援助後援会という小さな救援組織で働きながら、その問題に悩んだことがあった。結核とハンセン病の薬であるリファンピシンは、アフリカの多くの国では「夢の高貴薬」であった。それを盗んで売る医師がいるのではないか、という疑いは常に残るので、私たちはそれらの薬を、日本人の看護婦のシスターか先進国の医師の神父が、みずから薬局の戸棚の鍵《かぎ》を保管しているところにだけ委託する方策を取っていた。

しかし私の最低の安心は、健康な人が、わざわざこの薬を飲むことはないという判断だった。もちろん貧しい人に、この薬を優先的に届けたい。しかし富裕な人もまた、病気を治す権利はある。だから、このような薬はとにかく、広い意味で病人の口に入ることだけはまちがいないのである。

リストの中にはセンナと虫下しがあった。まともな選択であろう。途上国では、子供が体調を崩して入院すれば、まず、虫下しと下剤を与えるのが常識である。

しかし私がもっとも喧《やかま》しく口を差し挟んだのは、新年度からの予算で行うつもりの、広報の展開についてである。どうして日本財団は、過去に自分がしている仕事の報告をしつこくやってこなかったのか。もちろんそれは、長年にわたってこじれにこじれたマスコミとの関係で、財団は、ものを言うのがいやになった、という感じがあったからしい。何を言っても叩《たた》かれたのだ、という。しかし向こうが叩くなら、こちらも正当な証拠を上げて、それに対抗するのが当然であろう。それ以前に(叩き合いをする前に)日本財団は毎月やっている業務を、失敗例をも含めて、社会に詳細に知らせる義務がある、と私は思う。

なぜ、日本財団は北極圏に新しい航路を開発しようとしていることをもっと詳細に伝えないのか。これが可能になれば、南方航路が、万が一、考えられるさまざまな危険にさらされた時、唯一《ゆいいつ》残されたヨーロッパとの夏場の経済的な動脈になる。

なぜ日本財団は、ホスピスの普及に全力を上げていることを知らせないのか。

なぜ兵庫県南部地震の際、震災の翌日から今までに、十三億一千二百万円以上の支援をしていることを言わないのか。それらもすべて支援先が子細に明示されているものばかりである。

例えば、視覚障害者支援対策本部には「被災状況調査、消息確認、盲人用具等の物資提供、医療相談や住宅相談等の活動を実施するため」の経費の二百六十四万円。全国広域目黒チェアキャブを走らせる会には「被災した在宅障害者・高齢者等の要介護者に対応するための『移送サービス・システム』を全国の移送ボランティア団体・関係者と連携を取りながらリフト付き車輛《しゃりょう》で移送するサービス」のため五百万円。関西ヘルプ・センターには「高齢者・障害者の全身・部分の清拭《せいしき》や家事サービスを実施するため」に四十一万円、といったものの累計《るいけい》が、計九十三件十三億円余になっているのである。

なぜこれからは文化・芸術に関しても支援を強化することを言わないのか。フランスの文化予算額は二千四百八十二億円、日本はたった六百六十八億円。フランスの文化予算は国の全体予算に対して〇・九五パーセント、日本は〇・〇九パーセントである。

一九九五年十二月二十五日、日本船舶振興会の通称が日本財団になることが、日本中の新聞の全紙広告として発表された。そのコピーを書いたのは私である。広告代理店が用意して来た官報のようなつまらない文章よりはましだったと思っている。広告代理店の手抜きと才能のなさは、目に余る。ほんとうは会長職よりも、広報部員として苦悩しながら働きたかったというのが、私の本音だ。

（一九九六・一・一）

る。

ほどほどの

一年程前、ロスアンゼルスから東京まで、シンガポール航空で帰ろうとした時である。私はタバコを吸わないが、私の同行者の二人の男性は、どちらもタバコ大好き人種である。しかし喫煙席を頼んだ二人の乗客に対するシンガポール航空の返事はつれないものであった。

「東京まで全席禁煙席です」

ロスから東京までやはり十一時間くらいはかかるであろう。その間、全くタバコを吸うな、というのである。私はカウンターの前で、「もうシンガポール航空なんか乗らない方がいいですね」と呟《つぶや》いたのだが、日本語だったので相手にわからなかったのが残念である。シンガポール航空というのは、普通はサービスがいい会社として有名なのだが、この点になると、全くヒステリックになる。

タバコが総じて体に悪いことは事実である。総じてというのは、パーキンソン病に対しては効果がある、と記憶しているからなのだけれど、すべての人がパーキンソン病になるわけでもなく、なる可能性を持つわけでもないから、総じて悪い、という程度に決めつけるのは構わないと思う。

私も喉《のど》が弱いという癖があるから、会議の席などで、タバコを吸われると辛《つら》いこともある。もう十年も前に臨時教育審議会の委員だった頃、総理府の建物で、毎週一日六時間くらい会議をしなければならない日があった。私は提案して、部会の時、禁煙席と喫煙席を分けて貰《もら》った。お役所の会議の席順は、名簿順だったり、アイウエオ順だったりするが、これだったら、飲みたい人は気兼ねなくタバコが飲めるし、煙《けむ》いのが嫌いな人はその被害を受けずにいられる。タバコ飲みはタバコが吸えないより吸える方が明らかにいい考えが浮かぶのだろうから、適当に吸ってもらった方が、審議会としても効果が上がるだろう、と思われる。吸いたくない人が煙を吸わされるのも困るが、「嫌煙権」などを楯《たて》に、タバコを吸う自由を奪うのも、嫌な傾向だと私は思っている。

悪いこと、或いは悪に繋《つな》がるかもしれないようなことは、すべてできるだけ完全にシャットアウトすることがいい、という発想に対して、私は決して表向き反対はしないが、実は内心で賛成だと思ったことは一度もない。もちろん行政としては、当然、犯罪が行われないように、事故がないように、病気が広まらないように、という悪の追放に向かうことは当然だが、個人に悪の要素がなくなったら、どういうことになるかと思うと、不気味になるだけである。

既に最近の社会には、自分は悪いことは一切しない人道的人間だというポーズに終始する人がかなりいる。しかし私はそういう人に同調したことはない。人間である、ということは、善の要素と共に悪の要素も必ず合わせ持ち、それぞれの可能性に対して、過剰な自信も抱かず、しかし絶望もしない、という自制の状態を保つことだと思っている。言葉を換えて言えば、「ほどほどの悪」に傾く可能性を常に恐れつつ、生涯どうにか大きな悪をしないで済めば大成功、ということなのである。

こんなことを考えたのは、ここのところ「日本財団」というところに無給の就職をした私にあてて、見ず知らずの方たちからさまざまな手紙をもらい、その多くに心を動かされるからなのである。その中には、世田谷区奥沢の高橋タミさんとおっしゃる方からの「賛成。博打《ばくち》屋の親分就任」とたった一行痛快この上ないユーモラスな印象に残る葉書もあった。残念ながら私は「博打屋の親分」と言ったドスのきいた立場になれたわけではない。夫と私は、藤純子さんと江波杏子さんの大ファンで、お二人の壺振《つぼふ》りの艶姿《あですがた》をどれだけ見たかしれない。親分は薄汚いおっさんだから、私としては若かりせば壺振りのお姐《ねえ》さんになりたかったのだが、現実は競艇という名の博打の上がりの一部を公的にお分け頂いて、それを人間と社会の役に立つことに使う下請の一人になったに過ぎない。

しかし「ほどほどの悪」の必要性、「ほどほどの悪」と共生する安定感については、私の中で常に抜き難い関心があったから、諸井薫氏が「ビジネス・インテリジェンス」(二月号)の中で好意ある問題提起をしてくださったことに対して、やはり少しは真面目《まじめ》にお答えするのが礼儀と考えたのである。

諸井氏の問い掛けは次のようなものであった。

「ただ一つ曽野さんに伺いたいのは、古くから賭博《とばく》御法度のこの国で、終戦直後ならいざ知らず、これからもなお公営賭博を続けなければならないものだろうか。もちろん競艇に限ったことではないが」

私にわかっていることは、いつもごく素朴な現実だけである。つまり、人は生きている限り、そのための組織を作ろうが作らなかろうが、どこかで必ず博打をやるということだ。全くの噂《うわさ》だけだが(だからもしこれが事実と違うなら、すぐに謹んで訂正の記事を出すつもりだが)取り締まる側の本山の警視庁の記者クラブで、不正を常に糾弾する姿勢の新聞記者たちが、暇な時には賭《かけ》マージャンをする、か、していた、という有名な話だって、私は、それが悪いことだなどと思ったことは一度もないのである。

世の中には実にたくさんの博打的な行為が行われている。競馬、競輪は言うに及ばず、宝くじ、株、パチンコ。ゴルフも、時にはそうである。結婚も、投資も、賭の要素がないことはない。すべての冒険も賭の要素を含む。登山、ヨット、探検から研究、宇宙開発に至るまでそうである。

それでいいのだ。人間は初めから、本質的に、終わりまで、不純なものである。九十九パーセントが純粋な人でも、一パーセントの禍々《まがまが》しい不純が、自分の内部に巣くっているのを、いささかの自覚があればわかるものである。反対に九十パーセント不純でも、人間として十パーセントの無垢《むく》な思いを残すことは多い。それが私の人間讃歌《さんか》の所以《ゆえん》である。

百パーセント、悪のない社会を可能だと言い切るのは、専制政治の思い込みか社会主義的政治形態の弾圧の中でしかない。しかし私は今までにただの一度も、社会主義的社会体制を信じたことがなかった。私は純粋を標榜《ひょうぼう》する姿勢には、すべて自動的に疑いを持つ性癖があった。

ニュートンの運動の第三法則もそのことを明快にしている。つまり「アクション・イコール・リアクション」なのである。「二物体相互の作用は、つねに相等しく逆向きである」、というのである。「いいことするにゃ、悪いことがいる」と言ったら翻訳の行き過ぎだろうが、物理学の世界は正直でいい。

今さらアメリカの禁酒法時代の現実を引き合いに出さなくても、公営賭博をなくせば、人は間違いなく、ヤミの賭博に走るだろう。今でも公営賭博の裏側で、その手の陰の賭博があり、その金は或《あ》る種の団体の資金源になる、と世間を知る人々は言う。それくらいなら、賭け事もルールを決めてやり、酒、タバコと同列に、体や心、家庭や社会、を楽しくする程度に留め、破壊的にならないように自制して、その売上を地方の自治体に還元したり、或いは特定の団体に回して、明々白々な使途の公表の元に真摯《しんし》に使われる方がいい、と私は思っているのである。

「ほどほどの悪」と共生して生きるという認識は、私の中で、非常に重大な意味を持つ。もし自分の中に「ほどほどの悪」の自覚がなければ、私は即座に人間を失うであろう。自分がかなりの人道主義者だなどと思ったら、その時から、誰もが腐臭を放つようになる。

社会の中にもほどほどの悪がないところは、むしろ巨大な腐敗に結びつく、という実例を、今世紀の後半にも私たちは嫌というほど見せられて来た。人民が毛沢東のおかげですべて幸福だと言い切っていた時代の中国は、言論を弾圧し、人民の思想の自由を奪った。日本では見られないほどの特権階級が、人民から浮き上がった権力をほしいままにしていた。

「ほどほどの」という形容詞がつく状態ほど、愛や許しを思わせるものはない。ほどほどの自信、ほどほどの貧乏或いは豊かさ、ほどほどの挫《ざ》折《せつ》感、ほどほどの誠実、ほどほどの安定、ほどほどの嘘《うそ》、ほどほどの悲しみ、ほどほどの嫌気、ほどほどの期待または諦《あきら》め……すべて人間を深く、陰りのある、いい味と香のする存在にする。そのような人は、人間の分際を知った判断をするからである。

しかし現代には、そのほどほどの悪を自分にも他人にも決して認めない自称ヒューマニストがいる。そういう人たちは、現代の日本で、人が享受《きょうじゅ》するすべての便利を同じように受けながら、発電所の建設には反対し、日本のジャーナリズムで発言することで金を得ながら、紙の原料である森を切ることには反対だ、と言うのである。

生きるということは、これまたほどほどに人を困らせることでもある。ほどほどに大地を汚し、森を荒らし、水と空気を汚染し、ほどほどに他人の受ける便利や幸福の分け前を、力で収奪することである。その疚《やま》しさをほどほどに減らそうとする時、初めて人間は少し人のことを考える行動を取れる。

だから私は、生涯、ほどほどの悪いことをしてしまい、ほどほどのよいことができたらと願って暮らすのだろう、と思う。それ以外の生き方など考えられない。

諸井氏は「どういうわけかこの国には〝文化人性善説〟が行き渡っていて、著名な作家を担《かつ》ぎ出しさえすれば、一般大衆は納得するという傾向が確かにある」と書いておられるが、これは、いつもヒューマニズムと正義を口にし続けている一部の進歩的文化人のことなのだろうか。もちろん諸井氏はご存じなくて当然の「私事」なのだが、私は十年ほど前から、多分死ぬまで、悪を書くことを目指すことにした。従って今社会が容認し支持するようなヒューマニスティックな視線の作品など、ここのところ書いたこともないのである。第一、私は一応キリスト教徒ということになっているので、改まって「あなたは性善説ですか性悪説ですか」と聞かれればはっきりと性悪説から出発して仕事をして来た。「おお、幸いなる罪よ（オ・フェリックス・クルパ）」という言葉に胸が疼《うず》くのは、昔も今も同じである。

私が二十代の初めに、小説家の道を選んだ時、作家になることは、決して選ばれた人の「選業」ではなく、むしろ一族の間で爪弾《つまはじ》きされ卑《いや》しめられる「賤業《せんぎょう》」に就くことだったという事実が、もう今ではどうしても理解されないのである。しかし私はそのような「賤業」に就く破壊的なマイナスの「光栄」をはっきりと自覚して道を選んだ。私は堅気の世界から、自ら追い出され、手を切ったつもりだった。だからと言って、自分がすぐ変わったわけではないが、世間がそう思うなら、好きな道のためには、どんな評判も甘んじて受けることは当然と考えていた。文化人性善説など当時あったら、私もその頃は若かったのだから、どんなにか救われたことだろう。

悪も善も、真相は人間以外の（神とか仏とか悪魔とか言った）ものにしかわからない。だから私は人を裁く気もない。そこで残るのは、多少の差はあっても「ほどほどの不純」ばかりである。

投書の中で、もう一通、すばらしいのがあった。その方は、私が新しい仕事についたのをきっかけに、今まで行ってみたこともなかった競艇場というところへ行ってみることにした。すると、あたりが汚いのにびっくりしてしまった。私が見に行った平和島はそうでもなかったが、中にはきっとそういう競艇場もあるのだろう。

しかし、彼はそこで、もうあまり若いとは言えない一人の女性と知り合いになった。知り合う、と言っても恐らく日溜《ひだま》りの中で言葉を交わしただけなのだろうが、そこで彼は、その女性の生き方の一部を知ることになった。

彼女は、もと校長をしていた人であった。そして彼女は、人生の最後の段階の自由の中で、「少し悪いこともしてみたくなった」のであった。

私はこの言葉にほとんど涙ぐみそうになった。生涯のふくよかな完成とは、恐らくこういう境地を言うのであろう。この頃よく誤解されるのでくだらない説明もしておかなければならないが、涙ぐみそうになったのは、競艇場に来て頂いたことがありがたかったからではない。先生という職業上、世間で一応悪いと言われていることは全《すべ》てすることのできなかった長い年月の果てに、彼女が「ほどほどの悪」かもしれないことも、自由にできるようになった境地を楽しむようになった、その日溜りの中のような姿に胸をうたれたからであった。人生には最後まで、思いがけないしなやかな発展がある。競艇場で初めて彼女は、人生を広角度で観《み》られた。そして、そこにささやかな幸福も、思いがけない明るさも、信じられない優しさもあることを知った。

この話を、私はほんとうは短編小説にしたかったのである。しかし出典が明らかな投書にあった話を、黙って小説に書いてしまうことは憚《はばか》られた。だからこうして、いい話を、素朴に材料のまま伝えることにした。それもよかったと思う。

（一九九六・二・五）

或る金銭感覚

昔からお金については、あまり心を使って来なかった。と言うと、「恵まれていらしたんでしょうね」と言われるので、後を続けることが少し億劫《おっくう》になることがある。事情は全く違って、私は伯父に大学の学費を出してもらい、父が再婚したので、父の死に当たって相続も放棄した。そのおかげで私は父の後妻さんとも、金銭的な争いをしたことがない。

お金のことに心を使わないということは、お金を軽視できた結果ではないのである。ただ、小説というものは、人生の足し算も引き算も「その通りにはならない」美や醜を書くので、一万円あるところへ一万円もらったら、二万円になる話だったら、小説にならない。一万円あるところへ一万円もらったら、三万円になったか、百円に減ってしまう話だというと、人は「どうして？」と理由を聞きたがる。小説の生まれる瞬間である。

お金でも女でも、嫌いよりは好きな方がいいに決まっている。昔、或る作家が文化勲章を与えられる、という報《しら》せを受けると真先に、「金はついてるのかな、金は」と名誉じ、などそっちのけだった、という嘘か本当かわからない逸話がある。しかし隠し女と同じで、金と律儀《りちぎ》に付き合っているときめんに小説は面白くなくなる。ながながと金勘定することもいけない。金儲《かねもう》けの方法も、小説に書くのに必要な場合以外は、考えない方がいい。

こんな風に思って暮らして来たのに、日本財団というところへ就職してから（もっとも、私の立場を就職と言っていいのだろうか。無給の就職というのは、本来はないものだろうから）私は今まで考えることもなかった分野を知ることになった。お金との関係、つまり財団の予算との関係である。それもまた桁違《けたちが》いに大きな額のお金との付き合い方である。

だいたい普通の生活者だったら、新聞の全国紙の一頁《ページ》広告がいくらか、テレビの三十秒のスポット広告がいくらか、などということは一生知らなくて済んだはずである。新聞の一頁広告が数千万円もするなどということを聞くと、庶民は改めて「ほんとうかな。よくやっていけるな」と思うのが普通だろう。

なぜ一般の企業は、新聞にそんな高い広告費を払うのか。考えてみれば理屈はあるのだ。仮に或る全国紙の発行部数が五百万部で、広告掲載料が一頁全紙で四千万円とすると、その新聞一部を一人しか読まなくても、その広告料は八円にしかならない。もし夫だけでなく妻も読めば、購読者数は一部当たり倍になり、広告費は一人当たり半分の四素人《しろうと》な上にけちだから、八円もかかるのか、という感じであった。

とにかく、一日で数千万のお金を広告に使う、ということが、どういうことか、私は考えてしまう。仮にタイヤを売っている或る会社が、一億円かけて広告をして売上が十億円増えれば、この広告戦術は大当たりということになるのはすぐわかるのである。しかしその場合この広告費を負担したのは、そのタイヤを買った人たちなのだから、私はこのごろ、大きな広告を出している会社は、それだけで商品が高くついているのだな、と考えるようになった。

しかし日本財団の場合はどう考えたらいいのだろう。私たちの組織は、競艇の売上の三・三パーセントを受けて、それを、国家とは違うやり方と場所で、公益福祉のために使う。まず海事関係の研究・開発がある。国内では老人ホームを建て、ホスピスを増やし、車椅子《くるまいす》用の昇降機のついた車をあちこちに配り、ボランティア活動支援の財源を支給する。芸術・文化に関しては、郷土芸能や舞台芸術の助成、スポーツ団体の運営の助成をする。国外の援助としては、奨学資金を出すことが一番大きな仕事だが、外国各地の日本人小学校にスクールバスを配ることも引き受ければ、外国の各国の大学に日本語の普及のための拠点を作ることも含まれる。

PRは企業イメージを作るためにするのだという。しかし日本財団の場合、広告をして売上を増やすのが目的だというわけではない。私流に言えば、企業イメージに当たる、財団のイメージなんか、ほんとうのところどう思われようとどうでもいいのである。イメージを改変するためのお金なんか出す必要はなくて、お金はひたすら仕事をするのに使うのが本道だろう。ただ何をしているかを、世間に知らせる義務は大切だから、そこで広告も必要なのである。

と言う度に、私より古くからこの財団にいる職員の顔には、当惑が浮かぶ。「新人(私のこと)は過去のことを何も知らないから」という感じの表情である。

「日本財団のイメージがどうでもいい、って！　そんなことを言っていられますか。長い間、マスコミは、日本財団を悪く書きさえすれば正義の味方だという態度を取り続けて来たんですよ。私たちがどんな扱いを受けて来たかおわかりですか」

と誰一人として言葉には言わないけれど、私より古手の人のほとんどは、皆、マスコミの手痛いイジメを受けた体験者ばかりだ。

確かにそうなのだ。法治国家である日本の検察庁は、数年前に、この財団から二百五十箱以上の参考資料を押収したという。しかし起訴することはしなかった。起訴できなかった、ということは、法的には無実だといわざるをえない。その財団を、確信を持って断罪したマスコミが多かったのである。

私は別のことでひがんでいる。

どうも長い間、日本財団は、お金のあるお坊っちゃまだと広告代理店から思われていたのではないか、という疑心暗鬼である。もうそんなことは一切やめだ。広報の費用は切り詰めて、総《すべ》て仕事に使う。広報費は最低限出して、最高の効果を上げてもらう。お金をかけたいだけかけて効果を上げることなんか誰にでもできる。しかし少ないお金で最大の周知効果を上げるというのは、最も難しい「男の戦い」だ、と私は美人の女性職員も混じる広報課の人たちに言ったのである。

理由は単純である。こちらは、人さまのお金を使う立場だ。自分の金なら何にどれだけバカなことにお金を使っても遠慮することはない。女にやろうが、骨董《こっとう》を買おうが、好きなことをすればいい。しかし人のお金は百円でもゆるがせにできない。爪《つめ》に火を灯《とも》すようにして、冗費は徹底して省く。企業イメージなんか、悪く思う人にはずっと思わせておいたらいい。しかし人の口に戸は立てられない、というから、一生懸命に仕事をしていれば、次第に変わるだろう。仕事の中身の実態こそ、広報の最大の戦力だ。最近知ったことだが、日本財団がひどい悪評を受け続けた最中でも、まともに取材して書いていてくれた新聞記者も雑誌の編集者も何人かはいたのである。「人間というものは、人が言うほど悪くもなく、人が褒めるほどよくもない」ことを、その人たちは過不足なく知ってくれていた賢い人たちだったのだろう。

企業イメージを作るためのPR雑誌を、私はまずやめてしまった。私は世間のPR雑誌というものが、以前からむだだと思っていたのである。第一の理由は「人はただでもらったものはほとんど読まない」からだ。（その心理は教科書でも同じだ。だから私は教科書を有償にすべきだと考えている。）第二の理由はPR雑誌というものは実に単価が高いからである。

我が財団にも立派な広報誌があった。

「この手の雑誌は誰に送るのですか？」

と聞くと、関係団体とオピニオン・リーダーなどに送るという。「それじゃ普通の人は読めないわけじゃありませんか。オピニオン・リーダーたちだけが雑誌をただで送ってもらうなんて、そんな不公平はやめましょう。誰でも、どこでも、どこかで読める、ということを考えなければだめです」というのが私の論理だ。ことに、ただで雑誌をもらうオピニオン・リーダーのような人たちのところへは、この手の雑誌が山のように送られて来るから、受け取り人は封を切っただけで中身を全く読みもせず、紙屑籠《かみくずかご》へ捨てる可能性の方が高い。

しかしこういう理屈は世間ではあまり通用しない。だからどこの会社でも、高いお金をかけて、高級なイメージを出すために、むだな広報誌を出している。

私はいつも一つの情景を思い描いていた。町中の蕎麦《そば》屋と食堂の光景である。

一人で食事をしに来ている人も多い。侘《わび》しい食事だ。話相手もいない。だから店先においてある雑誌を読む。雑誌は読みこまれてページがくたくたになっている。それほど一部当りたくさんの人が読んでくれたという光栄を、その手垢《てあか》まみれの雑誌は示している。

蕎麦屋と食堂、床屋と美容院、町の内科医と歯科医の待合室にある範囲の雑誌に、私は日本財団が何をしているかという広告を出すことにしてもらった。

カラーはぜいたくだから、一切やめである。うちはメーカーでも商社でもないのだから、質素でけっこう。質素こそうちの企業イメージだ。少し素人の勉強をしてみると、カラー一ページ分のお金で、縦三分の一ページの活版の広告が、一月一度ずつ、一年間買えることがわかった。それを財団職員のアンケートで、一番多く読んでいる雑誌の上位から五十六誌に一月一度ずつ買う。「文藝春秋」本誌などは、日本財団を八カ月にわたって不正確な記事の連載で叩《たた》いた張本人だそうだが、そういうところにこそ、広告を載せる。既に悪意を培《つちか》われた読者がいる、ということこそ、効果の期待できる黒い肥料入りの土壌だからである。しかしやたらと広告料の高い雑誌は、部数が多いのだろうが、質素であるべきこちらの立場に合わないから、自動的にやめる。それだけで、PR誌よりはるかに安く広報活動ができるのである。

十二カ月の間、毎月の広告が一種のレポートなのだから、コピーの文章を毎月変える、というと、変更の度にまたウン十万円の単位の制作費がかかる、という。「どうしてそんなにかかるのですか」というと広告代理店の人が「取材して書くから」だという。作家の中で、今はどなたの原稿料が一番高いのか知らないが、亡《な》き川端先生にお願いしたって、普通原稿用紙一枚十万円はしまい。「それなら財団の広報課で書かせましょう。取材しなくても知っている人たちばかりです」、ということにした。広報課はうんざりしたかもしれないが、私は彼らの文才を信じている。材料さえ各課からもらえば、私だって三分で書ける。後は活字を入れかえるだけだから数千円で済む。

取材や勉強を他人の費用でしないでください、と言いたくなる場合もあった。盲人に付き添うボランティアの歩く位置について、制作者自身が全く知識を持っていないのである。私自身が英語がそんなにできないので言えた立場ではないのだが、たった一言の英文のコピーがどうもおかしかった場合もある。人の金で勉強をしてはいけない。会社がもっと社員教育を徹底して、備えるべきだろう。

或《あ》る広告代理店は、一回のミーティングに、自動車三台分の人員を送りこんで来たので、後で私は広報課に言った。

「今度から、おいでになる時は、せいぜいで三人でいらして、って言ってくださいな。あの自動車代をこっちが払うことになるかと思うとたまらないから」

これはつまり、けちというビョウキの症状なのである。それに一般に作家などというものは、いなくても済む人に仰々しくいられると、話をしても落ち着かない。政治家や社長さんは、自分が偉そうに扱ってもらうのが好きなのだろうが、作家という人種は、本来密室でヒソヒソやるのが好みなのである。

しかし、広告代理店と財団との関係は、決して悪くなっていない。どんな大手だって小手？だって、才能というものはピカリと光って私の注意を引きつける。何気ない字の配置、意表を衝《つ》いた思考の飛躍、思いがけない眼線の位置など、素人は真似《まね》できない。どの分野であれ、ほんとうの玄人《くろうと》の仕事には、私は改めて深い敬意とお金を払って当然だと思う。

予算が何百億の単位でも、私は自分の財布にある額のお金で、ものを考える癖を止《や》めたら終わりだと思う、と女性弁護士の友達に言ったら、それを主婦感覚と言い、女性にはそれが残っているから、世間で金銭的問題を起こす率が男性より少ないのだという。

私の夫もけちで、百八十円の電車賃が惜しいばかりに自宅から渋谷まで約十キロを歩いてしまう。しかしほんとうのケチなら、ズボンの裾《すそ》と靴の踵《かかと》の減り分を計算に入れないのはおかしい、と周囲の人に言われている。

夫のケチも主婦感覚かと思ったら、

「ううん、僕のは天丼《てんどん》感覚」

と言う。昔から彼は、高額のお金の話を聞くと「天丼でなんばい分かかな」と考える癖があった。山下清の「兵隊の位でどのくらいかな」というのと同じ発想である。

今、一千万円というと、一ぱい千円の天丼が青空に一万個、百個ずつ百列並んでいる姿が見える。それを全部食べることを想像すると「コラ、大変だ」と思うのだそうだ。

しかし丼《どんぶり》の列が見えているうちはまだいい。一億円だったら十万個、百億円だと……もうその辺で天丼の列は見えなくなっている。危険を知らせる予兆である。


（一九九六・三・四）

嘘《うそ》のようなほんとうの話

ザイールで働いているシスター・中村寛子《ひろこ》からひさしぶりの手紙を受け取った。

この人は、マリアの宣教者フランシスコ修道会に属する修道女で、初めはアフリカのアンゴラで働いていた。ところが内戦が起きて、或る日、突然ゲリラが入って来た。

「三十分のうちに出発するから、支度しろ」

とゲリラの兵隊が言った。どうせ修道女だから、服をたくさん持っているわけはないが、この人のおもしろいところは、どさくさの中でもちゃんとカメラを持って出たことである。

それから彼女たちは一月以上も、ジャングルの中を歩かせられた。夜はその辺に野宿し、その辺に溜《たま》っている水を飲んだ。それでも決定的な病気にならなかったという話を聞くと、私は彼女には神がついておられるか、既に体質がよほどアフリカ化して丈夫になっていたか、と思わざるを得なかった。

毎日、その日に野宿すると決めたところで、彼女はカメラのフィルムを一枚ずつ使って場所を記録した。ゲリラたちは、彼女たちに対しては丁重だったという。やがて当然のようにフィルムが切れた。するとシスターは、記録をスケッチに切り換えた。これがなかなかの腕前である。帰国後、水彩で色をつけたものを絵はがきにして、シスターは私にも一組くれた。

彼女はアンゴラから釈放される時、二度とこの国に入らない、という誓約書を書かされた。ほんとうに愚かしいことをする国だ。こんなに献身的にアンゴラ人のために働いてくれる人など、お願いしたってなかなか来て頂けるものではない。

生きるか死ぬかわからないようなひどい目に遭ったのだから、少しはこれに懲《こ》りておとなしく日本にいるだろう、と私でなくても誰でも思ったに違いない。しかし彼女はすぐまた、どこでもいいからアンゴラの近くの国に行くことを考えた。アンゴラは元ポルトガル領でポルトガル語を使っていたのだが、今度は元フランス領の国へ行くことになるだろうから、とパリの本部でフランス語の勉強を始めた。そして結果的にはザイールに赴任したのである。

ほんとに懲りないシスターだ、と私は思い、これが彼女のあだ名になった。

彼女はそれ以来、私が働いている海外邦人宣教者活動援助後援会というＮＧＯの組織から、いろいろなものを献納させた。軽く言うけれど、身障者用に内部を改造したニッサンのバス二台も含まれている。これだけで八百万円以上している。もっともシスターが礼を言うことなんか全くない。

このバスは、首都のキンシャサではなく、当時彼女が働いていたボマという町にあるハンディキャップの子供たちの学校の通学用であった。それまで使っていたバスはドアが閉まらず誰かがずっと手で抑えていたとか、惨《みじ》めな話をユーモラスに書いて来るのが彼女の特技であった。

新しい日本のバスは、校長のシスターのフランス語の手紙によると、ザイール中で一番新式の豪華な車で、ほんとうは学校なんか行きたくない怠け者の子供まで、このバスに乗りたいばかりに学校に行きだしたという。私はこういうやり方で、子供を「釣る」のにも、大賛成だった。

懲りないシスターだから、一台では、とても子供たちの送り迎えに足りない、と言い出した。その通りなのである。それでもう一台送った。前のバスにはデザインとして青い線が入っていたので、私たちはそれを青線バスと呼んで、新しい赤線バスと区別した。青線と赤線なんて、まあおかしな名前になったものであった。

赤線バスの通関には、いろいろの理由でひどく手間取った。それでシスターは何年目かの休みを取って帰国するのが、二、三カ月も遅れてしまった。

シスターたちはこういう途上国から日本に帰ると、健康診断を義務づけられている。シスターはそこで癌《がん》を発見された。その時の彼女の言いぐさがおもしろかった。

「これもソノさん方のおかげです。癌があまり小さいので、もう三カ月早く帰ってきていて、その段階で検査を受けていたら見つからなかったと思うんです」

ほんとうにものは言いようだ。あなたたちのおかげで癌の発見が遅れた、と言うのと、お蔭《かげ》で発見できました、と言うのと事実は同じなのである。

手術は無事に済んだが、癌にもなったことだし、彼女も今度は日本に落ちつくだろう、と私は漠然と期待していた。しかし彼女は任地へ戻る予定を変更する気配はなかった。

ちょうど夏だったので、私は、三浦半島の菜園の家で、花火を見る会に彼女ともう一人の修道女を招待した。

「お宅の修道院のシスター方全員をお招きしたいけど、うちは手狭だから、差別して、癌のシスターだけお呼びします」

つまりこの二人はいずれも癌のシスターだったのである。彼女たちは、サツマイモだのトウモロコシだの、質素な材料を加えたバーベキューをたくさん食べてくれた。これなら大丈夫、と私は安堵《あんど》した。

シスターが帰任してからのザイールは、ひどい混乱が続いた。彼女の任地も首都のキンシャサから千二百キロ近く離れたキサンガニという所に移った。

そこから次のような手紙が来たのである。

久しぶりに仕事で首都へ行ったら、例の二台のバスのうち後から送った赤線バスを使って、ボマからシスターたちが出て来ていた。バスとも懐《なつ》かしい対面であった。一台目の青線はさすがに悪路を七年間走り続けて、エンジン部に少し問題があってもう遠出はできない。しかし市内の子供たちの送迎には支障ないとのことである。それはドライバーが、ていねいにエンジンの調整をしているからで、ザイール人の中にも、ものを大切に補修して使うという人がいて嬉《うれ》しいと、その点にシスターは希望を見いだしていた。

「ボマの心身障害児センターも転換期に入りました。障害児は悪魔のたたりという迷信から解放するのが目的で始められたこの仕事も、今は人の考え方も変わり、親自身が入学を望むようになって毎年学童の数は増え続けています――障害児の数が減らないのは問題ですが――それで身体障害児の普通クラス(小学校六年制)を閉鎖して、子供たちは地域の学校に入る方針に変えようとしています。人々の障害児に対する見方が変わったのは所期の目的が一部達せられたのですから、バスを贈ってくださった皆さま方には喜んで頂けるのではないかと思っています。センターは子供だけでなく、大人をも含めての整形の治療、そして聾唖《ろうあ》と知恵遅れの子供の教育を重点的に行っていくとのことです」

それにしても、シスターの手紙には奇妙な写真がたった一枚同封されていた。殺風景な事務所のような部屋の、書棚とダンボールの間に、何やら奇妙なものが幅二メートル近く、高さ十二段ほど積み上げてある。一見煉瓦《れんが》のようでもあるが、煉瓦よりさらに小型だし、材質は固く固めた干し草のケーキのようにも見える。

これがザイールの札束なのである。シスターの野次馬精神はアンゴラ以来衰えていない。手紙に札束の写真を入れて来るなんて、この人以外には発想できないところだろう。

シスターはその間の事情を活写する。

「それにしてもザイールのお金の汚さはすごいのです。少し古くなると、汚れてお札が分厚くなるのです。インフレでお金の価値が急激に下がって、一枚二枚とかでなく、百枚単位を通り越して、五百枚一束で輪ゴムやひもをかけ（八センチ×十センチ×十六センチ）、それを一個、二個と数えます。財布や金庫などとっくの昔に用を足さなくなっています。買い物に行く時には、金入り段ボールを担《かつ》いで行くのです。曽野さんが機会があってザイールにいらっしゃる時は、お相撲さんのような金かつぎを同行なさってください」

それで私はほんとうにザイールに行きたくなってしまった。写真の小型レンガのようなものは、一塊が日本円で一千円くらいの札束で、写っている札束は全部で六十万円くらいだという。ちなみに彼女は大司教区の経理係で、月給は六千円だと言う。金を扱う仕事は、すべて外国人にしか任せられない。昨年十二月には、アフリカ宣教会（砂漠色の白っぽい修道服を着るので、白い神父＝ペール・ブランと呼ばれている）の六十歳を過ぎた頑丈な体格のフランス人神父が、事務所に続いた寝室で強盗になぶり殺しに遇った。

残虐《ざんぎゃく》な殺し方であったという。突いたり切ったりした傷は十八カ所。腹部をジグザグに切って内臓を引きずり出し、性器を切断し、呼ばれた医師たちは、あらゆるケースを見慣れているはずだったが、あまりの残忍さにしばらくはショックから抜けられなかった、と言う。

シスターは、この神父と私の作品について話したことがあった。私が『砂漠、この神の土地』というサハラ砂漠縦断記の中で、このアフリカ宣教会について触れているのを読んでいたからである。十九世紀にアルジェの大司教としてアフリカ宣教会を創立したラヴィジュリーは、若い神父たちを、当時「暗黒大陸」という印象で捉《とら》えられていたトゥンブクトゥまでの危険な空白地域に送り出す時、請願書の中に、特別の言葉を書き加えさせていたのであった。

それは「殉教を覚悟して」というそれだけの短い言葉であった。

シスター!は私の本から読んだその事実を語ろうとして、肝心の誓約の言葉を口にするのに、ちょっと手間取っていた。私の本の中にある言葉はラテン語だったが、それをフランス語に置き換えるのに少し手間取ったのである。すると、その神父はすかさずフランス語でつけ加えた。

「Être martyr」

もちろん二人とも、そのような可能性は歴史的なものとして認識していたのだろう。しかし今日のアフリカでは、アフリカ宣教会の言葉と精神は、いまだにこうして現実の最前線にあった。しかしアフリカ宣教会が、もっとも多くの宣教師たちの血を流した頃にもっとも多くの志願者を得ていたように、危険を伴う任務に従事する修道会ほど、後継の志願者が途絶えることもないのであった。昨年春にはアルジェリアで四人のアフリカ宣教会のフランス人神父が殺され、今度はまたこの神父がザイールで殉教したのであった。

エボラ出血熱が流行《はや》った時にも、私はシスター・中村のことを心配していた。しかしシスターによるとエボラが流行ったのは二千五百キロほど離れたところで、さすがのエボラもその距離を移動する間に「腐って」来るだろう、という極めて非科学的な推測だった。

この懲りないシスターの手紙には、まだおまけがあった。最近、管区長のザイール人シスターが、日本で船を一隻《せき》寄付してもらえないだろうか、とシスター・中村と、もう一人同じところで働いている日本人のシスター・高木裕子《ゆうこ》に相談したというのである。

そんな高価なものを、そんなに簡単に手に入れられるはずがない、とは思ったものの、従順を一つの誓願として受け入れた修道女だから仕方がない、と、シスター・中村は思い返した。自分のためでもなく、人のためと言うより神のためだけだから、シスターは何でもできるのである。

船を寄贈してくれそうなところと言ったら日本財団（日本船舶振興会）の笹川良一氏しかないだろう、とシスター・中村は当たりをつけた。なぜ船が要るかというと、ザイールはジャングルばかりで、道は悪く、病人や物資を運ぶにも、自動車は事故が多くて命がけ。飛行機利用がいいのだが、運賃が高くてとても乗れない。それに陸路を薬品輸送などすれば強盗の危険がある。いや、実際にあった。それなのに川の交通はまだあまり開発されていない、と、たくさんの理由を作文して（決して嘘ではない。事実をまとめただけである）さてシスター・高木が近く休暇で日本に帰った時、この筋書きでタッチしてみたら、笹川さんが「コロリとその気になってくださるかもしれない」と、それが懲りないシスターたちのシナリオであった。

ところがキンシャサの日本大使館に行ったら、親切な大使館員が古い「週刊朝日」を二冊くれた。そして笹川良一氏は亡《な》くなられており、私が後任として働いていることを知った。ニュースは何カ月も遅れていたのである。

正直言ってびっくりしたと同時に、「二人ともがっかりしました」のだそうだ。私には、もともと懲りない（図々《ずうずう》しい）シスターだと思われている上に「何か手のうちをすっかり知られているような気がして、この計画はオジャン」と一瞬思ったらしいのだが、そこは懲りないのが特徴なのだから、待て待て、断られて元々とまた思いなおしたらしい。

シスター・高木裕子は、長崎の浦上四番崩れで捕らえられ、拷問《ごうもん》を受けながらも一人だけ棄教せず、辛うじて明治維新の改革に間に合って伝道士となった高木仙右衛門の曾《ひ》孫《まご》の子に当たる。彼女の叔母の基美子もシスターで、私の大学時代の同級生である。基美子は男六人、女六人の十二人兄姉の家庭に育った。男六人兄弟のうち一人が神父になり、女六人姉妹は全員が修道女になった。さらにその姪《めい》のうち二人までがシスターになって途上国で働いているという筋金入りのカトリックの家系である。

ボートは日本財団に申請を出してみたらいいケースなのだが、私の心理は複雑であった。まだこれから、船体の値段や、それが果たしてシスターたちの手で完全に管理されるのかどうかを細部まで確かめてから、審議されるケースなのだが、それらの点がクリヤーされて可能性が出て来たら、こういうふうに、現場に日本人シスターが張りついて援助物資の使われ方を監視してくれるようなところは、「投資先」として超Ａ級の「上物物件」なのである。しかし効率のいい「目玉商品」だけを、自分が昔から深く係わっている海外邦人宣教者活動援助後援会に強引に取ってしまうのも何かフェアーではない。この上は日本財団に一応申請を出してもらい、私は黙っていて、財団の方で条件が合致せず却下ということになったら、私たちの海外邦人宣教者活動援助後援会が大喜びで引き取る、という段取りになるだろう。

おもしろい話はここまでではない。シスター・中村が、船をほしいという時に、奇妙に正確に日本財団のことを思いついたのには、理由があるのだ。

今度初めて知ったのだが、彼女は修道女になる以前、山口県モーターボート競走会に勤めていた。

「もらった退職金を〝持参金〟として修道会に入会したのですから、私は競艇ファンに修道女にしてもらったようなもので、そして曽野さんとはよくよくご縁があるのだなあ、と縁結びの神さまに感謝しました。私たちの神さまはユーモアがお好きで、おかしなことをなさいますね」

もうここまで書けば、この話は「嘘のようなほんとうの話」以外の何ものでもないことを読者にもわかって頂けただろう。

（一九九六・三・二八）

遊牧民のテントで

今年で十三回目になった障害者の方たちとの「聖地巡礼」の旅の直前から、ハマス(パレスチナ人のイスラム原理主義組織)に属するテロリストの自爆テロがイスラエルの各地で起こったので、旅行を取り止《や》める人が続出するかと思ったが、案に相違して、今年は当日になって止めた人さえいない。危険はないわけではないが、騒擾《そうじょう》とか災害とかいうものは、局地的で運による、ということがよく理解されていたらしい。イタリアを廻ってイスラエルに入ると、別に兵隊さんだらけ、ということもないし、早速土地の知人から、イツハク・ラビン首相暗殺犯の結末を聞いた。

犯人は終身刑に処せられたが、当人は今でも神の命令を実行したまでで、少しも悪いことはしていないと言う。しかし家族は陳謝の意を表明した。

「恩赦ということもある終身刑ですか?」

と聞くと、可能性としてはあり得るのだが、裁判長は、今までにも将来にも、こういう犯人に対して恩赦を与えるような首相はありえないだろう、という意味のことを言ったと言う。

この事件はさまざまな憶測を生んでいる。実は事件は極右勢力を一掃するために仕組んだものだったという噂《うわさ》さえ出ているらしい。つまり、推理小説もどきの筋では、極右を一網打尽にするために、当局がわざと偽弾をこめたピストルを人を介して犯人に渡した。筋書き通りに行けば、彼はそれでラビンを撃ち、当局も首相は撃たれたが怪我《けが》は大したことはなかったということにして、それをきっかけに一挙に極右を抑える予定だったというのである。ところが犯人は、それが偽弾だということを見抜き、ほんものの弾をこめ直した。

当日、テレビに「偽弾だ！」という護衛官の声が入っていたのがその根拠だという。首相の近くから発射音がした時、計画を知っていた護衛官が、それは予定の行動だったと周囲に知らせようとした。その声がテレビの音声に残ってしまったのだという。その声の主も特定されたが、この人が変死体となって発見されたから、話には尾鰭《おひれ》がついたのだろう。

さらに疑惑を生むのは、もう一人の警護責任者も首吊《くびつ》り自殺をした、と言うことであった。

「自殺ですって？」

私がおかしく思ったのは、宗教上の理由から、この国では自殺が極めて稀《まれ》だからである。当然世間も責任者が自殺したということに疑問を感じ、それは自殺を装《よそお》った口封じの他殺だろう、と思いたくなったのだろう。

裁判でも、肝心の事件の経過の部分はほとんど公表されなかった、と知人は言う。今、日本では情報公開を巡って動きがあるが、イスラエルでは国益のために公開しない部分もある。

自爆テロリストの報復に、イスラエルは彼らを送った南レバノンのヒズボラの基地と思われる地点を、湾岸戦争の時と同じようにピンポイント攻撃している。するとそれに対してヒズボラの秘密基地からは、カチューシャ・ロケットがイスラエル側に撃ち込まれている。イスラエル側の新聞の発表だから、自分に有利な書き方をする面もあろうが、ヒズボラ側はロケットの発射基地として小学校を使っているのが確認された、という。そうなればイスラエル側は当然小学校の建物も攻撃の対象にするということである。イスラエルがレバノンの小学校まで無差別爆撃をした、と世界に知らせることができれば、大成功なのである。

そんな背景もあって、私たちが滞在していたガリラヤ湖畔のホテルからは、よく出撃する戦闘機の飛行機雲が見えた。イスラエルは一切の戦力（戦闘機の数など）も公表していないという。裁判は公表されるのが当然だが、戦力はそう簡単には言えない。公表することが戦争の抑止につながる場合も大いにあるし、公表しないことが抑止力を持つ場合も同じようにあるからである。

人間の体や生活だって、世間にお見せして当然の部分と、隠すのが人情という部分があるだろう。情報も公開して当然の部分と、秘密にしなければならない部分とがあるのが自然だ。それをごちゃまぜにして論議する日本の世論というものが、実は私にはよくわからないのである。

もちろん多くの公的機関は、情報公開をすべきである。私が働いている日本財団でも、財務諸表の公開は、新聞でもするし、マスコミ関係者などにも、年に四度の「お知らせ」を送る度に、しつこいくらい繰り返してつける方針を取っている。大きな声では言えないが、これだから日本のゴミが増えるのだし、私自身が送られる立場だったらすぐゴミ屑籠《くずかご》に棄《す》ててしまうのではないか、と内心思っているが、それでも人さまのお金をお預かりする立場では、この公開こそが命だと思うから仕方がない。しかし個人に関する一切の記録、組織に関する調査、国家に関する防衛などにまで一切秘密の部分を持ってはいけない、というのはおかしなことだ。

数年前のイスラエルで、小学生の一団を連れた髭面《ひげづら》の男が、ユダヤ教徒の誇りを示すキッパという丸い帽子を頭につけ、自動小銃を脇《わき》に抱えていたので、私はわざわざ「あなたはどなたですか。なぜ武器を持っているのですか」と質問しに行ったことがあった。するとと彼は、自分は担任の教師だが、子供たちを連れて校外へ出る時には、必ず自衛のための武器の携行を義務づけられている、と教えてくれた。その状況は今でも同じだという。そういう教師に教えられた子供は、社会は危険に満ちているということを身に染《し》みて自覚し、しかも、自分たちを守ってくれる先生に対して、もっと尊敬も愛も感じるだろう。先生が武器を持つ状況は決していいとはいえないが、悪いことの中にも必ずいくらかの意味のある要素もある。この世のことは一筋縄ではいかないから、単純に正義を振り回すと、真実が見えなくなる。

四月十四日の夜から、私たちの泊まっているホテルのロビーの一隅に、小さな祭壇のようなものが設《しつら》えられ、そこに缶入りの蠟燭《ろうそく》が六個燃えるようになった。白いカラーの花も六つ、他の花は切り取られた跡がはっきりと茎に残っていた。「虐殺《ぎゃくさつ》の英雄と殉教者の記念日」が始まったのである。六個の蠟燭は、ナチスによって殺された六百万人のユダヤ人の魂を表すものである。祭壇は荒い網と荒布と黒布とでデザインされていた。恐らく、荒い網は彼らを決して愛する人たちの元へ返さなかった強制収容所の無残な囲いを、荒布は最後の日々の苛酷《かこく》な生活を、黒布は死んで行った人たちへの悼《いた》みを表しているのだろう。その夜、ホテルのバーは開かれなかった。

翌日私たちはバスで移動中だったが、十時近くなると、運転手がラジオをつけた。十時きっかりにサイレンが鳴ると、あたりに走行中の車は一斉に道端に止まった。人たちは車を下り、二分間の黙禱《もくとう》が捧げられた。私たちもバスの中で起立した。

日本でこんなことをしたら、死者への礼儀を守らない若者もたくさんいるだろうし、またそれを守らせようとする社会的なコンセンサスもないだろう。どちらがいいか、私は結論は出さない。しかしいずれにせよ、世界の国々は、とにかく日本と違うのである。

今年初めて、私たちは、障害者といっしょにベドウィン（遊牧民）のテントに宿営した。ただでさえ体の不自由な人たちが、そんなところでどんなに大変かと思ったが、皆、それを最大の体験として楽しんだのである。もっとも、男も女も体の効く者が、交代に焚《た》き火の傍で不寝番をしてトイレに起きる人の介護をした。野獣こそ出なかったが、交代で夜番をするなどということは、どんなにすばらしい体験か。その上、私たちは幸運にも、珍しいハムシーン（砂嵐《すなあらし》）さえ体験したのである。

黒山羊《やぎ》の毛で織った数千年前と同じ構造のテントの中では、人も物もたちまち砂でまぶされた。私たち七十余人は、男も女もいっしょにその夜一つテントの下で、寝袋にくるまって眠ったのだが、私たちの寝床になった敷物の上にも、我々が着ているヤッケの上にも、あっという間に砂が積もって色もわからなくなった。

その天幕の一夜、私たちは文字通り口の中で砂を噛《か》んだ。世界はたちまちコンタクト・レンズやコンピューターの使える場所ではなくなったのである。そんな精巧な構造のものは、あっという間に砂を噛んで使えなくなるのが砂漠である。実に中近東・

アフリカで、庶民的な暮らしをするということは、動物並みに土や砂に塗《まみ》れて暮らすことであり、それに対して私たちはどれだけ馴《な》れることができるか、ということなのである。

その中で、唯一《ゆいいつ》人間の尊厳を示すのは、人間だけが敷物の上に坐《すわ》る特権を持つということである。家畜は同じテントの中でも、決して敷物の上に上がることはない。だから砂漠の民にとって、敷物や絨毯《じゅうたん》は人間の証《あかし》である。

私は、私とよく似た趣味を持つ或《あ》る日本人のことを思い出していた。

暑い産油国で暮らすことになった時、この人は(私と同じ好みで)わざと床に絨毯を敷かなかった。暑いし、虫が湧《わ》くし、臭いし、洗濯はままならないし、はだしで大理石の床の上を歩く方がはるかに合理的で清潔で涼しく思えたのである。

そういう構造の家に、或る日彼は、親しくなったベドウィンの友人を招いた。するとこの友人は急に怒りだしたのである。彼は敷物のない部屋に通されたことで、動物並みの扱いを受けたと感じたのであった。

歯も磨かず、顔も洗わず、着替えもしないというのが、こういう土地での礼儀であり、暮らし方である。それでも今度の同行者たちは、この旅行の中で、その夜が最高によく眠れたと言った。一説では「やはりベッドは馴染《なじ》まんのでしょうな。フトンがいいんですよ、日本人は」ということでもあるが、私は砂嵐が止んだ後の静かさのせいだったろう、と思っている。都会の放送局のスタジオの中にも静寂はあるが、それは「死んだ無音」であり、砂漠には地球の自転の音も聞こえそうな「生きた沈黙」があったからなのである。

（一九九六・四・二六）

今、改めて「骨折り損」の「くたびれ」「もうけ」

五月十二日の午前、私は夫と三浦半島で墓参りに行った。義父・義母・実母の三人の眠っている墓は、太平洋が見える霊園の岡の上の方にあるのだが、お墓まで後五歩という所で、私は突然転んだ。足の中の方で、何か含んだような嫌な音がするのも聞いた。

私は今までにもよく転んだ。つまり歩き方が下手なのである。しかし膝《ひざ》を擦りむいても、骨を折ったことはなかった。それなのに今度ばかりは敷石の上に転倒したまま自分の足を見た時、私はいつもと様子が少し違うのを感じた。私の足は突然馬のくるぶしを見るように形が変化していた。私はその時、人間の足が急に馬のくるぶしに変わるというのは、ギリシア神話の世界だな、と感じていた。

「足が折れちゃった」

と私は後から歩いて来る夫に言った。同行者がいたのは、ほんとうに幸いであった。そうでなければ、私は救いを求めるために尻《しり》もちをついた姿勢で這《は》って、自力で二百メートルは山道を下りなければならなかったろう。

この霊園の経営者のご住職の一家と、私は大変親しかった。このお坊さまは、大学を出られた後に病気で視力を失っておられたが、私は臆面《おくめん》もなく、カトリックの聖地巡礼にいらっしゃいませんか、とお誘いして参加して頂いたことがあるのである。ご住職はその後、素晴らしい息子さんをボランティアとして送ってくださった。

余計な話はどうでもいいのだ。ご住職はお留守だったが、奥さまがすぐ救急車を呼んでくださった。私が墓地の石畳に引っ繰り返って青空を眺めていると、夫が冷たいウーロン茶の缶を持って上がって来て、「これで冷やすといいよ」と言って足にかけてくれた。そして「腰の痛いの、石段上がって来るうちに直っちゃった」と笑った。彼は前日からぎっくり腰気味だったのである。そしてこのウーロン茶をとっさに持って来てくれたことが、この後、彼が如何《いか》に自分は冷静で女房に親切であるかを示す手柄話になったのである。

青空を見ながら考えたことは、「しまったなあ。講演をどうしようか」ということであった。その日は看護の日で、私は座間で「神奈川看護フェスティバル」という催しのために講演をすることになっていたのである。

奇跡的に、私は大して痛みを感じていなかった。救急車の中でも、私は夫が急いで救急車の後を追ってくることで事故を起こさねばいいけれど、とそればかりを気にしていた。

私は横須賀の聖ヨゼフ病院に連れて行かれた。日曜日である。レントゲンを掛けるまでは、もう少し軽い怪我を期待していたが、私の右足はめちゃめちゃだった。腓骨《ひこつ》が薪《まき》割《わ》りで割ったように縦に折れ、脛骨《けいこつ》の一番下の部分が折れ、踵《かかと》の骨がくるりと脱臼していた。

救急病院で、私は講演会のことばかり気にしていた。何が困ると言ったって、講演会の講師が突然来なくなることくらい、主催者が困ることはない。幸い、聖ヨゼフの整形外科の先生が、踵の骨を元の位置に入れてくださったので、動かした時の痛みは五十パーセント減ったような気がした。

それで私は講演会に出る自信がついた。別に内臓の病気じゃないのだし、看護婦さんの集まりだから車椅子《くるまいす》くらい用意してもらえるだろう、とそれも幸運だったような気がした。私は夫に座間の会場で落としてもらい、夫は先に車を運転して帰る予定だったが、こうなったら最後まで夫の運転に頼る他はない。

私は生まれて初めて車椅子で講演した。演壇を取り払ったので、トークショー風になって、私としてはタレントになったような華やかな気分である。しかし視点が低いと、ライトがやたらに眩《まぶ》しい、ということも発見であった。

講演が終わると、私は主催者側のドクターのお一人に相模原の北里大学の付属病院に連れていかれた。そこでも診断は同じだった。手術は不可避だという。しかしそれは足の腫《は》れが引いてからです、と言われた。ドクターたちは親切だし、看護婦さんも優しい人たちばかりだった。私は運命論者だから、担《かつ》ぎ込まれた所で手術を受けるのがいいような気がしていた。しかしその夜遅く、私の働いている日本財団の笹川陽平理事長が事故を聞いて病室を訪ねて来てくださった。日本財団の職員は聖路加国際病院に健康診断を委託していた。そんなこともあって、院長の日野原重明先生にご相談したら、

「聖路加なら早く直しますよ」

という伝言があった、という。だから明日にでも、聖路加に転院する気持ちなら可能である、ということを言いに来てくださったのである。そこで私は初めて、現実の生活に引き戻された。私はこれでも財団で雑用を果たさねばならなかった。私が入院すると、必要なハンコやサインを誰かが病院まで取りに来なければならない。相模原まで来てください、というのは、不便なことであった。私はその場で、財団からものの十五分もあれば来られる築地の聖路加に転院することを決心した。

私は月曜日の昼少し過ぎに築地の病院に着いた。ここの主治医のドクターの感想は、

「派手にやりましたな」

ということだった。幸か不幸か骨には粗鬆《そしょう》症の兆候がなく、固かったので縦割りになった、という診断だった。そしてその夜にはもう手術を受けた。

私は普段から健康診断というものを受けたことがない。チェルノブイリを騒ぐくらい

だったら、レントゲンの検査で「被曝《ひばく》」しないほうがいいという素人《しろうと》の論理である。その代わり、自分で花と野菜を作って、質素なご飯を食べて、しこしこ働いた方が健康にいいだろう、とそんな感じであった。低血圧気味なだけで、糖尿もアレルギーもなく、肝臓も正常でコレステロールも問題になるほどでもないという原始的な体だったからよかったのかもしれない。

腰椎《ようつい》麻酔で一時間くらいで済むという手術は実際には二時間近くかかった。くるぶしの両側を十一針ずつ縫うほど切ったのだから、縫合にだって時間がかかるのである。これで私がライン・ダンサーになる夢は失われたわけであった。

この手術の間中、私は麻酔の滝野先生に、ずいぶんおもしろいことを教えて頂いた。講義つき手術である。私が、自分の手術台上での姿勢を、両膝を立てて、傷のある右足はやや内側向きにおいていますか、と伺うと、私の足は水平に投げ出されており、右足は少し外向きに置かれているという。

ついでに自分のお腹《なか》の辺りを触ってみて私は驚いてしまった。私のウエストは確実に二メートルほどはありそうな膨れ方をしているように感じたのである。もともとウエストが細いわけではないから、二メートルくらいに腫れ上がったのかな、と思ったが、麻酔から覚めてみると、二メートルというのは、どうも錯覚のようであった。

私は眠さと戦いながら、作家のあさましさで、ずっとテレビで自分の手術の一部始終を見ていたのだが、私の足は、巨大な、味の悪いブロイラーのような外見であった。そこへ何かお醤油《しょうゆ》みたいなものをふりかけるのだから、いっそうまずそうである。

「あれは何ですか？」

とお醤油の正体を尋ねると、消毒薬のイソジンだと言う。

「重い足だなあ」

などという声も聞こえて、私はいっそう恐縮していたのだが、そのブロイラー風の足は、実感的に言うと私の両足の間においた誰か別人の切り落とした足を持ち上げているようにしか感じられないのである。

こういう現実から遊離した感覚をファントム現象と言うのだと、私は教えられた。だから足を切断した人は、ないはずの足が痛いと言い、義足を付けると、自分のまともな足の先に義足を足したように感じられて、こんなに長くてはとても歩けない、と文句を言うのだという。

二時間近くかかって「ほんとうにお疲れさまでした。ありがとうございました。さぞかしお夕食が遅れて、皆さま、お腹がお空《す》きでしょう」という感じの手術が終わったのだが、こんなに素早く手術をして頂けたのは、私の足が、時間が経《た》つに従って痛み出したことと、整形外科の三上先生や辻先生との間で、ユーモラスな会話があったからだった。ドクター方は、私のぎっしりつまったスケジュールの中で、手術後五日目に、京都で日本眼科学会の一般人向けの講演の予定があることを知ると「じゃ、それまでに間に合わせましょう」と言ってくださったのである。

これはほんとうにおかしな会話だった。「間に合わせる」というのは、畳屋さんとか、大工さんとかが、使う言葉ではないか。でも私の足だって修理を必要としているという点では全く同じだった。

後で知ったのだが、こういう無理が利《き》く空気をこの病院が持つようになったのは、院長の日野原先生の実践のおかげであった。先生はもう若くはないという年になられてから、或る時ヘルニアの手術をされたのだが、三日目に仕事があって、鎮痛剤を飲みながら外出をされて、何でもなかったのであった。

私は三日だけすべてのスケジュールを延期してもらった。インタビューはまあ時間のやりくりがつけられるものだし、私がホステス役を勤めるはずだったグレートブリテン・笹川財団のディナーも私がいなくてはどうにもならない、ということもなかった。芸術院会員として皇居に伺う予定もあったが、両陛下の前で足を突き出しているのは、あまりにも失礼に思え、これはむしろお詫《わ》びを申し上げる方が礼儀にかなっているように思えた。

今まで私は、障害者の方たちとこれで十三回続けてイタリアやイスラエルなどを旅行したが、私はいつも車椅子を押す側だった。おかげで使い方はしっかり見ていたから、こうなってみると大変便利だったし、一本の足が残っており、腕力もまだ適当にあるおかげで、扱い方もうまいものだった。

私はお猿の気分になっていた。高い所に吊《つ》るされたバナナを見つけたお猿は、まてまてどうしたら、あれが取れるかと工夫するだろう。その気分といっしょである。この猿的な楽しみのおかげで、私は直接の治療以外の身の回りのことすべてを、はじめから自分ですることができた。洗面、歯磨き、洗濯、工夫すれば何でもできる。手術後三日目からシャワーも浴びた。この手順もエラーをしないように自分で考えてやるとなかなか楽しいものであった。

普段の私は、時々あまりの雑用の多さに頭がカッとなって、部屋の中を全く無意味に右往左往することがあった。しかし足が不自由になった後は、私の頭はいつもにないほど冷静に整理ができるようになった。手順をきちんと考えてから行動に移す。やり直しをするのはツライから、一度で間違いなく仕事を果たすようにしているのである。するときれいに順序立てができる。

もっとも、私はこうした昼間のわずかばかりの「労働」に疲れ果て、夜はもう七時半くらいから眠たくてたまらなかった。微熱があるのもいっそうその怠け癖をかき立てた。いいやもう、脱ぎっぱなしの服なんか明日までほっておこう、と諦《あきら》めもよくなる。障害者は皆、人間ができるものだ!?

私の五月はいつもにないほど講演の回数が多かった。四月にはイタリアとイスラエルへ行き、家で数晩寝ただけで、四月末から五月の連休にかけては日本財団の調査で、中央アジアへ行った結果である。怪我《けが》をしてから退院までの二十二日間に、私は十三日間外出している。外泊をしようが、夜遅く帰ろうが、病室で座談会をしようが、夜になって普段からお世話になっている整体の先生を呼んで痛んだ背骨を治療していただこうが、個室だから静かにすればお叱《しか》りを受けることもなかった。

かねがね私が望んでいることだが、死ぬ日まで、たとえ病んでも、出来る限りの日常性を保たせるというやり方を、聖路加国際病院は既に実践していたのである。病人は病気になっても、それまでの世間の約束ごとは続いている。生活も仕事も、中断できているわけではない。その日常性を保たせ、しかもできるだけ早く、退院させ、仕事や家庭生活に復帰させる。これが高齢者が増えるこれからの時代の老人の医療のとるべき道だろう。聖路加国際病院はみごとにその先駆者的な方法を実践して見せていたのである。

私の外出の中には、日本財団の責任者の一人として、尼崎と児島のモーター・ボート競走場へ行く仕事も組み込まれていた。八億円を三年間で使い切る予定の任意団体「阪神・淡路コミュニティー基金」の発表会を神戸で行うスケジュールができていたので、今さらとりやめることもできなかった。

もちろんそれは、車椅子を押してくださる男手があったからできたことなのだし、飛行機では障害者用の特別の車椅子サービスも受けた。すべて初体験である。まだ手術後二週間も経たないうちに、これらの仕事で十二時間以上も車椅子に座りづめだったので、私はひどい腰痛で立てないほどになった。床擦れの一歩手前のような血行障害が出たのである。

車椅子は楽に見えるが、一生寝るか座るかしていなければならない人の苦痛を私は今度初めて知った。ギリシア語の見事な表現の一つにペリパテーオーという言葉がある。ペリパテーオーという語は、生活する、という意味と同時に、歩く、という意味も持っていた。だから歩くのが嫌いな人は生活していないのよ、と私は悟ったようなことを言っていたが、実は歩くという行為がもっとも体の円滑な循環のためにはいいことなのだ、ということも、自分の体が不自由になってみて初めて実感したことであった。

車椅子を押される側のあらゆる体験が、私にはほんとうに役に立った。或る地方のホテルには、車椅子用の部屋が全くなくて、私は宿を変えねばならなかった。たった一本の敷居のために、私は自分で自分のことができなかったからである。ドアの寸法が後五センチ広ければ、と思うこともざらだった。厚生省はこういう規格をはっきりと指示することをいまだに怠っている。

兵庫県の知人のドクターが、

「いやあ、いい人が足折ったよ。ソノさんが足折れば、今後、車椅子押す時に必ず役に立つよ」

と言われたのは、残念ながらほんとうなのであった。努力はしなかったが「骨折り」して「損」して「くたびれた」のは事実だし、「もうけた」部分があるのも確実だから、今はこの慣用句の重みに新鮮な驚きを感じている。

（一九九六・六・五）

解説──曽野綾子さんの『徒然草』

亀井龍夫

「毎朝ほとんど、夜の引き明けに眼を覚ます。十代の頃からの癖である。血圧が低いのに、目覚めは実に爽《さわ》やかなのがおかしい。昔は早寝だったが、三十代の終わりから、突然、六時間寝ればよくなった。だから眠りに就くのは、十一時半か十二時ころである。」

という書き出しで「夜明けの新聞の匂い」の連載がはじまったのは、『新潮45』の昭和六十三年三月号からであった。以来、十二年をこえて現在もなお連載は続いている（私は連載九年目に同誌編集部を去ったが）。これは偉業であると私は思う。ことに後述するように曽野さんの超多忙な生活を思えば。

すでに四冊の本にもなっている。『夜明けの新聞の匂い』（平成二年六月新潮社刊）『狸の幸福』（平成五年七月・同）『近ごろ好きな言葉』（平成八年十一月・同）『部族虐殺』（平成十一年九月・同）だが、このほどその三冊目が文庫におさめられることになったというわけである。

ところで、「夜明けの新聞の匂い」第一回目の書き出しの続きはこうなっている。

「まもなくゴトゴトと音がして、夫が雨戸を開け、新聞を取りに階下へ行く。我が家は寝室が別である。これがまた、自由を確保する上でこの上ない。お互いに眠りたい時に眠り、夜中でも目覚めれば本を読んだり、くだらない映画のヴィデオを見たりしている。
それにしても、男はパジャマのまま門のところまで新聞を取りに行けていいなあ、と私は思う。寒い日には、せめてガウンを着て出てくださいと頼んでいるのに、今日も恐らく着ていないに違いない。そういうことをしていると、今に脳溢血《のういっけつ》で引っ繰り返るだろう、と思ったりしているが、サービスの悪い妻は、夫が取ってきた新聞を『おはよう、はいよ』と言いながら投げ入れてくれるのが、正直言ってほんとうにありがたい。それからしばらくが、私が新聞を読む楽しみの時間である。」

それにしても、「夫」とは三浦朱門氏で、その元文化庁長官（当時は「元」ではなく「現」だったかも）がパジャマ姿で新聞を取りに行くとは、またずいぶんあけっぴろげに書かれているものである。しかも、読者がそう思って驚くかもしれないことなど筆者はまるで考慮していない、そんな書き方だ。すべてありのまま、思ったまま、遠慮しなくてはいけないときも遠慮なく、いつもホンネを書く。それがこのエッセイ集の筆者、すなわち曽野綾子さんの基本的な姿勢である。

それはそうと「夫」は本書でも随所に登場している。たとえば税金の申告をする場面ではこんな具合である。

「夫が、『大変だ。ボクは金がない』と言ったので、私は、『じゃ首くくったら？』と言ってみた。すると彼は嬉《うれ》しそうに笑って、『僕、死なないで夜逃げする』と答えた。

この精神は大切なのであろう。バブルがはじけて、まじめに首くくるより、不真面目《ふまじめ》に夜逃げすることの方がどう考えても人間的である。」(「人生すべて三十年」)「嬉しそうに」時代おくれの「夜逃げ」を口にする。いかにも三浦朱門氏らしい。それを曽野さんがホメている。おそらくこれも実際にあった情景に違いない。そこで私は思うのだが、これは私小説作家ではない曽野綾子さんが、珍しく書いた私小説的エッセイとも言えるのではないか。「夜明けの新聞の匂い」には、そうも読める一面がある。それなら、そのための予備知識を最低限でも読者に提供するのが解説者としてのつとめでもあろう。

たとえば、田園調布に住んでいるはずの曽野さんが急に海の見える家にいたりして、混乱をきたす読者もいるかもしれない。実は、三浦半島の先の方にセカンドハウスがあって、その双方で曽野さんは友人から「生活程度の低いのがわかるねえ」と言われながら野菜作りをしている(「人生すべて三十年」)のである。シンガポールにもアパートがある。東南アジアを舞台にした作品の多い三浦夫妻の〝基地〟である。そこで神戸で大学の先生をしている一人息子と合流することもある。彼は子供のころテレビを見せてもらえず「退屈紛らしの本」を読みあさったおかげで今は文化人類学者(「退屈と読書癖の関係」)。

それから、これは本書を読めばわかるが曽野さんは旅が多くて超多忙であることにも触れておこう。国内もそうだが海外も多い。海外邦人宣教者活動援助後援会や日本財団(旧日本船舶振興会)の仕事もある。前者ははじめてもう二十年以上になるが(『神さま、それをお望みですか』に詳しい)、後者の無給の会長に曽野さんが就任したのは平成七年のことだから、その経緯は本書に詳しく書かれている(「おかしな気分」「作家って何だ」ほか)。また毎年一回、盲人や車椅子の障害者たちとともにカトリックの聖地を巡礼する旅も曽野さんは欠かしたことがない。この旅は昭和五十九年から続いているが、「いつまで続くのですか？」という私の質問に、いつだったか曽野さんはこう答えたことがある。

「その旅が私に辛《つら》くなくなったらやめます」

曽野さんとは、こういう人である。ちなみにこの聖地巡礼は、曽野さんが絶望的とさえ言えた視力障害から奇跡的に立ち直った（『贈られた眼の記録』に詳しい）のがキッカケだったように記憶する。

さて、予備知識はこれくらいにして、以降は本書の読みどころを私なりに紹介してみよう。本書には『新潮45』の平成五年三月号から同八年七月号までの「夜明けの新聞の匂い」が収録されているが、偶然にもこの時期が村山内閣時代とほぼ重なり合っているのである。村山富市氏にとっては、なんたる不運ということになるだろう。彼は、毎朝の曽野さんの「新聞を読む楽しみの時間」の常連になってしまったのだ。本書にはしばしば村山首相が登場するが、一例だけあげてみる。

「総理になれば、社会党員として信念を曲げた仕事もしなければならないことはわかりきっていたのに、その地位に就いたということだけで、愚かで信頼できない人だということがわかる。清貧でも好々爺《こうこうや》でもない、ただの通俗的な権力主義者で意志薄弱な人に、マスコミは眉毛《まゆげ》と顔つきで騙《だま》され始めている。この成り行きを見るドラマの方がおもしろい。」（「清貧と眉毛のメロドラマ」）

村山内閣には新聞も厳しい方だった。とくに阪神大震災やオウムのサリン事件に際しては、その無策ぶり無能ぶりは激しくたたかれたが、それでも人間的には清貧で好々爺だというイメージでとおっていたのではなかったか。が、曽野さんにかかってはご覧のとおりである。もちろん曽野さんは、ありのまま思ったままを書いたに過ぎないのだろうが。

しかし、注意しなければならないのは、村山問題などは二の次で、ここで問題なのは彼を好々爺としてゆるす新聞であるということだ。「夜明けの新聞の匂い」というタイトルだから今さら言うことでもないのだが、本書の一貫したテーマは新聞である。「『天に代わりて不義を討つ』という使命に燃えている人」が多い新聞（「おかしな気分」）、「『新聞は言論の自由のために戦って来た』などということが、どれだけ嘘《うそ》だったかを、私はよく言って来たが、若い人たちの中には信じない人もいた」（「『一隅』の整理」）その新聞が問題なのである。ズバリその「新聞を読む楽しみ」を曽野さんが書いているくだりがある。

「朝日新聞の記事には、よく違和感を感じることがある。朝日を取るのは、その違和感を楽しみ、私はこうじゃないな、と思うためでもある。どういう違和感かというと、我が社は『ヒューマニスト』であるということを宣伝する大合唱にしじゅう加わるからそれがキミ悪いのである。それと、人間を簡単に善悪に分けていたり、一つの立場に矛盾した面があることなどを考慮しない文章が書かれることもあるので、その考え方はゴ立派でも幼稚なものに感じられてしまう。今の日本ではほとんど問題にされないけれど『不純な大人の視線』というものはれっきとしてあり……」（「徳の力」）

「不純な大人の視線」——どうやらまた解説者の出番がきたようだ。

もともと曽野綾子さんという人は、きわめてすぐれた心理家であり人間通である、と私は考えている。小説家だから当たり前だというなかれ。ちょっと違う、いや、だいぶ違う人間通だ。「私はいつも言うように、人と人生を悪意に解釈することにかけては非凡な才能を有している」（「オノレの青春」）と、さらりと書ける人間通。そして、たぶんそれは、彼女の作家活動が少女時代の不幸な家庭環境と悲惨な戦争体験から出発したことと無関係ではあるまい（最初の長編小説、そして唯一《ゆいいつ》の自伝的小説である『黎明《れいめい》』に詳しい）。それに、もちろんカトリック信仰をも付け加えなければならないだろう。

が、それはともかく、すぐれた心理家、人間通の底にあるものは、たとえば感情に走ったり〝正義〟をふりまわしたりする人に対しては冷やかな、すこぶる健全なモラリストの常識とでも言うべきもので、それが曽野さん的表現の「不純な大人の視線」である、と私は思う。百聞は一見（読？）に如《し》かず。解説より読んでもらった方が早いだろう。人間通の透徹した眼、あるいは「不純な大人の視線」は本書を読めば至るところで感じられるが、とりわけ次の一文などは曽野さんならでは。

「既に最近の社会には、自分は悪いことは一切しない人道的人間だというポーズに終始する人がかなりいる。しかし私はそういう人に同調したことはない。人間である、ということは、善の要素と共に悪の要素も必ず合わせ持ち、それぞれの可能性に対して、過剰な自信も抱かず、しかし絶望もしない、という自制の状態を保つことだと思っている。」（「ほどほどの」）

「『ほどほどの悪』と共生して生きるという認識は、私の中で、非常に重大な意味を持つ。もし自分の中に『ほどほどの悪』の自覚がなければ、私は即座に人間を失うであろう。自分がかなりの人道主義者だなどと思ったら、その時から、誰もが腐臭を放つようになる。」（同）

ここまでくれば、人間存在の深奥に通暁《つうぎょう》した人間通が、つい書いてしまったという感じの言葉も、ついでに引用しておきたいという気持を抑えがたい。

「ほんとうに、人生では慰めなどというものは、あり得ないのかもしれません。その人にしか、その苦痛はわからないのです。」（「透析を始めた友へ」）

「とにかく私は、この世の原型は、いつも悲惨なものだと思い続けてきました。病気、貧困、人災、天災、不運、憎悪《ぞうお》、死別、喪失、別離、戦争、殺意、裏切り。それらがあるのが現世というものであって……」（同）

正直に告白するが、解説を書くために本書をあらためて通読しながら、「これはなんというエッセイ集であることか」と、私は頭をかかえ込む気分だった。むろんのこと、楽しい話、笑える話もふんだんにある。紀行文もおもしろい。いつもながらのことだが、彼女の事にあたっての判断の明敏さ、適格さ、その底にある感受性の柔軟さは無類というほかはない。また、マレーシアのホテルで志賀直哉の『城の崎にて』を彼女が読む話が出てくるが（「ペナンの海辺で」）、その志賀作品に匹敵するかと私には思われた短編も二、三ある（「ティルティルの山の彼方で」「オノレの青春」「嘘のようなほんとうの話」など）。しかし、「なんというエッセイ集であることか」の思いはいっこうに消えなかった。

その時、ふと脳裏をかすめた、いささか突飛にも見える連想があった。もしかすると、本書は現代日本の曽野綾子版『徒然草』と言ってもいいのではないか。

かの希代の人間通・兼好法師が『徒然草』で語ろうとしていることを、私流に思い切って一言で言ってしまえば、「先途《せんど》なき生」ということになるだろう。

「されば、人、死を憎まば、生を愛すべし。存命の喜び、日々に楽しまざらんや」（第九十三段）

本書もまたエッセイの書き手の頭の中には常に「死」がある。死そのものについても書いている（「プレスリーの聖歌」ほか）。「されば……」のくだりが違っているだけではなかろうか？　曽野さんのはこうだ。将来、日本の新聞がどうなろうと、そのために日本人がどうなろうと――

「『どうせその頃、私は生きていないのだから』というのは、私の『近頃好きな言葉』なのである。」（「近ごろ好きな言葉」）


（平成十二年三月、元『新潮45』編集長）

本書収録の諸編は「新潮45」平成五年三月号―同八年七月号に連載され、同年十一月新潮社より単行本が刊行された。